타이탄 스카이라인

발　행 | 2024년 1월 2일
저　자 | 이종필
펴낸이 | 한건희
펴낸곳 | 주식회사 부크크
출판사등록 | 2014.07.15.(제2014-16호)
주　소 | 서울특별시 금천구 가산디지털1로 119 SK트윈타워 A동 305호
전　화 | 1670-8316
이메일 | info@bookk.co.kr

ISBN | 979-11-410-6320-7

www.bookk.co.kr

"안데르센의 즉흥시인에 영감을 받아서,......."

타이탄 스카이라인

이종필 SF 장편소설

목차

그래도 유신론자들은 사라지지 않는다.

.

21세기 중반에 이르러서 인간의 의식 활동이 과학에 의해 많은 것들이 설명되어졌다. 그래서 이제 영혼이 있느냐, 없느냐라는 문제는 과학적인 영역에서 해결되는 듯이 보였다.

이런 무신론자들과 유물론자들의 움직임에 대한 21세기 주류 종교였던 기독교와 이슬람, 불교, 힌두교는 자신들의 교세확장에만 몰두해 있을 뿐 제대로 대응을 하지 못하고 있었다.

21세기 후반에 이르러 과학과 기술이 인류에게 영생을 주고, 행복을 주리라 미래학자들이 예언을 하였지만 그들은 19세기 말의 어리석음을 그대로 답습했다.

물론 일부의 인간들은 과학적 낙관주의가 예언한 대로 영생에 가까운 삶을 살고, 풍요로운 낙원을 누리게 되었지만 대부분 인간들은 그들이 키운 개만도 못한 쥐같은 삶을 살았다.

22세기 후반. 인류세 대멸종이라는 초유의 사태가 벌어지고 그 여파는 23세기까지 지속되었다.

이에 살아남은 인류는 24세기를 지나 인류의 생활 영역은 전 태양계에 확장되었다. 저 멀리 카이퍼벨트에 있는 에리스부터 가까이는 금성의 뜨거운 황산의 대기까지.

6

그러나 아직 인간이 이룩할 수 있는 속도의 한계는 광속의 십분의 일까지라. 가까운 항성계인 시리우스까지는 진출하지 못했다.

 그 당시는 종교라는 것이 없었는데 그 과정은 이렇다.

 22세기 중엽. 인류의 인구증가율이 최고점을 찍고, 이제 슬슬 인구가 줄어들 무렵. 기존에 유물론과 무신론에 제대로 대처하지 못한 기존의 종교는 점점 사라지고, 이제 인류의 이데올로기는 과학과 유물론이 차지하는 듯 보였다.

 그래서 심지어는 이 과학과 기술, 유물론을 종교로 섬기는 새로운 과학교가 생겨났다.

 통칭 과학교는 이성과 과학을 신의 자리에 대신해 넣어 과학으로 모든 것을 설명할 수 있고, 인간 또한 기계적인 원리를 따르는 한 부품이라는 이데올로기를 신봉하는 종교집단이었다.

 그 당시에 있던 기독교, 이슬람, 힌두교 같은 신을 섬기는 종교가 과학교에 의해 서서히 사라져 갔다.

 그렇다고 과학교의 말 따라 모든 본질을 과학으로 설명 할 수 있는 것은 아니었다.

 21세기의 뇌과학과 공학의 발전으로 인간의 뇌를 과학적으로 설명할 수 있다고 해도 인간의 본질 그 자체를 설명 할 수 있는 것은 아니다.

 그리고 순진한 21세기 미래학자들의 장밋빛 환상처럼 과학으로 결코 인간은 행복해질 수도 없었고, 영생 할 수 있다는 믿음 또한 깨지고 말았다.

 인류세 대멸종이전 이미 종교는 사라졌으나 그렇다고 인간이 신처럼 될 수는 없었다.

 25세기까지 기술은 소수가 독점했으며 21세기의 민주주의와 공화주의는 이런 기술의 독점과 과학교에 의해 크게 쇠퇴하였고, 인류는 그야말로 양극단으로 나뉘게 되었다.

기계보다 더 대접받지 못한 평범한 민중들은 점점 곤충 사회 같고, 감성이라고는 존재하지 않는 과학교와 과학 기술이 지배하는 세상을 거부하게 되었다.

22세기부터 소수지만 그런 개보다 못한 대접을 받지 못한 집단에서 유물론과 무신론에 대항해 논리를 키워오고, 믿음을 다져온 집단이 있었다.

그들은 기존 종교가 자신의 밥벌이에 신경 쓰고 있을 때 기꺼이 과학교가 대세가 될 것을 예견하고, 과학교에 대항할 유신론적이고 유심론적인 통합적인 교리를 연구했고, 드디어 24세기에 완성했다.

인류세 대멸종에서 살아남은 인류는 전 태양계로 확장하며 다시 번영한 듯싶었으나 인류의 근본적인 양극단의 계급갈등은 끝난게 아니다.

25세기. 기존의 종교가 사라진 후 과학교가 대세가 됐을 때 그들 종교는 과학교의 반대편에서 곤충 취급 받던 민중들의 편에 서서 유신론과 유심론을 전도해나갔다.

그리고 결국 25세기 중반부터 이런 과학교를 믿는 자들과 새로운 종교를 믿는 자들 사이에 전쟁이 벌어지고 말았다.

반세기 동안의 태양계 행성들과 위성들과의 내전으로 자신들을 일신교라고 자칭하는 자들은 과학교와 더불어 거대한 정치적 헤게모니가 되었으며 태양계의 한 축이 되었다.

그리하여 현재 26세기 말에는 이들 과학교와 일신교, 그리고 소수의 중도파들이 태양계 정치세력을 대표하는 자들이 되었다.

과학이 발전하여 인간의 뇌에 대해 설명 하게 될 때 유신론은 사라질 줄 알았지만 오히려 많은 의문들이 생겼으며 오히려 과학으로는 설명 할 수 없는 것들이 더 많아졌다.

그래도 유신론자들은 사라지지 않았으며 이제 기존의 기독교와 이슬람등의 기성종교가 사라질 때야 말로 이들 두 믿음은 본질적으로 대치하게 되었다.

일신교 혹은 신교(神敎)라고 불리는 유신론자와 유심론자들.

과학교라고 불리는 무신론자와 유물론자들.

인류의 지성이 시작되고, 역사가 시작될 때 항상 두 사상은 반목을 일으켰고, 그건 26세기에서도 마찬가지다.

나의 이야기는 과거 격전의 전쟁이 끝난 뒤 차가워진 두 사상의 교차점에서 시작된다.

프롤로그

토성의 위성 타이탄의 한 콜로니인 프로메테우스 시티에서 아버지가 누구인지 모른 채 어머니 밑에서 난 태어났다.

내 이름은 정호였고, 성은 트리스탄이라고 불렸는데 트리스탄이라는 성은 프로메테우스 A지구에서 사는 상류층이 쓰는 성 중 하나였다.

그래서 아버지가 누구인지는 모르지만 난 내가 프로메테우스 시티의 상류층의 사생아임을 추측 할 수 있었다.

그러나 어머니가 너무나 비천한 신분이었기 때문에 프로메테우스 시티의 빈민지구라고 할 수 있는 H지구에서 난 유아시절을 보내야 했다.

프로메테우스 시는 인구 500만을 자랑하는 타이탄 위성에서 제일 큰 규모의 콜로니이다.

A지구에 사는 상류층이에봐야 1만 명도 되지 않으며 10만 명은 B지구에 살면서 1만 명의 상류층을 서포터하고, 시중드는 중류층 사람들이다.

C지구에서 F지구까지는 그야말로 평민으로써 AI의 지배를 받는 자들이며 인공지능에게 일자리를 뺏긴 자들의 후손들로써 중류층 사람들이 억지로 일자리를 마련하고, 숙식을 마련하여 겨우 굶주림과 노숙을 피한 그야말로 평범한 사람들이다.

그래서 이 평민들이 프로메테우스 시티에서 제일 많은 인원수를 차지하며 시티에서 험한 일이든 더러운 일이든 단순한 일이든 모든 직업과 작업의 근간이 되는 사람들이다.

G지구에서 H지구에 있는 자들 역시 프로메테우스 시티에서는 그렇게 많은 인원을 차지하는 사람들은 아닌데 그들은 빈민들로써 주로 태양계내 행성들 간의 전쟁이나 AI반란에 의해 다른 곳으로 들어온 난민들이 많았다.

난민뿐만 아니라 상위 지구에서 범죄를 일으켜 수배를 당한 경우나 어떤 정치적 목적에 의해 신분을 숨기기 위해 G, H지구에서 모습을 드러내는 사람들도 있었다.

어머니의 경우 난민으로써 금성에서 아주 먼 타이탄까지 난민으로 불법 이민을 온 경우였다.

어머니는 이제 태양계에서 몇 십 만 명 밖에 남지 않는 한국인으로써 어떠한 계기에 A지구에 사는 아버지를 만나 서로 사랑을 나누고, 나를 잉태하게 된 거였다.

어머니 얘기에 의하면 그 당시 아버지는 과학교 입문을 진지하게 고려하는 시점이었고, 어머니는 난민으로 프로메테우스 시티에 갓 온 시점으로 도시에서 자리를 잡아가야 할 순간에 아버지를 만났고, 처음에는 돈 때문에 아버지와 육체를 섞었지만 나중에는 사랑으로 자라나게 되었다.

아버지가 과학교 2단계까지 입문 의식을 치룬 뒤 더 이상 어머니와는 관계를 가질 수 없었으며 어머니와 헤어질 수밖에 없었는데 그 때 어머니는 나를 뱃속에 품고 있었다고 한다.

그리고 지금 아버지는 과학교 4단계의 장로 자리까지 올랐다고 한다.

어렸을 적 나는 과학교 4단계까지 간다는 것이 무슨 의미인지 몰라 어머니에게 왜 아버지를 만나볼 수 없는지 물어보았다.

그것을 물어보자 어머니는 슬픈 눈빛으로 쳐다보며 대답하셨다.

"과학교 수술 4단계라는 것은 말이지,......."

그 당시 어머니가 왜 슬퍼하면서 대답하셨는지 그 당시에는 몰랐지만 은인은 그 분에게 과학교에 대해 알게 되면서 어머니가 왜 그 말을 하면서 슬퍼하셨는지 알게 되었다.

어머니는 무척 아름 다우셨고, 정치나 외교 분야 뉴스에 무척 해박하신 분이었다. 내가 보기엔 분명 한 행성에 몇 개 안되는 국립 대학에 다니신 분 같았는데 왜 금성에서 이곳으로 난민으로 들어 왔는지 그 이유를 몰랐었다.

먹고 살기 위해 아버지와 성관계를 가지셨지만 그것이 다가 아닌 거 같다. 아버지와의 관계가 끝난 후로도 나를 낳으신 후에 다른 남자와 사귀거나 동거를 하지 않는 것을 보면 분명 아버지를 가슴 속 깊이 생각하신 듯 했다.

나를 낳으시고, 어머니는 캠벨사의 수석 로봇 디자이너의 하급 기술자로 일하면서 살아가고 계셨다.

캠벨사의 수석 로봇 디자이너는 어머니의 반도체 설계능력을 보시고는 하급 기술자로 채용했는데 대부분 술주정꾼에 창녀들만 있는 빈민 G지구에 반도체를 디자인 할 수 있는 기술자가 있으리라고는 캠벨사의 기술이사진도 생각지 못한 모양이다.

그 당시 2580년경의 타이탄 위성의 대부분 콜로니들은 탄화수소를 외부 행성이나 위성에 수출하면서 경제활동을 영위해 나갔다.

특히나 목성의 위성에 있는 에우로파와는 절대적으로 정치적으로나 군사적으로 같이 해야 할 운명이었으나 타이탄에 필요한 물과 산소는 절대적으로 에우로파의 물에 의존하고 있었고, 에우로파 역시 비싼 핵융합보다 싼 탄화수소 연료 공급을 위성 타이탄에 의지하고 있었기 때문에 다른 행성과 위성들이 내전 상태에 돌입해도 타이탄과 에우로파는 지리적으로 가까이 있는 점도 있어 항상 동맹을 유지했다.

목성과 토성의 거리차이보다 더 머나먼 화성이나 지구, 금성의 행성들과는 차원이 다르게 타이탄과 에우로파는 목성과 토성의 거리차이 만큼 가까웠기 때문에 좀 더 교류가 활발했다.

부족한 얼음은 히페리온 위성이나 이아페투스 위성에서 채굴 선에 의해 채굴한다. 이런 탄화수소나 얼음을 채굴하는데 필요한 거대로봇들을 디자인하고, 만드는 거대기업이 바로 캠벨사이다.

그러나 독점 방지법 때문에 타이탄의 거대로봇 기업은 캠벨사말고도 여럿이 있었다.

아무튼 어머니는 비록 프로메테우스시의 빈민굴 지역인 G지구에 살고 계셨지만 결코 몸을 파는 창녀나 술이나 약에 의지하여 사시는 분은 아니고, 번듯한 직업을 가지고 살았다고 알고 있다.

비록 하급 기술자이고, 정식 직원이 아니지만 나름 나를 여섯 살까지 잘 키우셨다. 하지만 불행한 사고는 언제나 예고하지 않고 찾아온다.

G지구의 정비되지 않는 도로. 가끔 가다 신교의 전도사들이나 장로들이 G지구의 빈민들을 위해 먹을 것을 나누어 주려고 찾아온다.

과학교의 상류층들은 평민들이나 빈민들에게 재화(財貨)를 나누어 주는 배품의 행위를 쓸데없는 것으로 보았다.

그들이 가난하고, 계층 밑바닥에서 생활 하는 이유를 사회진화론적으로 생각하기 때문이다. 유전적으로 육체와 정신이 결함이 있어 그런 놈들은 사회밑바닥의 삶을 살아간다는 거다.

이들을 구제하는 방법은 오직 육체를 개조하여 획일적인 기계로 만들어야 한다는 것이다. 그러나 신교의 생각은 달랐다.

사회진화론에 대해 부정적인 입장에 있는 신교측은 빈민도 생활을 영위 할 수 있게끔 살 수 있게 구제해야 한다는 입장이었다.

그래서 신교의 자원봉사자들이 G지구에 와서 음식과 별로 값어치가 되지 않는 공산품을 나누어 줄때가 되면 G지구의 빈민들은 신교의 자원봉사자들 앞에 구름처럼 몰려들었다.

우리 모자(母子)역시 살림이 넉넉지 않은 편이어서 신교의 자원봉사자들이 G지구에 오는 날이면 그들에게 물건을 타기 위해 외출을 하곤 했다.

그때도 어머니는 밤새 회사에서 맡은 일을 끝내고, 피곤한 몸으로 내 손을 이끌고, 가벼운 갈색 가방을 든 채 외출 준비를 했다.

내 기억 속의 어머니의 마지막 모습은 무척 피곤해하던 얼굴이었다. 그리고는 나를 보고서는 의미 없는 미소를 지었던 게 기억난다.

G지구의 공중부양 자동차들이 다니는 하이웨이 횡단보도에서는 아주 가끔가다 사고가 난다. 일의 효율을 위해서라면 빈민에 대해 털끝하나 생각지 않는 관료들이 있는데 거의 아니 전부 과학교도들이었다.

그들은 조직의 유지와 안녕을 위해서라면 버려지도 못한 빈민이 어찌 됐든 어떤 짓도 서슴지 않았으며 횡단보도의 신호조차 지키지 않고, 마구 달리곤 했다.

이런 과학교도 관료들에게는 돈이 그렇게 중요하지 않았으며 오직 조직의 효율과 관리가 더 중요했다.

그래서 가끔 가다 고속 부양자동차로 빈민을 치게 되어 숨지게 하면 정해진 장례비와 위자료를 주고는 모든 사건을 무마하였다.

물론 그건 합법적인 것으로 타이탄의 위성경찰이 와서 공증인이 되어 사고를 당한 빈민에게 위자료와 장례비를 준 다음에야 사고를 낸 관료나 상위계층 사람은 풀어날 수 있었다.

그 날도 역시 재수 없게 그런 사고를 당했는데 그 사고를 당한 당사자가 바로 나의 어머니라는 점을 빼면 G지구에는 흔히 있는 그저 그런 일이었다.

정확히 말하면 바로 나였는데 어머니가 나를 구하기 위해 재빠르게 나를 밀치고, 대신 그 고속 부양 자동차에 치어 숨지신 거다.

사고는 너무 순식간에 일어났는데 어머니에게서 불과 몇 미터 떨어진 나는 어머니의 시신을 보고 싶었으나 금발의 예쁘장한 한 빈민 여성이 자신의 손으로 내 눈을 가리고, 어머니의 시신을 보지 못하게 했다.

"이런 젠장! 완전 고깃덩어리가 되었잖아!"

사고를 낸 운전자인 사람이 곧바로 달려와서 현장을 보고는 외쳤다. 그러자 곧 점잖은 목소리의 중년 남자가 그에게 무덤덤하게 얘기했다.

"역시 과학교도들 답군. 사람을 이렇게 죽여 놓고는 아무렇지도 않다니."

"어차피 인간은 단백질 덩어리잖아. 단백질 덩어리가 움직이지 못한 게 뭐 어때서? 법대로 이 여자의 유가족에게 장례비와 위자료를 주면 돼지? 시간이 없단 말이야. 위성 경찰은 어디 있어?"

몇 분 안 있어 위성 경찰이 탄 경찰차가 공중에서 서서히 착지하더니 이미 시체가 된 어머니의 살 점 하나를 분석기 안에 넣고 분석한 뒤 곧바로 빈민 여성에게 안겨 있는 나를 찾아내어 사고를 낸 사람에게 인도하였다.

나는 6살이라는 어린 나이라 그에게 인도되자 살짝 겁먹은 얼굴로 여경인 위성 경찰의 엉덩이를 꼭 붙잡으며 그 뒤에 숨었다.

프로메테우스시의 G지구 지방경찰청에서 여경을 보낸 이유는 이 사고가 흔한 사고일뿐더러 빈민을 상대하는데 는 강압적으로 보이는 남자경찰 보다는 유약하고, 만만해 보이는 여경들을 보냈으리라 생각한다.

그 여경은 자신들의 몸매가 드러나는 타이트한 경찰 제복을 입고,

자신의 엉덩이를 붙잡고 있는 나를 안쓰러운 표정으로 쳐다보았다.

이 여경이 100% 인간인지 아니면 안드로이드인지는 완전히 벗겨 봐야 안다. 그러나 그 어느 누구도 이 여경이 인간인지 아니면 안드로이드인지는 신경 쓰지 않았다.

내가 그들을 쳐다보았을 때 목소리 만 큼이나 얼굴에 주름이 진 검은 단발머리의 중후한 신사와 젊어 보이는 금발의 싸가지 없게 생긴 남성이 실랑이를 벌이고 있었는데 아마도 그 금발의 남성이 어머니를 차에 치어 죽게 만든 범인이라는 생각이 들었다. 그는 나를 쳐다보더니 무표정한 표정으로 말을 걸었다.

"꼬마야. 미안하구나. 일부러 네 어머니를 죽인 건 아니다. 타이탄 행정부를 위해 일을 하다가 이런 사고가 일어나긴 하지."

"메모리 칩 좀 검색 하겠습니다."

내가 붙잡은 여경 옆에 또 한 여경이 그 금발의 남성에게 그렇게 말하고는 그의 공중부양차를 뒤적거렸다.

나는 어머니가 보고 싶어 어머니 있는 쪽으로 고개를 돌리려 하자 내가 엉덩이를 만지고 있던 여경이 나를 번쩍 들어 올려 나를 자기 품에 껴안고는 고개를 돌리지 못하게 했다.

"메모리 칩에서는,……. 사고가 맞는군요."

그 당시에는 몰랐지만 설사 사고가 아니더라도 단 1초면 메모리를 자동차에 있는 인공지능이 언제든지 고쳐 쓸 수 있기 때문에 교통사고가 뺑소니인지 아닌지 입증하기 힘들었다.

물론 상류층이나 보통 사람들 중에서 어느 정도 영향력이 있는 사람이 사고를 당했을 때는 이런 고쳐 쓰기 방법을 알아차릴 수 있는 절차를 동원하여 범죄여부를 밝혔지만 나와 어머니는 빈민이라 그런 절차는 모두 생략되었다.

"꼬마야. 이름이 뭐니?"

단발머리의 중후한 사내가 나에게 이름을 물어보았다. 그러자 나는 가녀린 목소리로 대답했다.

"정호 트리스탄이요."

"트리스탄이라고? 그러면 안톤 트리스탄하고는 어떤 사이니?"

"어머니가 그러시는데 전 그 사람의 사생아래요."

이 도시에서 트리스탄의 성씨는 흔치 않은지 그 사내는 자신이 알고 있는 트리스탄의 성을 쓰는 사람에 대해 아는지 나에게 물어보았다.

나는 어머니에게 전해들은 대로 정확히 대답만 했다.

그 단발의 사내와 금발의 사내는 내 대답을 듣고는 깜짝 놀라는 표정을 지었다.

"설마 대장로님의 사생아 일 줄은,....... 소문은 들었지만."

"어떻게 할 거요? 위자료와 장례비만 주고 사건을 무마시킬 거요?"

중년 사내의 물음에 금발의 사내는 어두운 낯빛을 띠며 고개를 저었다.

"비록 사생아라고 하지만 그 분의 자식인건 맞소. 보통의 빈민들 처럼 저 여자를 장례 지으면 안 될 거 같은데."

"아이도 아직 어리고. 아이가 성인이 된 후에 어머니의 시신을 어떻게 할 건지 정하게 합시다. 그래도 어머니의 모습은 기억해야 할 거 아니요."

"사람이 죽으면 원자분해가 되고, 한낱 고기 덩어리가 되는 거지만 넌 과학교도가 아니니 상관없겠지."

중년의 사내의 제안에 금발의 사내는 나를 쳐다보며 그렇게 얘기 했다. 나는 무슨 뜻인지 몰라 여경의 품에서 고개를 갸우뚱 거렸다.

"네 어머니의 시체를 다시 온전히 복원 시키고, 수소냉동 시킨다 는 뜻이야. 비록 아무리 생체를 복원 시킨다고 해도 네 어머니를 다시 살릴 수는 없지만. 생전 그 아름다운 모습으로 잠자는 숲속의 공주처럼 만들 수는 있단다.

네 어머니의 시신을 어떻게 할지는 네가 성인이 된 다음에 결정해라. 넌 아직 어리니. 그 비용까지 전부 내가 책임지겠다.

보통 빈민들이 죽으면 어떻게 되는지 아니?"

금발의 사내는 나에게 조금 다가 와서는 그런 말을 한 뒤 또 강압적인 자세로 물어보았다. 나는 어머니에게 조금은 그 소문을 들었기에 떨리는 목소리로 대답했다.

"불태워서 화장한다고 들었어요."

"화장이라,...... 화장이기 보다는 플라즈마로 기화시킨다고 보는 게 맞겠지. 빈민들 중에 적어도 신교를 믿고 있는 자라면 그렇게 한단다. 아니면 이렇게 돈을 들여 수소냉동을 시켜 시신을 보존한다던가. 물론 수소냉동을 하는 경우는 좀 평민들 중에서도 부유한 경우란다.

빈민이나 돈 없는 평민들은 플라즈마로 기화해서 화장을 하지. 그게 신교의 룰이라고 알고 있다.

그렇다면 과학교를 믿고 있으면 어떻게 할 거 같니?"

"몰라요."

"과학교라면 바이오연료로써 시신들이 쓰인단다. 그게 아니면 갖가지 연구재료로 시신들이 쓰이지."

"바이오연료요?"

난 그 말이 무슨 뜻인지 몰라 어리둥절한 표정을 지었다.

"이미 뇌와 심장이 끊어진 육체 따위는 한낱 고깃덩어리에 불과하단다. 영혼 따위도 없는데 그런 육체를 과학과 사회를 위해 쓰는 것이 더 유익하지.

아. 물론 1~3단계의 수술을 받은 과학교 교도라면 그렇게라도 시체를 활용할 수 있다는 뜻이다.

4단계라면 그 뇌는,......."

그가 그 말을 하려고 하자 중년의 사내가 그의 말을 끊었다. 더이상 아이에게 심한 말을 하지 말라는 소리 같았다.

"이 아이가 당신네 과학교도도 아닌데 그렇게 협박해가며 이 아이를 곤란하게 만들 필요는 없지 않소? 당신은 당신의 할 일을 하시오."

"하긴. 넌 아직 과학교도가 아니지."

그는 그렇게 말하며 지긋이 나를 쳐다본 뒤에 자신의 옆에 있던 여경에게 말을 걸었다. 부탁이기보다는 거의 명령조에 가까웠다.

"2-21 제르피나 경관. 이 여자의 시체를 수습하고, 생체 복원소에 넘겨서 D지구의 수소 냉동무덤에 입관하시오.

무덤의 번호는 나와 여기 이 양반에게 전달하시오. 모든 비용은 과학교단이 지불할 것이오."

"네에. 그렇다면 귀하는 누구십니까?"

"신교의 제 17전도사. 로버트 가드먼이오."

"가드먼씨요?"

"그렇소."

그의 본명을 듣게 되자 금발의 사내와 제르피나라고 불리는 여경은 깜짝 놀랐다. 아마도 과학교의 안톤 트리스탄과 더불어 이 프로메테우스 시티에서는 꽤 유명한 사람인가 보다.

"인공지능 심리상담사를 못 알아보았다니. 나는 어디 빌어먹을 신교 나부랭이 신부인줄 알았소."

"확실히 신부 수업을 받았지만 제 재능은 인공지능 심리상담에 더 특화되어 있더군요."

"그렇다면 A지구에 사십니까?"

"아뇨. B지구에 삽니다. A지구에 비록 프로메테우스시 신교 총본부가 있다고 해도 과학교도 본부와는 인접해서 살기 싫어서요."

"하긴. A지구나 B지구나 건물 임대료가 틀릴 뿐이지 계층은 거의 대동소이한 비슷한 계층이니까."

금발의 사내는 가드먼 아저씨의 얘기를 듣고, 고개를 끄덕이며 그의 사정을 이해했다.

나는 인공지능 심리상담사가 지금의 사회에서 어떠한 지위를 가지기에 그들의 존경을 받는지 그때서는 알지 못했다.

금발의 사내는 곧 몇 가지 절차를 끝내고 나서 다시 자신의 공중부양 자동차를 타고 이 자리를 떠났다.

그러자 가드먼 아저씨는 여경의 품에 안긴 나를 자신의 품에 인도하더니 곧 자신이 음식을 나누어 주고 있는 장소에 나를 내려주었다.

나를 자신의 곁에 내려다 주고는 이런 말을 했다. 그건 나에게 하는 말 보다는 자신에게 다짐 받듯이 하는 말 같았다.

"사고가 아니라고 쳐도 이미 죽는 사람은 어떻게 살릴 수는 없다. 이대로라면 고아원에 가야 하지만 난 고아가 된 너를 내 손에 키우고 싶구나."

"........"

"안톤 트리스탄 장로의 사생아라면 그럴 가치가 있지. 과학교도 중에서도 최상류층의 지위를 가진 사람이니까. 난 증명해 보일거야."

"........"

"비록 이 아이의 아버지는 과학교의 보스지만 그의 아들은 그렇게 되지 않으리라는 것을. 네가 아비와 달리 냉정한 과학적 논리와 보이는 것만이 전부인 유물론에 빠지지 않는 삶을 살리라는 것을 난 너에게 증명해 보일 거다."

난 가드먼 아저씨가 하는 말을 그 당시에는 몰랐지만 어머니에 대한 상실감을 여섯 살의 꼬마는 얼마안가 체험하게 되었다.

그 날 하루는 가드먼 아저씨와 신교 사람들 틈에서 어영부영 생활하다가 어머니가 보고 싶어 내가 울자 그는 손목 컴퓨터의 홀로그램 디스플레이를 보자마자 나를 번쩍 안아들어 자신의 자동차에 태웠다.

자신과 같이 온 신교 신자들과는 간단하게 목례를 하며 헤어지고 난 뒤에 그는 나를 조수석에 태워둔 채 자동차를 몰고, 어디론가 향해 가기 시작했다.

프로메테우스시 G지구에서 약 자동차로 사십 분 걸려 도착한 곳은 바로 D지구에 있다는 냉동무덤보관소였다.

아주 커다란 금속성 건물로 밖에서 안의 광경을 쳐다 볼 방법은 없다. 마치 개인의 프라이버시를 지키듯 이 건물은 철저히 외부에서 안을 보지 못하게 만들어 놓았다.

건물 안도 마찬 가지로 수많은 호실이 있었지만 역시 금속문으로 닫혀 있어 그 안을 볼 방법은 없었다.

"C-17. 장유나라."

가드먼 아저씨는 홀로그램에 표시된 글자를 읽으며 자신의 오른손으로는 내 왼손을 꼭 붙잡고, 건물의 복도를 묵묵히 걸어가고 있었다.

그리고 그 건물의 3층 복도를 몇 십분 걸어서 어느 한 문에 도착하자 그는 숫자 키를 눌러 문을 열었다.

"네 엄마다. 역시나 과학교도라 일은 빈틈없이 빨리 처리하는군."

나는 그의 얘기에 믿기지 않은지 내 앞에 보이는 사람 형체에 점점 다가갔다. 처음에는 멀리 있어 그 모습이 흐릿하게 보였지만 점점 다가가자 그 모습이 또렷이 보였다.

그것은 정말 나의 엄마가 맞았다. 약간은 젊어진 그 모습이지만 그 얼굴하며 나를 젖먹었던 그 가슴이며 정말 어머니가 맞았다.

어머니는 실오라기 한 올도 걸치지 않는 태초의 태어난 알몸의 모습 그대로 커다란 유리관 같은 곳에 떠 있었다.

"네 어머니가 과학교도였다면 아마도 그 시체는 정말 이 도시에 유용하게 사용되었을지 모르지. 아마 어린 너는 어머니의 모습조차 기억하지 못하고, 고아원에서 자랐을지도 몰라.

그런 면에서 신교는 유용이고, 뭐고. 고인은 더렵혀지거나 이용당해서는 안 된다고 보기 때문에 플라즈마 화장터에서 기화시키거나 이렇게 수소 냉동시켜 시신을 보존 하단다.

원래라면 과학교도가 아니더라도 빈민이기 때문에 네 의사와는 상관없이 시체는 이 도시에 유용하게 쓰여야 하지만,......"

그는 어머니의 시체를 보고 아무 말도 하지 못하는 나에게 이런 말을 했다.

"네 어머니가 돈 때문에 네 아버지와 같이 잔건지 아니면 정말 사랑해서 같이 잔건지 모르겠구나.

과학교도 중에서 입문 1단계에서는 적어도 자손을 볼 수 있으니까. 아마. 그때 네 어미와 같이 자서 널 잉태했었을 지도 모르지.

네 아버지가 지금 과학교도에서 얼마나 중요한 자리에 있는지 네가 자라서 깨닫는다면 내가 왜 널 돌보는지 이해 할 거다.

또 그 자가 왜 네 어머니의 시신을 복원하고, 이렇게 유지시키는데 돈을 지불했는지도 이해하겠지.

중요한 건 이제 네 아버지는 과학교도 4단계 수술을 받았다는 거다. 4단계에 수술을 받았다는 것은 이미,........"

가드먼 아저씨는 유리관 안에 떠다니는 네 어머니의 시신과 나를 번갈아 보면서 슬픈 눈빛으로 이렇게 말했다.

그때는 나이가 어리고, 과학교도에 대해 잘 몰라 그가 하는 말이 무슨 뜻인지 몰랐다. 다만. 어머니가 보고 싶은데 더 이상 어머니가 내 말에 반응하지 않고, 그냥 눈만 감은 채 이렇게 액체 수소의 수조에 떠다니는 것이 너무나 기이하고, 슬퍼보였다.

그렇지만 얼핏 그 분위기만은 이해한다. 이제 어머니는 내가 불러도 더 이상 나를 안아 줄 수 없다는 것을. 그리고 나는 살기 위해 이 사람을 따라가야 한다는 것을.

그렇지 않으면 고아원에 가야 하는데 빈민 고아원이라는 것이 어떤 곳인지는 나중에 가야 그 실상을 깨닫게 되었고, 그때 나는 가드먼 아저씨에게 큰 은혜를 입었다는 것을 알게 되었다.

그리고 다시 세월은 무심히 흘러간다.

1

 십 년이 흐른 뒤. 열여섯이 된 나는 어머니의 기일을 맞이해서 매년 기일마다 이곳에 찾아온다.

 그리고는 하염없이 액체 수소의 수조에 떠다니고 있는 어머니의 알몸 시신을 보며 기억날 듯 말 듯 한 어린 시절을 떠올랐다.

 여섯 살의 기억이란 그렇게 많은 것을 기억하고, 그걸 추억하지 못한다. 제법 굵직굵직한 어머니의 이미지만 떠오른다.

 어머니의 부드러운 가슴, 그리고 살내음, 기억을 하지만 이젠 기억나지 않는 따스한 품.

 일단은 나는 중립이지만 신교를 가깝게 믿고 있었기 때문에 어머니의 영혼이 있다고 생각하고, 이렇게 어머니의 시신이 있는 곳에 와서 참배를 하면 어머니의 영혼이 분명 기뻐할 거라 생각했다.

 이제 사춘기가 되어 자신의 아버지에게 반항을 하고 싶은 나이지만 난 아버지에게 반항을 할 수 없다는 것을 이 나이가 되어 깨달았다.

 과학교도 4단계 수술. 즉 4단계가 뭔지 알았기 때문이다.

 "1단계는 입문의식이라고 해서 일단 네 몸의 팔, 다리 사지를 인공 팔, 다리로 대체 한단다. 이게 바로 과학교 1단계의 입문의식이지."

 가드먼 아저씨는 과학교에 대해 설명하면서 1단계의 입문의식부터 설명했다. 태어나면서 팔이나 다리가 기형인 사람이 있고, 질병이 있는 사람이 있을 것이다. 그런 사람들도 인공 팔이나 다리로 교체 하면 과연 과학교도의 입문의식을 치르는 건지 궁금해졌다.

"그건 아니다. 의학적 시술이 필요한 교체와 정상적인대도 교체한 것은 팔과 다리가 인공물일 때 그 역사를 기록해놓는단다. 네 손에 있는 생체 칩에 네 몸의 모든 장기들이 과연 과학교도가 되기 위해 일부러 교체 한 건지 아니면 질병이나 장애 때문에 교체한 건지 다 기록되어 있다.

이 생체 집의 히스토리는 해킹이나 덧붙이는 게 불가능한 거라서 그 기록은 신뢰할 수 있단다."

어머니에게 제례라 할까 참배를 끝낸 뒤에 건물을 나와 D지구에 있는 고속버스터미널로 걸어갔다.

그 건물에서 삼 십 여분 정도 걸어가면 B지구로 갈 수 있는 고속버스가 운송중인 고속버스터미널이 있다.

B지구뿐만 아니라 C, D, E ,F지구까지 갈 수 있는데 A지구와 G지구만은 이 버스로 갈 수 없다.

A지구로 가려면 B지구의 고속도로나 보도로 통해 갈 수 있으며 G지구역시 F지구의 고속도로나 보도로 통해서 갈 수 있다.

나는 B지구에 가는 7A 버스를 기다리며 프로메테우스시의 스카이라인을 쳐다보았다. 갈색의 대기층에 상층의 상공에서는 에우로파에서 무역을 끝낸 거대한 우주선이 프로메테우스시의 상공에 점점 크게 보이고 있었다.

아마도 막대한 양의 얼음덩어리일 것이다.

"2단계부터는 본격적인 과학교도로써 평신도의 권한을 가지게 되는 수술을 하게 된단다. 1단계는 과학교도라는 명함을 빌리기 위해 일부러 자신의 멀쩡한 팔 다리를 인공물로 대체 하는 수술을 하는 경우가 있단다.

그게 아니라면 육체적인 힘든 노동이나 정밀한 기술이 필요한 경우 팔과 다리 같은 생체적인 사지를 좀 더 효율이 좋고, 강한 인공물로 대체 하는 수술을 공짜로 받기 위해 과학교도로 이름을 올리는 경우도 있다."

"공짜로 수술을 해준다고요?"

"그래. 과학교도의 입문의식을 치루면 사지를 인공물로 대체하는 수술은 과학교에서 공짜로 해주지."

사람이 살지 않는 외곽지구로 착륙하는 거대한 수송 우주선을 지켜보면서 가드먼 아저씨가 말하는 1단계 수술의 의미를 다시금 되새겨 보았다.

팔, 다리 같은 사지야 무엇이 내게 중요할까 생각하며 그것을 인공물로 대체하는 수술을 내가 받는다면 내겐 별 영향이 없어 보일 거 같았다.

그러나 가드먼 아저씨의 생각은 달랐다.

"팔, 다리가 기형이거나 장애가 있는 것도 아닌데 일부러 인공 팔과 다리로 교체하는 거 자체가 바로 과학교가 원하는 거지.

우리의 생체 기관을 하나하나 인공물이나 기계로 교체함으로써 그들이 주장하는 것에 동조하게 만들기 위함이란다.

사지 교체를 아무렇지도 않게 생각하게 된다면 그 생각이 발전이 되어 2단계의 수술까지도 아무렇지도 않게 생각하게 되지."

"그게 뭔데요?"

"불임이다."

"네에?"

"뭔가 대단할 줄 알았니?"

"아니. 그건 아니지만 너무 뜬금 없어가지고요."

나는 2단계라고 하기에 1단계에서는 사지를 잘랐으니 2단계에서는 아예 내장기관을 인공물로 대체 하는 줄 알았다.

하지만 불임이라는 소리에 너무나 의외라서 가드먼 아저씨에게 당혹스러운 표정을 짓는 거였다.

 "불임이라. 이게 인간의 삶에 있어서 큰 문제일 수도 있고, 아닐 수도 있단다. 확실히 과거의 암이나 에이즈 같은 불치병보다야 작은 문제일 수도 있지만 또 자식을 낳으려는 의지가 있는 자들에게는 그 무엇보다 큰 문제일 수 있지.

 2단계 수술의 주 목적은 바로 사지를 인공물로 바꾼 사람을 영구 불임 시키는 거지. 과학교도에서는 인구 증가를 통제해야 된다고 보는 입장이거든."

 "아아. 이번에 위성의회에서 부결된 인공자궁 건설 건이군요."

 "맞아. 과학교도 의원들이 인구조절을 위해 인공자궁 시설 건설을 건의 했지만 우리 신교 의원들이 과반수로 부결시켰지.

 인구를 통제한다는 것이 얼마나 위험한지를 21세기 중국이나 한국의 역사를 보고, 알았기 때문이야."

 "한국이요?"

 "아. 네 어머니의 인종인 나라야. 지금은 사라진 나라지."

 하기야 지금 지구는 거의 나라들이 통합되어 겨우 지구 연맹으로 문명이 유지되고 있다. 이미 인류문명의 중심은 화성이나 목성의 위성 콜로니로 옮겨 갔기 때문에 지구는 그냥 인류의 시작 행성이라는 명분만 존재했다.

 기후 재앙과 제 6차 인류세 대멸종등의 대격변에 의해 지금 지구는 일부의 인류만 사는 곳이 되었고, 이제 과거의 그 푸르른 행성은 사라지고 없었다.

 사실 그 과거 그 푸르른 밀림이라든지 아름다운 바다 같은 것이 내겐 신기루, 환상 같이 보였고, 지금 태양계에 살고 있는 인류들 또한 지구는 인류가 태어난 행성이라는 의미 외에는 아무런 의미가 없었다.

다만 이렇게 되기 전 인류의 역사는 사람들에게 꽤 인기가 있어 유명한 역사들은 사람들이 배우며 기억하고 있었다.

그러나 21세기에 있었던 국가들은 이미 통폐합되고, 사라져서 그 이름과 사건들만이 기록되어 남을 뿐이다.

"과학자들이 말하는 기술의 낙관을 믿지 않는군요."

"19세기에도 그 놈들은 기술로 인해 세상에 낙원이 찾아온다고 말했단다. 하지만 어떠니? 우리 신교는 그 놈들 말을 절대 믿지 않는단다. 오직 인류에 대한 감시와 반성이 있어야 한다고 본다. 그래서 인구를 통제한다는 것이 얼마나 위험한 생각인지 우리는 알고 있단다."

"아. 그렇다면 피임의 의미는?!"

난 이제야 가드먼 아저씨가 말하는 그 2단계 수술의 진정한 의미를 알게 되었다.

"그래. 네가 생각하는 게 맞아. 결국 인공자궁에 대해 무지성으로 받아들인다는 의미지. 인공자궁센터가 생긴다면 어떻게 될지 우리 신교 역시 과학교도가 좋아하는 과학과 기술로 예측해보았단다."

"과학교도가 예측한 것과는 전혀 다르겠군요."

"그렇지."

곧 B지구로 향하는 7A버스가 도착하고, 난 그 버스 안에 탔다.

"정호 트리스탄. 체크 인."

내가 버스 안에 들어서자 순식간에 내가 누군지 판별하는 적록색 광선이 내 몸을 스캔 한 뒤 아무런 감정이 없는 남성 목소리의 기계음이 운전석에서 들려왔다.

운전석에는 운전기사도 없이 컴퓨터가 자율 주행하는 버스다. 약 400년도 더 된 과거에는 이 운전석에 버스 기사라는 직업을 가진 인간이 앉아 있었다는데 그들이 몇 시간이나 되는 노선을 운전하면서 쉽게 성질이 폭발하지 않는 인내심을 가진다는 것이 나는 놀라올 따름이었다.

나는 컴퓨터의 목소리가 들린 후에 버스 뒷좌석의 아무런 빈 좌석을 골라 앉았다. 역시나 이곳은 신교를 믿는 사람들이 많이 찾아오는 곳인 듯 지금 버스 안에 있는 사람들은 아무런 생체 개조를 하지 않는 순수한 육체를 가진 사람들이 몇 있었다.

그들도 내가 육체 개조를 하지 않는 것을 확인 하고서는 네게 미소를 지으며 호의적인 반응을 보였다.

남자 두 명에 여자 세 명이었는데 각자 개성적이라 할지 천연의 태어난 모습으로 생긴 것을 보고서는 그들이 육체 개조를 하지 않았다는 사실을 난 알 수 있었다.

비록 1단계라도 과학교도이고, 육체 개조를 했다면 일단 사지를 인공물로 바꾸는 것은 물론이요 외모까지 바꾸는데 솔직히 아름답게 외모를 바꾼다면 대부분이 과학교도였다.

물론 신교인 중에서도 아름다운 사람들이 있었으나 과학교도들과 외모를 비교해보면 분명 차이가 있었다.

그들의 모습을 꼼꼼히 살펴본다면 어느 의사, 더 전문적으로는 어느 외모성형사(外貌成形師)의 작품이라는 것을 단번에 알아차린다.

하지만 타고난 아름다움이라면 외모성형사들도 쉽게 성형 하지 못하는 것으로 나 역시 어머니와 아버지에게 물려받은 아름다운 외모를 가지고 있어 일단 과학교도로 오해하기 쉽지만 나의 아름다운 외모는 외모성형사들의 작품이 아니기에 곧 그 외모로 인해 나를 과학교도가 아닌 사람으로 받아들이는 경우가 많았다.

버스의 창가에 앉아 창에서 비춰지는 홀로그램 화면을 보고 있었다.

홀로그램 화면에서는 예쁜 여성 세 명이서 춤추며 노래를 부르고 있었는데 짧은 미니스커트와 배꼽티를 입고 있었다. 하지만 그녀들이 실제로 존재하는 인간인지 아니면 네트워크상에서만 존재하는 아이돌인지 나는 전혀 모르겠다.

이 화면을 보니 과거 아저씨가 말한 인공자궁센터와 신교가 예측한 그 미래. 그 말이 떠올랐다.

가드먼 아저씨는 신교의 예측을 단도직입적으로 말하기 전에 일단 과학교도의 입장을 얘기해 주었다.

"인공자궁센터가 생기면 여성들은 출산의 고통에서 벗어나고, 이제 유전적으로 문제가 있는 태아들은 치료를 통해 정상으로 태어나게 된다.

궁극적으로는 여성의 난자와 남성의 정자 없이 인간의 형질을 극대화하여 우월한 인간만을 태어나게 할 수 있다.

이제 인간은 생식의 의무에서 벗어나 이성을 꼬시고, 가정일 이루는 시간을 좀 더 유용한 시간에 쓸 수 있다.

아이들은 이제 국가에서 키우고, 사람들은 이제 과거의 낡은 성생활이라는 방식으로 인류를 증식 시키는 것이 아닌 통제된 인류의 증식으로 한정된 지구와 태양계의 자원을 소비 할 수 있게 된다. 그리하여 통제되고, 효율적인 자원 소모로 그 부를 누구나 누릴 수 있게 된다."

가드먼 아저씨는 거기 까지 말하고, 잠시 동안 침묵의 시간을 가졌다.

침묵의 긴 시간 동안 그는 말도 안 되는 얘기를 자신이 했다는 것을 자각했는지 얼굴이 일그러지기 시작했다.

나는 그런 가드먼 아저씨의 일그러진 얼굴을 보고, 침을 꼴깍 삼킬 수밖에 없었다.

그가 말한 게 비록 과학교도들의 과학적 낙관주의를 비꼬기 위해 그들의 이상을 곧이곧대로 담아내어 말을 했지만 내가 보기에도 너무나 이상적이고, 너무나 낙관적이었기 때문이다.

"그 놈들은 항상 자신들이 자연을 통제 할 수 있다고 믿지. 자연

뿐만 같은 인간들을 기술로 통제 할 수 있다고.

그런 오만함으로 얼마나 많은 사람들이 죽었고, 우생학이나 사회 진화론 같은 우월한 종을 만들어 내겠다는 생각이 얼마나 위험한 지 그 놈들은 모르고 있어.

우월한 종만이 이 세상을 지배할 수 있고, 영속 시킬 수 있다고 믿지만 과거 캄브리아기 시절의 아노말로칼리스나 데본기 시절의 돈클레오테우스 같은 최 상위 포식자들이 어떤 운명을 맞이했는지 알면 그런 소리를 못 할 거다.

그 놈들은 항상 인간이 우주를 지배할 수 있고, 통제 할 수 있다고 믿는 놈들이지. 심지어 같은 인간들 위에 까지 올라 결국 신 같은 존재가 되고 싶어 하지만 그렇게 신이 되면 어떤 결과가 펼쳐질지 신교 사람들은 잘 알고 있단다."

가드먼 아저씨는 신교가 과학교도가 비난한 것처럼 미신으로 유일신을 믿고 있는 것이 아니라고 한다.

과학교도가 과학과 기술을 종교로 섬기는 행위 역시 비판 받아 마땅한대 보이지도 관측되지도 않는 신을 믿고 있다고 해서 자신들이 비난 받아야할 이유는 없다고 했다.

"과학교도가 2단계 영구 불임시술을 받았다고 해서 육체적인 쾌락이 없어지는 것이 아니다. 임신과 출산이라는 번식 행위를 포기할 뿐이지 인간이 경험 할 수 있는 쾌락은 고스란히 남아있지.

번식욕과 수면욕, 식욕은 여전히 남아 있어.

그게 입문과 본교에 들어가기 전 과학교도가 거쳐야 할 2단계 입교 의식이다."

"그렇다면 3단계는 뭔가요?"

"이제. 3단계부터는 그 욕망 하나하나를 포기하게 되는 거다. 그렇다면 어떠한 수술을 받을지 눈에 선히 보이게 되겠지?"

"네에."

"제일 먼저가 뭐겠니?"

"역시나 성욕이겠죠?"

"그래."

나는 버스의 창가를 보면서 아저씨가 해준 얘기를 떠올렸다. 이미 버스는 D지구를 지나 각 지구로 갈 수 있는 갈림길이 있는 하이웨이에 접어들고 있었다.

그런데 내가 잠시 아저씨와의 얘기를 회상하며 빠져들 무렵. 버스 안에는 엄청난 긴장감이 흐르고 있었다.

그건 버스 뒷좌석에는 신교도들이 타고 있었고, 몇 자리 떨어져 앞좌석에는 세 명가량 되 보이는 과학교도들이 타 있었기 때문이다.

한 명의 남자와 두 명의 여자였다.

과학교도들은 역시나 외모성형사의 시술을 잘 받아서인지 하나같이 외모는 아름다웠고, 육체미가 있었다.

여성은 날씬하고, 육감적이었으며 남성은 근육질에 탄탄해보였다.

그들은 하나같이 금발에 흰 피부를 가진 북유럽계 블론드의 미남미녀들이었는데 이상하게 과학교도들은 한결같이 백인들에 금발이나 금발에 가까운 검은 머리를 하고 있었다.

가드먼 아저씨는 그 이유가 사회진화론과 우생학의 결과라고 하는데 나는 가드먼 아저씨의 말뜻을 지적으로는 이해하지만 마음속으로는 전혀 이해 할 수 없었다,

나 역시 외모는 아름답게 타고나서 과학교도들에게 주눅들 외모는 아니었지만 얼굴과 피부는 동양인에 가까웠고, 머리는 칠흑같이 검었으며 눈은 오드아이로써 한 쪽 눈은 갈색에 또 한쪽 눈은 푸른색의 눈동자를 가지고 있었다.

가드먼 아저씨는 그런 외모의 나를 보고, 아름답지만 무척 개성이 있다고 칭찬하셨다. 그 풀빵처럼 찍어내는 외모에 누구의 작품처럼

보이는 과학교도들보다는 천 배 백 배 낫다면서.

"20세기에 히틀러는 블론드에 백인 민족이야 말로 우월한 민족이라고 했지. 그에 백년도 못 지나 정치적 올바름이라고 하면서 이번에는 그와 반대로 흑인과 여자들을 또 우월하다고 추켜세웠단다.

그에 따른 부작용인지 22세기가 지나고, 과학교도들은 20세기의 만행을 되풀이하고 말았지.

21세기 말까지 정치적 올바름과 페미니즘이 너무나 득세했기 때문에 대중들은 너무나 지치고 말았단다. 지금 과학교도들의 우생학과 사회진화론적 행각도 그런 반감을 먹고 자란거지.

항상 역사적 진리지만 너무나 지나친 것은 모자란 것만 못하지. 자신들의 지적유희 때문에 정치적 올바름이니 아프로센트리즘 같은 것을 잘도 대중에게 설파하며 가르쳐 들었지만 그것 때문에 정말 정치적으로 올바름이 필요할 때는 그런 놈들은 잘도 입을 닫았단다."

나는 아저씨의 설명을 떠올리고는 서로를 노려보고 있는 신교사람들과 과학교도들을 번갈아 쳐다보았다.

그들은 그러한 나를 잠시 동안만 쳐다보고는 다시 서로를 죽일 듯이 노려보았다.

내가 중립적인 것을 그들은 알았기 때문이다. 서로 물리적으로 싸우지 않았을 뿐 그 두 세력은 이 버스 안에서도 서로를 경계하며 증오하고 있다.

나는 무언가 숨이 갑갑했는지 고개를 돌리고 홀로그램 광고가 흘러나오는 창가 쪽을 쳐다보았다.

"성욕을 먼저 제거 한다면 역시나 생식기를 제거 하나요?"

"생식기를 비롯해 배설하는 기관들을 제거한다. 그 3차 수술이라는 것을 과학교도들이 설명하는 것을 보면 더 이상의 성욕에 굴복 할 일도 없고, 그 더러운 것들을 배설할 일도 없는 편한 수술이라고 하지만,......."

"성욕이 없어진다고 한다면."

"그래. 이제 그 사람에게 남아 있는 욕망이라고는 식욕과 수면욕 밖에 없다."

"뭐. 생식기를 제거해서 성생활을 못한다는 것은 이해하겠는데 어떻게 배설물을 싸고, 누나요?"

"아. 특수한 인공창자와 간을 시술해서 음식찌꺼기를 특수한 형태의 유기물 덩어리로 만든단다. 과학교도의 설명으로는 그 것이 항문이 아닌 배꼽 같은 곳에서 나온다고 하는데 나도 그걸 실제로 본 일은 없구나.

아무튼 정상 사람이었을 때의 오줌이라든가 대변 같은 것은 더 이상 생성하지 못하게 되지.

그런데도 음식물을 먹고, 그 맛과 향을 즐길 수 있게 한 것이 바로 3차 수술이다."

"대신 사랑을 못 나눴아요."

"그렇지. 사랑도 못 나누고, 자식도 가질 수 없지. 하지만 과학교도들은 그게 중요한 게 아니라고 생각한다. 인공자궁 때문이지."

나는 가드먼 아저씨의 성숙한 딸들을 바라보면서 몰래 몰래 자위를 해왔다.

그래서 인간에게 성욕이라는 것이 어떤 것인지. 그리고 성기 결합에 의한 쾌락이라는 것이 어떨 것인지 상상을 해보곤 했다.

옛날에는 이 나이 대를 사춘기라고 했는데 한창 어른들에게 반항하고, 성에 대해 관심을 가질 시기라고 한다.

물론 가드먼 아저씨가 얘기하는 것들이 다 올바른지 몇 년 전부터 의심이 들었으며 여섯 살 아저씨 집에 온 이후 알게 된 아저씨의 딸들이 2차 성징을 거치면서 여성다운 몸매를 가지게 됐을 때부터 부쩍 이성에 대해 관심이 높아져갔다.

아저씨는 이런 나의 사춘기에 대해 아실지 모르지만 아저씨가 말하는 과학교도의 3차 수술에 대해 너무하다는 생각이 들었다.

성욕도 없고, 서로 사랑을 나눌게 아니라면 왜 과학교도에게 3단계 수술 이후 남성과 여성의 외모가 존재하는지 아저씨의 말을 듣고, 궁금하여 물어보았다.

가드먼 아저씨는 자신의 휴대컴퓨터에서 홀로그램 영상을 보더니 내게 자세히 설명해주었다.

"2차 성징이 오기 전까지 소년, 소녀일적에 과학교도가 되는 수술을 받는 건 금지되어 있다.

아니. 법적으로 금지 된 건 아닌데 아직 다 자라지 않는 소년, 소녀들의 사지를 인공물로 대체하고, 장기까지 인공물로 대체 하는 건 사회적인 윤리로 금기시 되어 왔지.

과학교도 앞에 사회적인 윤리라고 하니까 웃긴 생각이 들겠지만 내가 보기엔 아마. 신교의 압력 때문에 어쩔 수 없이 복종한다는 생각이 드는데 만약에 신교가 없었다면 아이들까지 다 자라기 전에 인공사지(人工四肢)와 장기를 수술 받았을지 모르지.

아무튼 2차 성징을 거치고, 남자와 여자가 각자 자신의 성별에 적응되었을 무렵. 어른이 된 다음에는 그때까지는 수술이 금지되어 왔던 어린 과학교도도 수술을 받을 수 있게 된단다.

내가 보기엔 외모를 남성, 여성으로 유지 시키는 이유는 어렸을 때부터 어른이 됐을 때까지 남성이나 여성으로 살아왔기 때문에 과학교도 3단계 수술을 받더라도 불편하지 않게 하기 위해서가 아닐까 한다.

실제로 과학교도 3단계 수술을 받고 난 뒤의 남성과 여성의 누드는 이렇단다."

나는 아저씨의 얘기에 호기심이 생겨 휴대컴퓨터의 홀로그램 영상을 보았다. 확실히 완연한 남자와 여자의 알몸이 보였지만 내가 알던 인간의 알몸과는 확연히 다른 점이 있다.

바로 성기와 항문 부근이었는데 나는 그 기이한 성기와 항문의 모습에 과학교도 3단계 수술이 어떤 것인지 짐작만 할 수 있었다.

한 가지 확실한 건 성기와 항문의 모습은 남자와 여자가 비슷하지만 그 밖의 가슴이라든가 곡선미가 느껴지는 몸매 같은 것은 수술을 받지 않는 신교의 일반 남성과 여성과 똑같다는 것이다.

나는 버스 안의 창가를 바라보다가 다시 한 번 버스 안에서 신경전을 벌이고 있는 신교와 과학교도를 쳐다보았다.

분명 신교들은 벗으면 나와 같은 알몸의 모습일거라고 생각하니 동질감이 들었지만 과학교도들의 벗은 알몸이 나와는 다른 모습일거라 생각하니 무언가 이질감이 들었다.

물론 가드먼 아저씨의 교화로 인해 신교 측에 엄청난 호의를 느끼고, 과학교도들에게는 거부감이 있는 건 사실이다.

하지만 신교의 모임이나 종교행사, 집회에는 일부러 찾아다니며 참석하지 않는다. 이것이 바로 내가 중립이라고 생각하는 이유다.

그렇다고 건강하고, 멀쩡한 사지를 잘라 일부러 인공 팔, 다리로 대체 할 마음도 없다. 만약 사고에 의해 팔, 다리가 회복 불능이 되면 모를까 과학교를 위해 멀쩡한 것을 대체 할 마음도 없었다.

가드먼 아저씨는 멀쩡한 팔, 다리를 대체 하지 않는 것만으로도 무척 만족하신다고 했는데 속마음은 내가 자신의 신교 측에 합류하면 좋을 거라 생각하신 거 같다.

하지만 그는 억지로 혹은 어느 대가로 나를 신교에 가입시킬 생각은 없는 거 같다. 그건 신이 있다는 강한 믿음은 누가 주입해서 생기는 것도 아니고, 자기 자신이 깨달아야 한다고 그는 믿기 때문이다.

그런 면에서 그는 과거 한국이라는 나라의 개신교가 얼마나 잘못된 길을 걸었는지 한 마디 내게 얘기해주셨다.

그 역시 신교의 열렬한 전도사가 된 이유 또한 자신 스스로 깨달아서 되었다고 했다.

그래서인지 가드먼 아저씨의 두 딸 또한 생긴 건 쌍둥이 같이 외모가 비슷한 면이 많았지만 언니는 영혼과 신에 대한 믿음이 있는 반면 동생은 신교에 대해 부정적이었다. 다만 그녀 역시 나처럼 멀쩡한 두 팔과 다리를 일부러 인공물로 대체 할 마음은 없었다.

나는 아저씨의 컴퓨터로 3단계 수술을 끝낸 과학교도의 음식과 물을 소화한 뒤의 노폐물을 보았는데 확실히 구슬 크기의 검은 덩어리로써 만져도 무슨 가루나 물기 같은 게 묻는 것도 아니고, 그냥 무취의 단단한 구슬이라고 한다.

수술을 받지 않는 일반 사람들이나 신교의 사람들은 그 옛날 방식대로 대변과 오줌을 누지만 3단계 수술을 받은 과학교도 사람들은 오줌은 누지 않고, 음식 노폐물을 그런 검은 구슬의 형태로 배출 기관이라고 부르는 곳에서 하루에 딱 한 번, 딱 한 개 배출한다고 한다.

그 검은 구슬의 성분에 대해서는 이미 신교가 그 정체를 의심해서 철저히 분석 했다. 탄화질소 알맹이라고 하는데 음식물에 있던 수소와 산소는 아마 땀이라는 형태로 다 배출되었을 거라고 추측했다.

음식을 좋아해서 많이 먹으면 구슬의 크기가 좀 커지고, 적게 먹으면 비비탄 총알처럼 아주 작아진다고 한다.

하지만 음식을 많이 먹건 적게 먹건 변함이 없는 것은 하루에 자신이 정한 시간 딱 한 번, 딱 한 개 배출된다는 점이다.

내가 보기에도 이 수술을 받은 그들의 알몸을 보았을 때 딱히 어떻게 성교를 해야 할지 감이 잡히지 않았다.

아니. 아예 불가능해 보였다. 그래서 가드먼 아저씨가 이제 3단계 수술을 받으면 그들에게 남은 욕망은 바로 식욕과 수면욕 밖에 없다고 말한 뜻을 이해 할 수 있었다.

이제 남은 것은 내가 제일 궁금한 마지막 4단계 수술이었다. 내가 왜 아버지를 만나도 어떻게 할 수 없는지. 왜 어머니는 나를 임신하고, 출산 했는데도 아버지에게 적극적으로 알리지 않았는지 그 이유를 열여섯 살이 돼서야 알게 되었다.

"이제 4단계 수술을 하면 무엇이 없어지겠니? 내가 힌트를 주마. 뇌가 평상시처럼 유지되기 위해선 휴식이 필요하단다. 휴식이라고 하면 뭐겠니? 어떤 실험에서는 뇌에 신선한 산소만 주입하고, 휴식을 주지 않은 채 지적인 업무를 보게 했지.

결과는 아예 신선한 산소를 주지 않는 것보다 더 오래 일 할 수 있지만 결국 휴식이 필요하다는 것을 알게 되었단다."

"이제 이해하겠어요. 수술을 해서 한 단계씩 인간으로써의 욕망을 없앤다면 마지막 4단계는 바로 식욕을 없애는 거군요,

식욕을 없앤다는 건 내장기관까지 전부 인공물로 바꾼다는 건가요? 뇌에는 어떻게 산소와 포도당을 공급 할 건데요?"

"잘 이해했구나. 먹지도 않고, 숨 쉬지도 않고, 뇌에 영양소와 신선한 산소를 공급해야겠지. 그건 반대로 말하자면 뇌만은 어떻게 인공장기로 대체 할 수 없다는 뜻이기도 한다.

4단계 수술은 바로 뇌를 제외한 모든 장기를 인공물로 대체 하는 거다."

"……!"

나는 그 얘기를 듣고, 깜짝 놀라고 말았다. 짐작은 이미 하고 있었지만 실제로 그런 소리를 들으니 믿기지가 않아서였다.

"어떻게 숨 쉬지도 않고, 먹지도 않으면서 뇌에 영양분과 산소를 공급하는지 아마 보통 사람이나 우리 같은 신교의 사람과는 전혀 다른 모습이겠지."

"4단계의 수술을 받은 과학교도 사람들을 보면은 저렇게나 아름

다운데,...... 하긴."

 난 뉴스나 강연회에서 홀로그램 모니터에 나오는 과학교도 대장로들의 모습을 본 적이 있다. 정말 인간의 모습으로써는 이루어 말할 수 없을 정도로 형용 할 수 없을 정도로 아름다운 외모와 몸매를 가지고 있었다.

 대장로들은 몇 명을 제외하면 대부분 여성형의 모습으로써 왜 그들이 여성의 모습을 취하는지는 알 수 없다.

 아마 내 친아버지만이 극히 희귀한 남성 대장로 일 것이다.

 그러고 보면 가드먼 아저씨의 말처럼 그들이 숨 쉬는 것을 본 적이 없는 거 같다. 마치 프로메테우스시에서 흔히 볼 수 있는 안내 안드로이드처럼 그들에게서 안드로이드의 향기가 얼핏 느껴진다.

 다만 다른 것은 안드로이드는 뇌는 생체의 뇌에 덧씌워진 전자두뇌인 반명 그들은 분명 살아있는 인간의 뇌를 가지고 있다는 점이다.

 "겉모습은 인간의 모습을 하고 있으나 속은 분명 우리와는 다른 자들일 거다. 겉으로는 저렇게 아름다운 모습이지만."

 "그렇다면 왜 제가 아버지를 만나도 소용없다는 소리를 하는지 얘기해주세요."

 그는 내 질문을 듣자 잠시 동안 슬픈 표정을 짓다가 잠시 호흡을 가다듬고, 자신의 과거 이야기를 해주기 시작했다.

 "내게는 두 살 어린 여동생이 있었단다. 지금쯤 나이 사 십이 한참 넘었을 텐데. 그 애는 천문학자로써 유물론과 무신론을 자신의 신념으로 가지고 있던 아이였지.

 남들이 보기에는 어떨지 모르지만 내가 보기엔 무척 아름다운 아이였단다. 아직도 그 애의 홀로그램 사진을 가지고 있지.

 그런데 스무 살이 되던 해. 어른이 된 기념으로 그 애는 첫 번째 과학교도의 입문 단계 수술을 했지. 부모님은 보수적이지만 존재론에 관해서는 중립적인 입장이라 걔가 사회에 나쁜 일만 하지 않는다면 어떤 길을 가던지 지지하던 입장이었어.

그리고 일 년도 안돼서 두 번째 단계의 수술을 받았지. 그 애는 사랑하는 남자도 없었고, 아니 아예 사랑이니 사람과의 관계 교류 같은 거엔 관심이 없었기 때문에 쉽게 불임 수술을 받을 수 있었단다.

또 일 년 만에 그 애는 삼 단계의 수술을 받았단다."

"……!"

그 얘기를 한 뒤에 가드먼 아저씨는 슬픈 표정을 지으며 계속 말을 이었다.

"한 5년 만에 걔를 만났는데 나하고, 처음 한 이야기가 '어떻게 지냈냐? 잘 있냐?'라는 안부인사보다는 곧바로 오르트 구름에 대한 이야기를 하기 시작했단다.

나는 예의상 웃으며 걔가 얘기 하는 대로 받아쳤지.

5년이 지났는데도 겉모습은 변함이 없었지. 아마도 제 3단계 수술을 통해 무언가 피부와 내장기관 생식기관등이 변해서 그럴 거라 생각했어.

걔하고 얘기하면서 온통 과학적인 호기심과 논리만을 얘기하는 게,…… 인간적인 교류나 인간에 대해서는 전혀 무관심에 보였어.

그래도 과학과 논리에 관심이 있더라도 무언가 생기 같은 거랄까? 인간미 같은 게 보여서 다행이라고 생각했어.

아마도 제 3차 수술을 받더라도 아직 인간미를 잃어버리지 않는 게 음식을 먹고, 맛과 향을 느껴서 그런 걸까? 식욕이라는 것이 있어서 그런 것일까? 하는 생각이 들더군.

비록 성욕이 없어지더라도 식욕이 있다면 인간의 근본적인 무엇인가가 없어지지 않는 다고."

"그래서요? 어떻게 됐죠?"

"다시 5년 후에 걔가 마지막 4차 수술을 받았다는 걸 알게 됐단다. 뇌를 제외하고는 모든 걸 다 인공물로 바꾸는 그런 수술을 말이지.

뇌 때문에 수면을 해야 하지만 인간으로써 가지고 있어야 할 식욕과 성욕 같은 건 다 사라지고 난 뒤지.

다시 걔를 만났을 때는 전에 보았던 똑같은 외모를 하고 있었지만 더 아름다워지고, 젊어보였어.

하지만 걔랑 첫 마디를 나누어봤을 때 이미 인간이라고 할 수 없었단다."

"왜요?"

"이미 인간의 감정이라는 것은 사라진 기계 같은 느낌이 들었거든. 내내 하는 얘기라고는 시스템에 대해서 얘기하고, 과학교 집단에 얘기하고, 신에 대한 부정에 관한 거였어.

아버지의 죽음, 어머니의 죽음. 그리고 키우던 강아지 셸리의 죽음에 대해서 전혀 무감각했고, 아무렇지도 않게 생각했던 게 느껴졌단다.

정말 로봇과 얘기 하는 거 같았어."

"아무리 그래도 안드로이드와는 다를 거 아니 예요?"

"아니. 무언가 다르게 느껴진 건 없었단다. 분명 뇌만은 내 여동생의 오리지널이 맞는데 다른 몸들이 다 인공물이고, 안드로이드와 똑같은 구조이다 보니 인간인 뇌가 몸에 맞추어진 건지 몰라도 정말 안드로이드와 대화하는 것처럼 느껴졌어."

"그러면 아버지도?!"

"맞아. 네가 가봐서 얘기해도 아마 아버지의 정이라는 가 감정 같은 건 느낄 수 없을 거야. 아예 감정의 교류가 불가능 할지 모르지. 그래서 네 친아버지가 과학교도 4차 수술을 받은 뒤에 네 어머니도 그걸 알고, 찾아가길 포기 한 거야."

"……!"

"네 어머니가 널 배었을 때는 아마 네 아버지는 2차 수술까지 받는 걸로 안다. 그 이후 1년 만에 그 사람은 4차 수술까지 받았지."

난 그 말을 듣고, 벽에 기대어 절망했다. 드디어 어머니가 나를 혼자서 키운 이유를 알게 되어서이다.

점점 버스가 B구역의 버스 정류장에 다가 올수록 나는 창문에 기대어 과거의 절망을 회상해본다. 홀로그램 화면이 내 머리를 관통해 창가에 표시되지만 나는 상관하지 않았다.

다른 사람들은 절망스러운 표정을 짓고, 창가에 머리를 박고 있는 나를 이상하게 쳐다보겠지만 그들이 나의 고민을 들어줄 리도 알아줄 리도 없을 거다.

타이탄의 스카이라인에 정확히 말하면 타이탄 위성의 프로메테우스 콜로니 스카이라인에는 과거 1930년대를 연상시키는 큰 건물의 마천루와 영국의 산업혁명 때나 볼 수 있는 뿌연 공해 같은 황색 하늘이 펼쳐져 있다.

창공에는 큰 우주선들이 일주일에 몇 번 프로메테우스시의 외곽 자동화 공장으로 착륙하는데 대부분이 다 얼음을 싣고 오는 우주선들이다.

정말 타이탄의 스카이라인을 느끼고 싶다면 B지구에 있는 우주공항으로 가면 되는데 그곳에는 하루에도 몇 번씩 우주 여객선들이 착륙하고, 이륙한다.

프로메테우스시는 인류연합의 자유위성도시답게 자유로이 오고, 갈 수 있는데 처음에 입항을 하게 된다면 가지고 있는 재산에 따라 B지구부터 G지구까지 지낼 수 있는 곳이 달라진다.

그래도 처음에는 B지구의 입항심사대와 임시구류소에서 하루 이상은 지내게 된다. 그건 인류연합에서 범죄자는 아닌지 조회에 들어가며 혹시나 도망친 안드로이드는 아닌지 조회해야 한다.

과학교도가 인류의 헤게모니 절반을 차지했다고 해도 인간과 안드로이드가 평등하게 대접 받는 일은 없다.

비록 범죄자라고 해도 난동을 부린다고 프로메테우스시의 위성경찰은 결코 인간을 함부로 사살하지 않는다.

하지만 안드로이드는 다르다. 허가 받지 않는 안드로이드는 이유 여하를 막론하고, 그 자리에서 사살 아니 처분하게 되어있다.

현재 이 태양계 안에서 즉흥시인으로 제일 명성이 있고, 유명한 여성형 안드로이드 세라도 인간인 매니저의 통제 하에 있어야 하며 그녀 역시 매니저가 입성 여권을 마련하지 않으면 다른 행성이나 위성으로 갈 수 없게 된다.

B지구의 번화한 거리. 그 거리의 한 버스 정류장에 도착한 나는 가드먼 아저씨가 있는 나의 집에 가기 위해 버스에서 내렸다.

하지만 불행히도 오늘은 재수 없는 날이 될 거 같다. 그 번화한 거리 안에서 도망친 안드로이드의 시체를 보게 될 줄이야.

버스에서 내리고, 몇 걸음도 떼지 않아 사람들 수 십 명이 벌떼처럼 모여 있는 것이 보이고, 그 중심엔 하얀 원피스 차림의 여성이 피를 흘린 채 누워 있는 것이 보였다. 그리고 불과 1미터도 안된 곳에서 검은 재킷과 검은 선글라스를 쓴 중년의 사내가 자기 품에서 뭔가 꺼내더니 그곳에 있는 사람들에게 보여주었다. 홀로그램 명함에는 이렇게 적혀 있었다.

'위성 경찰. AD2467. 토마스 헤리건.'

그래도 사람들은 여성의 시체가 바닥에 뒹굴어 있는 것을 보고는 너무나 가학적이고, 신기 했던지 좀처럼 그 자리를 떠나지 않았다.

나 역시 호기심에 그 여성의 시체를 자세히 쳐다보았다.

토마스 헤리건은 제복을 입은 위성 경찰들이 도착할 때까지 자신이 죽인 시체 곁에서 현장을 지키고 있다.

그 여성 시체는 허리까지 오는 긴 생머리에 생김새는 마치 2단계

시술을 마친 과학교도 다운 아름다운 외모를 가지고 있었다.

동양인은 아닌 거 같고, 중동의 황색피부를 가진 중동의 백인 여성에 가까웠다. 학교에서 인종학 시간에 백인, 황인, 흑인에 대한 인종에 대해 자세히 가르쳐 준적이 있기 때문에 안 것이다.

내가 다닌 공립학교는 과학교도가 교장인 공립학교로써 인종학 시간에 비록 겉으로 표현은 하지 않았지만 흑인, 황인 얘기가 나올 때 언짢은 표정을 지었다.

나는 그런 교장의 표정을 무시 했지만 그가 흑인, 황인을 싫어한다는 것은 명백한 사실이다.

그래도 내 수준에는 이런 공립학교에 갈 수 밖에 없어서 그만 둘 수도 없었다. 명백히 난 가드먼 아저씨의 자녀가 아니고, 그냥 동거인이기 때문에 가드먼 아저씨의 사회적 지휘를 같이 누릴 형편도 못되었고, 또 누리고 싶지도 않았다.

그냥 동거인으로써 먹여주고, 재워주고 하는 것만으로도 난 감사 했다. 그러기에 내게 허락된 그 공립학교에는 그냥 다닐 수밖에 없었다.

그렇다고 해도 만약 내가 다닌 공립학교 교장이 과학교도라는 것을 가드먼 아저씨가 알았다면 힘을 써주어서 나를 다른 곳으로 전학 시켜주었을까?

그건 나로서는 알 수도 생각 할 수 없는 일이다.

그런 생각이 들 때 다시 한 번 시체를 유심히 살펴보았다.

그녀는 푸른 눈을 가지고 있었는데 바닥에 뒹굴어진 채 크게 뜬 눈은 미동도 하지 않고, 누굴 원망하듯 생기 없는 눈동자로 허공을 노려보고 있었다.

얼굴만 봤을 때는 정말 그녀가 안드로이드인지 의심이 들 정도로 너무나 인간과 똑같은 모습을 하고 있었다.

그 여자는 하얀색 원피스를 입고 있었는데 이미 원피스의 배 부근과 가슴부근은 피로 빨갛게 적셔져 있었다.

그걸 보고서 무언가 비극적이고, 이질적인 느낌이 들었다. 성인인 아름다운 여성의 시체를 보는 내 마음은 사춘기 소년의 치기어린 성적인 호기심과 또한 아이의 두려움이 섞여 있었다.

난 호기심과 두려움에 그녀의 옷을 벗기려고 가까이 다가가려 하자 헤리건이 손을 저으며 날 막아섰다.

"아가야. 이건 구경거리가 아니란다."

왜 그녀의 옷을 벗기려고 했는지 나도 모르겠다. 단순히 다 큰 여성의 알몸을 보고 싶다거나 여성에게 야한 짓을 하고 싶은 그런 사춘기 소년의 치기어린 마음은 아니었다.

뭐랄까? 답답해 보여서 랄까? 안드로이드는 인간과 어떤 모습이 다를까? 라는 호기심이 들었을지도 모르겠다.

내가 헤리건의 제지에 잠시 당황하고 있을 때 갑자기 도시에는 비가 오기 시작하더니 위성 경찰차가 공중에서부터 내려오고 있었다.

비에 촉촉이 젖은 지면에 착지한 위성경찰차에서 세 명의 제복을 입은 위성경찰이 내리더니 여성시체와 헤리건을 번갈아 보면서 뭐라고 얘기를 했다. 세 명다 남성이었는데 허리춤에는 APL32 경플라즈마 기관권총으로 무장하고 있었다.

역시나 여경들과는 무장 수준 자체가 틀렸다.

잠시 동안 헤리건과 얘기를 한 위성 경찰들은 곧 해산하더니 지위가 낮아 보이는 두 명의 경찰이 여성 시체의 양 쪽을 잡고, 차의 트렁크에 실었고, 헤리건은 곧바로 경찰차의 조수석에 탔다.

"너 같은 도련님은 이곳에 오는 게 아니야. 어서. 어머니 품에나 돌아가렴."

위성 경찰 중 제일 상관으로 보이는 자가 곧 어리둥절하게 서 있는 나를 쳐다보더니 그렇게 말했다.

일순간의 소동이 끝나고, 위성경찰차가 시체와 사람들을 태운 채 공중으로 솟아오르자 난 그 광경을 비를 다 맞아가며 무심히 쳐다보고 있었다.

2

약 한 시간동안 비를 맞으며 겨우 가드먼 아저씨의 집에 도착했다. 가드먼 아저씨는 제법 큰 빌라에 살고 있었다.

그 빌라 안에는 가드먼 아저씨댁 말고도 몇 가구 정도 더 살았는데 그들과는 많은 교류를 하지 않았다.

다만 그들 또한 신교 사람들이라는 것은 안다.

아저씨 댁에 들어가니 생쥐처럼 비 맞은 내 몰골을 제일 먼저 본 것은 가정용 안드로이드였다.

신교를 믿는 아저씨는 자신의 부인인 아주머니가 하지 못하는 힘쓰는 일이나 자질구레하고, 위험한 집안일을 도와줄 가정용 안드로이드를 원했다.

어차피 세탁, 청소, 요리 같은 기본적인 가정일은 아주머니가 할 수 있으므로 그걸 보조할 안드로이드가 필요한 것뿐이다.

보통 사람들은 그런 면에서 가정용 안드로이드의 용도를 생각할 터이지만 과학교도들은 아예 아내역할까지 할 가정용 안드로이드를 사곤 한다.

그들은 결혼해서 가정을 이루지 않기 때문에 성욕을 풀기 위해 정교하고, 인간과 가까운 안드로이드들을 원한다.

여성이라면 자기 위로는 기구만 있으면 돼서 인간형 보다는 조작이 간단한 가구형 안드로이드를 쓰지만 남성이라면 정말 인간 여성의 모습을 한 인간형 안드로이드를 사곤 한다.

물론 인간형 안드로이드가 가구형 안드로이드보다 몇 배 더 비싼 건 두말 나위 없다.

특히나 생체 안드로이드라고 불리는 인간과 흡사한 안드로이드는 로봇이나 가구형 안드로이드하고는 가격 비교가 불가할 정도로 비싸다고 한다.

아저씨의 경우는 과학교도 남성들과는 좀 다른 경우로써 아주머니가 명령하고, 지시하게 편하게 대면하기 좋은 인간형 안드로이드를 구한 것뿐이다.

"제니스."

"도련님. 비에 홀딱 젖으셨군요."

내가 그 안드로이드의 이름을 부르자 생기 없는 피부에 안경을 낀 채 묶은 머리를 한 여성 안드로이드가 나를 보며 그렇게 말했다.

과학교도 남성이라면 그녀의 외모를 좀 더 아름답고 섹시하게 꾸밀 테지만 나나 가드먼 아저씨는 그녀에게 바라는 기능이 전혀 다르기에 그냥 사온 그대로의 모습을 유지하길 바랬다.

40대 중반처럼 보이는 고집 센 여성 가정부의 모습으로.

"옷을 가져올까요?"

"그래요."

무의식적이지만 나도 모르게 그녀에게 존댓말을 했다. 제니스는 그런 나를 보고, 피식 웃는 건지 입술을 삐죽거리며 어디론가로 사라졌다.

그때 부엌에서 두 명의 소녀가 나에게 다가오고 있었다. 바로 가드먼 아저씨의 두 딸이다.

어머니를 잃고, 이 집에 처음 왔을 때 나를 포옹하며 나를 따뜻하게 맞이 해준 것도 이 두 딸 들이다.

두 딸들의 어머니인 사모님은 성형 수술을 하지 않으시고도 무척이나 미인이었다. 인종학적 관점으로는 북유럽계 게르만 미인이셨는데 라틴계에 가까운 가드먼 아저씨와 어떤 인연으로 결혼을 하신 건지 몰라도 그 두 분 사이에는 예쁜 두 딸이 태어났다.

두 딸 모두 아직도 유지되고 있는 제왕절개나 무통분만 하나 없이 정상적인 고전적 분만 방법으로 태어났다고 한다.

과학교도들이 들으면 경을 칠 일이지만 사모님은 아이들을 정상분만을 하는 것도 모자라 모유를 먹이며 키웠다고 했다.

신교가 과학교도와 같이 인류문명의 정신을 양분하면서 과학교도는 결혼을 하지 않고, 자식도 낳지 않은 채 개인의 쾌락을 추구하다 조직에 귀속된 삶을 사는 것을 중요하게 여기는 반면에 신교는 원시시대로부터 내려온 가족의 가치를 지키며 아이를 임신하고, 출산하고, 양육하는 것 자체의 사회적 관습을 전혀 버리지 않았다.

물론 태양계의 어느 행성이나 위성 정부에서도 공식적으로 신교와 과학교도 그 두 사상을 지지 할 수 없다.

그건 과거 과학교도의 세상일 때 신교들의 내란이 얼마나 극심했는지 알기 때문이다. 과학과 기술로 쉽게 제압당할 거 같았던 신교 저항군들이 전쟁에서 승리 할 줄은 아무도 몰랐던 것이다.

정부에서는 몰래 자신들에게 유리한 사상에 대해 힘을 실어 줄 수는 있지만 그 두 사상에 대해서는 항상 공식적으로는 중립을 유지해야 했다.

정치적으로 이렇다 보니 지금의 생활모습도 과거 사람들이 상상하는 것과는 차이가 있다.

뭐든지 다 자동화 되고, 뭐든지 다 편해지고, 뭐든지 합리적인 그런 과학적 유토피아의 모습도 아니고, 그렇다고 인간의 정도 없고, 기계 같은 모습의 사회도 아니다.

이 백 년 전 신교 세력이 약했을 때는 사회가 좀 더 곤충들 사는 세상 같았다고 기록이 되어 있는데 지금은 확실히 곤충들 사는 세상 같지는 않아 보인다.

그렇게 현재도 남자와 여자는 서로 사랑을 나누어 잉태를 하고, 또한 여성의 가랑이에서 생명이 탄생한다.

물론 그런 과정 없이 인간을 생산하다시피 하는 방법이 실질적으로 구현이 되어 있지만 그건 어느 한 세력에 의해 언제든 거부되었다.

그래서 과학교도는 출산과 양육은 신교들의 몫이라고 여기고, 자신들은 현세의 즐거움을 누리며 고독하게 살기로 했다.

아무튼 아저씨의 그 귀여운 두 딸의 이름은 각 각 에스더와 사라로 지금은 사라진 기독교의 여자 이름에서 유래했다고 한다.

두 딸은 겉모습이 비슷했다. 어머니의 외모와 아버지의 외모 반을 각각 물러 받아서인지 우윳빛 피부를 가진 전형적인 게르만 백인이지만 회색빛의 머릿결에 눈동자만은 갈색이었다.

그녀들의 갈색 눈동자는 라틴계 미남인 가드먼 아저씨의 유전자를 물러 받았다.

상냥하면서도 서늘하고, 빛나는 눈동자. 그리고 입을 맞추면 꿀을 먹을 거 같은 그 가녀린 오똑한 입술을 가진 아름다운 소녀들이다.

하지만 두 소녀는 외모만 비슷할 뿐이지 성격이나 가치관의 차이는 꽤 컸다. 언니인 에스더는 성경에 나오는 그 에스더의 성격대로 기품이 있고, 내성적이었으며 사라는 성경에 나와 있는 그 성격과 반대로 활기차고, 외향적이었다.

가드먼 아저씨의 서재에서 그 옛날 고대의 종교인 기독교의 경전 성경을 본 적이 있는데 나에게는 무척 흥미로운 책이었다.

디지털 화 되지 않는 묵직한 종이책인 걸 읽어봤는데 왜 과거 사람들이 기독교에 빠져들었는지 알 것도 같았다.

그렇다고 가드먼 아저씨는 기독교인은 아니다. 그도 그렇게 공식적으로 말을 했고, 지금 기독교라는 종교 또한 거의 사라졌으니까.

가끔가다 금성의 어느 상공 도시나 달의 어느 콜로니에서 극소수의 기독교인을 본 적이 있다는 소문만 무성하게 들려온다.

굳이 과학교도가 때문이 아니더라도 22세기부터 기독교를 믿는 인구는 점차 줄어들었다. 그리고 22세기 말에는 아예 기독교가 사라졌다고 한다.

나는 그 이유를 알거 같았는데 성경을 아무리 읽어봐도 신교처럼 과학과 기술에 대해 고민하고, 논증하는 종교는 없다.

가드먼 아저씨는 무지성(無知性)으로 믿기에는 기독교만한 것이 없으나 현대에 종말을 맞이한 것은 지성과의 대결에서 사람들의 회의와 의문에 많은 공감과 해답을 제시 하지 못해서 그렇더란 말을 들었다.

그런 회의와 공감에 해답을 제시한 종교가 지금 태양계에서 믿고 있는 신교이며 그들로 인해 인류가 삭막한 곤충 같은 세계에 살지 않는 걸 다행으로 여겨야 한다.

아무튼 두 자매는 나와 함께 커왔고, 두 자매 이름을 에스더와 사라로 지을 만큼 정숙하고, 상냥하게 자라길 바랬던 가드먼 아저씨의 마음과 달리 자매는 각자 개성을 가지게 되었다.

그렇다고 해도 이미 극소수의 이들이 믿는 종교에 나오는 인물의 이름을 자신의 딸에게 붙인 다는 게 난 대단한 분이라고 생각했다.

"그들 또한 유일신을 믿는 자들이니 우리 종교와는 사촌지간 같은 거니까."

아저씨는 그렇게 설명했다. 제니스가 내가 입을 새 옷을 준비할 동안 두 자매가 내게 다가와서 타월로 내 젖은 몸을 닦기 시작했다.

"왜 콜로니에 확률적으로 비가 오는 시스템을 구현했는지 몰라."

사라가 내 젖은 머리를 타월로 닦으면서 말했다. 그녀의 향긋한 살내음과 숨소리가 내 마음을 설레게 했다. 나는 내 기분을 들키지 않으려고 무표정한 얼굴로 저음의 목소리를 내면서 말했다.

"과거 지구 환경을 최대한 재현해 보려고 그런 거라는데."

"지구에 간적이 있어?"

그녀는 호기심어린 표정을 지으며 내게 물었다. 그러나 나는 고개를 저을 수밖에 없다. 난 이 타이탄 위성의 콜로니 프로메테우스 시를 떠난 적이 없다.

"도서관에서 지구가 어떤지 많이 보잖니?"

나이는 비슷하지만 좀 더 언니인 에스더가 사라의 호기심 어린 질문에 이렇게 핀잔을 주었다.

"그야 모르지. 지구가 정말 어떤지 가봐야 알잖아."

나는 사라의 어리광에 이번 주 금요일에 이 도시 B지구에서 공연을 한다는 즉흥시인 세라를 떠올렸다.

왜 그녀가 A지구가 아닌 B지구의 대극장에서 공연을 하는지 모른다. 단순히 그녀가 안드로이드여서 일거 같다. A지구에는 과학교도가 많이 살지만 또한 신교의 높으신 분들도 사니까 안드로이드가 자신들이 기거하는 곳에 오는 걸 꺼려하는 거 같다.

"그렇다면 세라에게 과거의 지구는 어땠는지 물어볼까?"

"아. 세라. 태양계 최고의 즉흥시인이라면 지구가 어땠는지 속이지 않고, 시적으로 노래하겠지."

과학교도의 자랑이자 두려움. 즉흥시인 세라는 이런 존재다.

여성형 안드로이드로써 비록 안드로이드지만 예술가로써 인격을 부여 받은 반은 자유민인 안드로이드다.

초 인공지능으로써 과학교도에게는 인공지능이 인간의 지능 보다 뛰어나다는 것을 증명하는 존재였다.

내전이 끝나고, 근 반세기가 넘게 그녀는 즉흥시인이 직업이었는데 인간의 지능이 인공지능보다 뛰어나다는 한 분야가 바로 창조의 분야인 예술이기 때문에 그 초 인공지능은 그 분야의 최고가 되고 싶었다고 한다.

그래서 결국 창조의 영역까지 그 초 인공지능은 최고가 되었고, 근 반세기 동안 수많은 도전을 물리치고, 태양계 최고의 즉흥시인으로 남을 수 있었다.

세라 이전의 과거의 즉흥시인에 대해서는 자세히 모르지만 세라가 현 시점에서는 최고의 즉흥시임에는 틀림없다.

왜 즉흥시인이라면 시간을 주면서 쓰는 문학, 소설, 영화 같은 장르보다 정말 실시간으로 시와 음악을 창작해야 하는 즉흥시인이야말로 인간의 창조성이 제일 요구되는 직업이라 그렇다.

오죽하면 신교가 세라를 파괴하지 않는 이유 역시 그녀에게 인간의 지능이 뛰어나다는 것을 증명하고 싶어서라고 할 정도다.

반세기 동안 아무도 이기지 못한 초 인공지능 세라야 말로 전설이었으며 매년 인간이든 다른 초 인공지능이든 그녀에게 음악이 가미된 즉흥시로 도전을 했지만 그 어느 누구도 그녀를 이길 수 없었다.

물론 외모야 외모성형사들이 그녀를 잘 가꾸어 너무나 아름답긴 했지만 도전자들 또한 외모성형사들이 관리하기 때문에 외모의 우열은 상관없다.

특히나 여성들끼리의 대결은 피 튀기는 외모의 대결도 볼만했기에 젊고, 아름다운 신교여성과 세라의 즉흥시 대결은 흥분을 자아내곤 한다.

거의 알몸이 다 비추는 반투명한 실크드레스를 입은 두 여성이 아름다운 목소리로 즉흥시를 노래 부를 때면 그 아름다움에 압도되곤 한다.

난 그 장면을 작년 홀로그램 티브이에서 본 적이 있기 때문에 잘 안다. 그때 나온 여성이 신교에서도 최고의 즉흥시인으로 불리는 여성이었다.

비록 시 내용에서 졌지만 아름다운 몸매와 외모로 세라까지 압도할 줄은 몰랐다. 그러나 역시 외모성형사들이 관리하기 편한 안드로이드라 그 인간 여성의 아름다움을 곧바로 자신의 강점으로 눌러버렸다.

"작년엔 대단했지? 처음으로 세라를 이길 사람이 나올 줄 알았다니까."

"그랬으면 영웅이 탄생한 거겠지?"

영웅이라는 말에 내 가슴은 왠지 설렜다. 두 자매는 내 몸을 닦으면서 세라에 대한 얘기로 수다를 좀 더 떨었다.

"육 십 년 넘게 세라를 이긴 사람은 없으니까. 그 초 인공지능을 보고 있으면 인간의 지능이 정말 인공지능보다 뛰어난 건지 의심이 들어. 인공지능을 우리 인간이 만들었는데 인공지능 보다 우리가 뒤떨어진다면,...... 우리는."

"남성과 대결했더라면 좀 더 색다른 대결이 되지 않았을까? 둘 다 거의 알몸을 보여주면서 대결했으니 어느 쪽이든 더 깨끗하고, 예쁜 편이 점수를 땄을 텐데.

물론 인간이 안드로이드와 비교해서 한계가 좀 있었지만. 결국 진 건 시내용이지?"

"내가 보기엔 그 인간 여성도 인간 중에서는 제일 아름다웠다고 생각 해. 그만큼 아름다운 여성도 없었을 거야. 단지. 후반에 세라가 다시 외모로 점수를 따고, 본격적으로 시 자체로 그녀를 눌러버렸으니까."

사실이 그렇다. 외모 대결에서는 초반에 인간 여성이 우세했으나 후반에는 역전해서 거의 비등비등해졌다.

세 개의 시 주제로 거의 사십 분 넘게 노래를 불렀으니까.

나머지 자유주제에서 승패가 판가름 났다.

"아니."

그 때 어디선가 낯익은 여성의 목소리가 들렸다. 바로 가드먼 아저씨의 아내이자 이 두 아가씨의 어머니인 마리아씨다.

"첨부터 졌어. 기사들이 전부 거짓말을 적어놨단다. 그 기사들 전부 다 신교측에서 쉽게 세라에게 졌다는 걸 인정하기 싫어서 그렇게 작성한 거야."

마리아씨는 두 딸들이 일 년 전에 있었던 세라와 신교측 즉흥시인인 여성의 대결에 대해 그 진실을 알려주었다.

"신교 측 대표였던 페트리샤는 외모성형사들을 이용해 자신의 아름다움으로 처음부터 세라에게 앞서나가려 했지.

작년 대회가 왜 B지구에서 열렸는지 그 이유가 뭔지 알겠니?"

두 딸은 어머니가 그 이유를 물어보자 서로 얼굴을 쳐다보며 고개를 흔들었다. 나도 수건으로 몸을 닦으며 그녀가 하는 얘기에 흥미가 생겨서인지 자세히 듣기 시작했다.

"페트리샤는 화성 대회에서 세라보다 못했던 초 인공지능 즉흥시인과의 대결에서 패해서 그렇단다.

부끄러운 얘기지만 신교측의 직권남용으로 세라와 결승에서 붙게 된 거야. 사실은 인공지능과 인공지능이 붙어야 됐었지만."

마리아는 자신도 신교도지만 이런 점은 비판 받아야 한다는 것을 아는지 우리들에게 사실대로 얘기했다.

"페트리샤씨가 패했다는 그 화성의 인공지능이?"

"아마. 올해에는 세라와 결승에서 같이 붙을 지도 모르지. 올해는 그래서 결승장소가 에우로파에서 열리게 된 거란다."

내가 궁금해서 물어보자 아주머니는 자세히 알려주셨다. 에우로파라면 비교적 안드로이드에게는 관용을 베풀 수 있는 지역이다. 과학교도들이 좀 더 우세한 지역이니까.

그렇다고 해도 인간과 안드로이드의 대결이 아니라서 중앙 예술당이나 시청 같은 곳에서 대결이 벌어지지는 않을 거였다.

과연 정말로 세라를 예술로 이길 수 있는 초 인공지능이나 인간이 나올 수 있을는지 난 시무룩한 표정으로 아주머니를 쳐다보았다.

그러자 아주머니는 내 머리를 쓰다듬으면서 상냥하게 말하기 시작했다.

"이 세상에 영원한 것은 없어. 하나님 밖에는 영원한 것이 없지. 내 신념은 이렇단다. 우리 피조물들은 무한과 제로사이의 존재라는 것을.

아무리 과학기술이 발전한다고 해도 결코 무한과 제로의 진리를 발견 할 수 없다는 것을. 우리는 그 사이에서 찰나의 순간을 살아가지만 그 찰나의 순간에 빛을 발하며 살아가기에 더 가치 있는 생명이라고 믿는 단다."

그 말을 듣고, 에스더는 무엇이 감동스러운지 눈을 크게 뜨며 놀라워했다.

"어머. 놀라워요. 누가 그런 말씀을 하셨죠. 너무 낭만적 이예요."
"그래? 바로 네 아버지다."

하지만 사라는 그 말을 듣고, 얼굴을 찌푸리며 틀렸다는 듯이 고개를 저었다.

"아니. 인간은 무한히 발전할 수 있는 존재고, 우주를 손에 넣을 수 있는 존재야. 언젠가는 과학이 모든 것을 밝혀낼 거고, 무한이든 제로든 다 원인과 결과가 있는 거야. 이 세상에 인간이 알아 낼 수 없는 건 없어."

마리아는 자신의 딸이 그 말을 하자 화를 내기는커녕 슬픈 표정을 지으며 딸을 쳐다보았다.

나는 그녀의 당돌한 대답에 할 말을 잃었으나 중립적인 입장으로써 그녀의 말도 옳을 수 있다고 생각했다. 그러나 한편으로는 걱정이 되기도 했다.

에스더와 사라. 그 두 자매가 지금은 한 부모 밑에 있어 서로 친하지만 생각의 차이 때문에 서로 멀어지지 않을까 하는 마음이다.

나는 제니스가 가져온 맞춤형 티셔츠를 받고는 곧바로 러닝셔츠 차림으로 상의를 갈아입었다. 편한 차림으로 하의까지 갈아입고 싶었지만 두 자매가 내 곁에 있어 상의만 갈아입은 것이다.

곧 시간은 저녁 시간을 알리는 종소리가 나고, 마리아는 저녁을 준비하러 먼저 자리를 떠났으며 자매도 내가 옷을 갈아입자 자신들이 내 곁에 모인 이유가 없어진 것을 알고, 각자 자신의 방으로 흩어졌다.

자매끼리 만났는데 내가 없어도 좀 더 얘기를 나누었으면 하는 바램이었지만 그녀들이 모인 이유가 나였기 때문에 모였다는 것을 나는 그때까지 자세한 사정은 모르고 있었다.

하지만 어렴풋이 자매들의 쓸쓸함을 느껴서인지 나는 그런 자매의 뒷모습을 보며 쓸쓸한 표정을 지었다.

3

며칠 후. 세라의 공연을 보기 위해 가드먼 부부와 그 딸 둘, 그리고 나는 저녁을 먹은 뒤 준비를 마치고 자기 부상 택시에 타기 위해 B지구의 공용 주차장에 갔다.

가드먼 아저씨가 자기 자동차가 없는 건 아니지만 이번 공연 전에 술을 좀 마시기 때문에 자가용을 타지 않기로 했다.

타이탄의 공전 주기가 약 15일 밖에 되지 않기 때문에 사실 프로메테우스시의 하루는 약 0.04일. 즉 약 한 시간이어야 하지만 우리는 지구에서 생겨난 문명이기 때문에 지구표준시를 사용해서 그대로 일 년은 365일, 하루는 24시간이라는 지구인 공통의 시간 개념을 공유했다.

그건 자전과 공전이 다른 태양계 행성이나 위성도 마찬가지다.

무슨 기술인지 모르지만 콜로니의 스카이라인은 반투명하게 어두워져 있었다. 아마 저 밖에는 황토색의 창공이 펼쳐져 있겠지만 콜로니의 외벽은 완전한 유리가 아니기에 어느 정도 날씨와 지구 시간에 맞추어 그 색깔을 바꿀 수 있었다.

그렇다고 완전히 홀로그램 영화처럼 도시의 창공을 마음대로 인간이 원하는 색으로 수놓을 수는 없다.

지구 시간으로 낮에는 인공태양의 빛과 타이탄의 대기가 어우러진 색이 그대로 보이고, 밤에는 불투명하게 해서 약간 밤의 분위기를 내는 것뿐이다.

태양은 저 멀리 있고, 타이탄의 대기는 지구보다 두껍다. 오히려 금성과 같은 두꺼운 대기를 가진 위성으로 토성 공전의 영향을 받지 않고, 대기의 하늘은 항상 메탄의 색깔을 그대로 띤다.

만약 낮과 밤의 구분도 없고, 비가 내리는 이벤트가 없었다면 여기 사는 사람들은 진작 미쳐 버렸을지 모른다.

물론 비가 내리는 이벤트는 컴퓨터에 의해 랜덤으로 발생한다. 콜로니 자체에 물이 많을 때 랜덤으로 발생하는데 특히나 에우로파에 간 무역선이 다시 이곳으로 도착할 때 일어날 확률이 크다.

아마 산업이나 콜로니 유지에 사용하고도 남은 얼음이 많을 때 콜로니에 비가 내리는 이벤트가 발생한 확률이 클 거 같은데 꼭 그렇지만도 않은 것이 무역선이 도착하지 않을 때도 비가 내리니 자세한 것은 학교에서도 가르쳐 주지 않는다.

아무튼 사라는 우리가 잠자고, 깨어나고, 생활하는데 직접적인 영향을 주는 지구 문명에 대해 관심이 많았다.

지금 살아가는 방식이 지구 문명에서 유래 한 것이니까 그럴 만도 하다.

가드먼 아저씨와 나를 제외한 이 집안 식구의 여성들은 전부 한껏 예쁘게 꾸몄다. B지구의 극장에 가는 것이 A지구 극장에 가는 것과는 달리 평범한 옷차림으로 가도 예의에 어긋나지 않지만 여성의 본능인지 아니면 오랜만의 외출인지 여자들은 한껏 들뜬 기분으로 자신들의 외모를 꾸몄다.

마리아 아주머니를 비롯해 두 자매는 어깨가 노출된 프릴 원피스를 입었는데 색깔은 각자 차이가 있었으며 원피스 자체의 모양도 조금씩 달랐다.

나는 특히 내가 좋아하는 에스더를 자세히 쳐다보았다. 그녀는 어깨가 완전히 드러난 연두색 프릴 원피스를 입고 있었는데 가슴께에는 하얀 리본과 꽃무늬 수건 같은 게 덧붙여 있었다.

그 모습을 보자 나는 그녀에게서 수수하면서도 고결한 무엇인가를 느낄 수 있었다. 원래 성격이 조용하고, 침착한 편이어서 그런지 옷차림도 튀지 않고, 이렇게 수수하다. 그러면서도 자신의 가슴을 제외한 어깨와 어깻죽지 모든 피부를 노출 시키니 너무 답답하지도 않고, 적당한 노출을 그녀는 보여주었다.

그랬다. 에스더는 너무 답답하지도 않고, 그렇다고 너무 방종하지도 않다. 적당히 고고하면서도 수수한 그런 소녀였다. 그렇기에 나는 그녀를 오래전부터 좋아했다.

그렇게 한창을 수수하면서도 고결한 에스더를 넋 놓으며 쳐다보고 있는데 갑자기 놀라는 여성 목소리가 들려왔다.

"얘가 왜?"

마리아의 놀람에 나는 아주머니가 쳐다보는 방향으로 고개를 들렸다. 바로 사라의 옷차림이었다.

사라는 머리에 큰 붉은 리본을 메었고, 프릴 원피스라기엔 너무나 하체가 짧은 미니 원피스 차림을 하고 있었다.

역시나 색깔은 그 붉은 리본과 같이 빨간 색이었는데 너무나 원색적인 빨간 색이라 눈이 아플 정도였다.

하체는 무릎 위까지 짧아서 자신의 하얀 허벅지를 그대로 보이고 있었고, 반대로 상체는 어깨가 노출되었다지만 어깻죽지와 목을 가려 상체는 좀 답답한 느낌이 들었다.

그녀는 자신의 언니인 에스더와는 정반대의 미학을 가지고 옷을 입었는데 아주머니는 차라리 노출을 하려면 에스더의 상체 노출과 지금의 하체 노출을 동시에 하든지 아니면 에스더처럼 가릴 건 가리면서 옷을 입던지 언니와 정반대로 입은 그녀의 옷차림을 언짢아했다.

하지만 사라는 자신의 언니인 에스더와는 모든 걸 다 반대로 하고 싶었는지 어머니의 잔소리를 아무렇지도 않게 생각했다.

나는 여성 진에서 소동이 일어나자 이 집안의 가장인 가드먼을 쳐다보았다.

그는 미리 나갈 준비를 하면서 여성들의 일에는 상관하지 않았다. 나 역시 그런 아저씨를 쳐다보며 무언가 인생의 교훈 같은 것을 깨달았는지 아저씨와 같이 밖에 나갈 준비를 했다.

어느 정도 시간이 흐르고, B지구의 레스토랑에 가서 좀 화려한 식사를 했다. 과거 이 시기를 그리는 SF문학 작품들처럼 자그마한 음식을 오븐 같은 것에 넣으면 커진다던지 하는 일은 벌어지지 않는다.

그렇다고 또 큐브 같은 것에 짜서 음식을 먹지 않는다.

아마도 과학기술이 발전해도 제일 변하지 않는 건 아마 요리가 아닐까 쉽다. 천 년 전 사람이 식사를 하는 방식이나 오 백년 전 방식이나 지금이나 하나도 변한 건 없다.

재료에 양념을 해서 익히거나 튀기거나 온갖 방법으로 맛있게 먹는 다는 것은 변함이 없다.

하지만 그 재료의 조달이라는 것이 이제는 많이 달라질 뿐이다.

난 내가 먹고 있는 이 고기의 정체와 채소의 정체를 알고 있다. 학교에서 배웠기 때문이다. 채소는 수경농장에서 재배되어 온 것이며 고기는 곤충을 키워서 그걸 갈아 고기를 만든 것 하고, 또 하나는 재배육 또는 배양육으로 가축의 세포를 키워 그걸 육식으로 이용한 것이다.

성장한 가축을 도축할 일이 없으니 그만큼 도축 할 때의 그 번거로움은 없어졌지만 키우는 세포에 따라 암세포가 그득한 고기가 나올 수도 있고, 돌연변이 세포를 키워서 돌연변이 고기가 나올 수도 있다. 주로 키우는 건 사람들이 좋아하는 근육세포나 지방세포이다. 그래서 돌연변이 조직이 나올 수도 있다고 한다.

기업의 보고서에는 배양육 약 7.8%정도가 폐기 처분 된다고 한다. 그리고 도시전설로는 배양육을 키우는 데에 사람의 시체를 액화시켜 양분으로 쓴 다는 소문을 들은 적이 있다. 그게 화학 합성하여 새롭게 영양분을 만드는 것보다 비용이 덜 든다고 배양육 기업들이 사람의 시체를 이용한다고 한다.

 하기야 과학교도 들이야 육체가 죽으면 그냥 모든 것이 끝난다고 하고, 사후에 대해서는 자신의 시체가 액화되든 뭐에 이용되는 신경 쓰지 않으니 아마 그 도시전설이 사실이라면 과학교도의 시체를 쓸 거 같다. 신교들은 사후세계를 믿기 때문에 죽으면 시체를 더럽히지 않게 플라즈마로 기화시키거나 수소 냉동시켰다.

 아무튼 어쨌든 배양육은 농장이 없는 이 프로메테우스시의 단백질 공급원의 하나이며 우주 농업의 핵심 산업이기도 하다.

 가드먼 아저씨는 소고기 맛 스테이크를 먹으면서 이 고기가 배양육이라는 것에 대해서 신경 쓰지 않으려고 하는 거 같았다.

 그나마 음료인 술은 정통적인 방법으로 만들어 진다고 한다. 주류기업의 그 말을 곧이곧대로 믿을 수 없겠지만 그래도 배양육보다 덜 과학적이지 않은 건 사실이다. 아니 과학적이라고 해야 하나 인위적이라고 해야 하나.

 나는 식당에서 소고기 스테이크 정식과 랍스터 치즈 볶음요리를 먹으면서 그리고 세라가 공연할 극장에 가면서 생각해보았다.

 과학교도 3단계 수술을 받은 자들 중에서 4단계의 수술을 받는 자들은 그야 말로 아주 극소수라고.

 가드먼 아저씨는 아무리 과학교도라도 음식을 먹는 즐거움을 인간이 포기 할 수 없다고 말했다.

 그래서 2단계에서 3단계 수술을 받은 비율은 10% 좀 넘게 되지만 3단계에서 4단계 수술을 받은 비율은 1%도 안 된다고 했다.

 정말 과학을 신성시 하며 과학과 기술을 종교처럼 따르는 광신의 경지에 이르는 무신론자이자 유물론자만이 4단계 수술을 받는다고 한다.

성욕뿐만 아니라 먹는 즐거움까지 모두 포기할 정도로. 뇌만이 자신이 가지고 있는 고유의 신체 기관이기 때문에 뇌에게 영양과 휴식을 공급할 장치에 하루에 한 시간만 누워있다.

가드먼 아저씨는 자신의 여동생 얘기를 꺼낸 뒤에 여동생이 어떻게 생활하는지 지켜보셨다고 했다.

신교를 믿는 아저씨를 위해 그의 여동생은 과학교도로써 4단계 수술을 받은 자신의 모습을 있는 그대로 드러내고 싶어 하는 거 같았다.

"왜 4단계 수술을 한 자만이 과학교의 장로에 오를 수 있는지 알겠더군. 어느 날은 여동생의 저택에 가서 얘가 어떻게 자나하고 지켜보니 걔가 피곤한 몸으로 지치고, 지친 표정이 역력해 내가 자라고 하니 걔가 갑자기 자기 키 만 한 물탱크 같은 침대에 알몸으로 들어가 한 시간 동안 가만히 눈을 감고는 누워 있었어. 무슨 액체인지는 몰라도 걔가 호흡하는 데는 별 문제 없는 액체였지. 아마 산소가 다량 포함된 새로운 생화학 물질이었을 거야.

한 시간이 흐른 뒤 탱크 속에 나와서 걔의 모습을 보니 걔는 8시간 푹 쉰 것처럼 다시 생기를 되찾았어. 그리고는 다시 그 탱크 속에 다시 들어갈 때까지 먹지도 자지도 쉬지도 않고, 생활하지."

"먹지도 자지도 않고요?"

"그래. 그것만이 4단계 수술을 받은 과학교도와 안드로이드와의 유일한 차이점이다."

"안드로이드는 인간과 다른 방법으로 에너지를 얻죠?"

"그래. 옛날에는 전기였지만 지금은 생물 에너지로 얻는 다고 들었다. 많은 기관들이 금속기관에서 인조기관으로 대체되면서 그 놈들도 생물 에너지가 필요하다고 하더군."

"역시 안드로이드들도 먹지도 않고, 자지도 않겠죠?"

"그러겠지. 내 여동생 보다 더 간단한 방법으로 에너지를 채우겠지."

나는 그것이 무슨 의미인줄 모른다. 아직도 모르겠다. 밥을 먹지 않고, 잠도 자지 않고 산다는 의미가.

어떤 이는 이걸 생물의 한 차원 도약이라고 부르는 이도 있을 것이고, 어떤 이는 신을 모독하는 일이라고 하는 이도 있을 것이다.

"이제 곧 시작 될 거야."

내가 공연 석 좌석에 앉아 이런 생각에 안절부절 할 때 사라가 내게 큰 소리로 말했다. 레스토랑에서 식사를 한 뒤 콘서트홀에서 내 자리에 앉아 있을 때까지 계속 이런 생각만 했다.

콘서트홀에 홀로그램 조명이 비추더니 복잡하고, 아름다운 세라의 과거 영상들이 입체화면으로 나왔다.

한동안 그녀가 예술대회에서 우승 했을 때의 모습이 비추었는데 정말로 화려하고, 눈이 부셨다.

과연 스타라는 것이 이런 것이구나 하는 것을 나는 느꼈다.

십 분간의 그런 자신의 PR이 끝나고, 콘서트홀 중앙에 세라의 모습이 등장했다. 이번에는 알몸이 확 비추는 연 자주색의 이브닝드레스를 입고 나왔는데 특이하게도 왼쪽 유방이 그대로 노출된 패션을 입고 나왔다.

이 당시 공연예술에 대해서는 그 윤리가 조금은 느슨했기 때문에 여성의 노출에 대해서는 꽤 관대한 편이다.

과거에는 연령에 따라 노출과 선전성이 무척이나 엄격했다고 하는데 외행성들을 개척하고, 위성들을 개척하는 와중에 인구를 엄청 늘리기 위해서인지 모르지만 예술이나 성적인 것에 사회는 과거 그리스 로마 시대의 회귀라고 할 정도로 엄청나게 관대해져 갔다.

20세기에서 21세기에는 매체를 통한 성산업이 발달되었다고 했는데 지금은 매체 보다는 교류에 의한 성이 더 개방적이 되어 갔다.

그 영향 때문인지 몰라도 이렇게 노출이 심하더라도 사회적인 물의는 일으키지 않았다.

세라는 전형적인 블론드의 미인으로 금색의 허리까지 오는 긴 머리와 흰 피부에 녹색 눈동자를 한 절세의 미녀였다.

물론 아름다움이라는 것이 외모성형사들에 의해 얼마든지 가질 수 있는 값싼 것이 되었다고 하지만 분명 외모성형사들도 어떻게 할 수 없는 아름다움이라는 것이 존재한다.

하지만 대중은 분명 외모성형사들이 만들어 놓은 그 아름다움에 빠져들 것이며 세라는 외모성형사들이 만들어 놓은 아름다움 중 최고의 작품이기도 하다.

들리는 소문엔 외모성형사들이 성형수술을 하지 않은 본래의 모습이라고 하는데 어떻게 그런 모습이 가능한지 도저히 모르겠다.

고대 미케네문명의 여사제들이 그렇듯이 완전하게 한쪽 유방을 완전히 내놓은 세라는 매혹적인 목소리로 노래를 부르기 시작했다.

BMAU(Backgrond Music Auto Unit)38 세 대가 허공에 떠돌며 그녀의 주위에 돌면서 음악을 연주하고 있다.

BMAU는 뇌의 신호를 그대로 음악적으로 표현하는 것으로 머릿속으로 노래를 부를 때 그 음률을 그대로 재현하는 것이다.

즉 세라는 작곡을 하면서도 즉흥시를 가사로 해서 노래를 부르는 것이다.

세라가 가수보다 뮤지컬 배우들보다도 더 높은 대우를 받는 건 즉각적인 작곡솜씨와 더 중요한 즉흥시이다.

이미 만들어진 것을 훈련하여 부르는 것이 아니라 그녀는 즉각적으로 작곡하고, 즉각적으로 시를 지어 부르는 것이다.

이런 즉각적인 창조적인 부분이야 말로 신교사람들이 인공지능보다 우월하다고 믿는 부분인 거다.

처음 그녀가 부르는 시는 타이탄 위성의 환경을 노래했다. 아름다운 토성의 고리에 대한 묘사가 이어지고, 토성에서 두 번째로 큰 위성인 타이탄에 대한 묘사가 이어진다.

 그리고 그런 위성 타이탄에 24세기 중반부터 개척을 해온 개척자들에 대한 애환과 슬픔에 대한 이야기가 이어졌다.

 나는 타이탄의 역사에 대해 학교에서 배운 게 전부라 객관적인 상황과 지식 밖에 알지 못한다.

 홀로그램으로 보이는 수 백 년 전의 뉴스화면과 다큐멘터리가 그렇다. 아직 VR 기록이 발전되지 않을 때라 스크린으로 타이탄의 개척 상황과 개척자들의 삶을 볼 수밖에 없었다.

 이번에 특별히 세라가 타이탄의 프로메테우스시에서 공연을 해서 이런 기획을 했는지 몰라도 장장 십 분 이상이 흐르는 그녀의 노래에는 흡입력과 더불어 애절함이 묻어 있었다.

 나는 숨을 크게 들이키며 왜 인간인 페트리샤가 세라에게 상대가 안됐는지 알거 같았다. 그렇다면 다른 즉흥시인들도 그녀에게 상대가 안 된다는 소리인데 어느 누가 이 인공지능을 뛰어 넘을 수 있을지 그건 모를 일이다.

 타이탄 개척에 대한 노래가 끝나자 그녀는 꽉 짜인 프로그램에 싫증이 났는지 이번에는 쉬어가는 코너 겸 관객의 자유주제로 즉흥시를 만들고, 노래하겠다고 했다.

 나는 그 소리를 듣고, 엄청난 용기인지 만용인지 누구보다 제일 먼저 손을 들었다.

 "어머. 잘 생긴 도련님이시네요."

 그녀는 내가 먼저 손드는 걸 보았는지 찰랑 거리는 자신의 자주색의 이브닝드레스 치맛자락을 한 손으로 집고는 나에게 천천히 다가왔다.

 그녀의 바람결 같은 서늘하면서도 달콤한 목소리를 듣고, 난 긴장한 채로 그녀가 나에게 한 걸음 한 걸음 천천히 다가오는 걸, 침을 꼴깍 삼키며 쳐다보고만 있었다.

드디어 그녀가 내 곁에 다가오자 난 기침 소리를 내며 정신을 가다듬었다. 내 눈은 그녀의 얼굴보다 그녀의 노출된 탐스럽고, 아름다운 왼쪽 유방에 시선을 두었다. 하얀 풍선 같은 큰 유방에 잘 익은 작은 핑크색 포도 알갱이 같은 유두가 내 눈 안에 들어왔다.

순간 그 모습이 홀로그램 화면에 클로즈업 되면서 전 관객이 보게 되었다.

그때 사람들의 웃음소리가 들리는 거 같았다. 다행히 내가 어른이 아니라 청소년이라 이런 성적 호기심에 대해 비난하지 않았다. 아이가 그러면 그렇지 하며 두둔하고, 용인하는 분위기인거 같다.

"역시 도련님답게 아직 여성의 몸에 많이 궁금해 할 나이 인가 보죠? 이제 그만 쳐다보고, 어서 주제를 말하시는 게 어때요?"

그녀의 핀잔에 난 얼굴을 붉힌 채 큰 목소리로 내가 생각했던 주제를 말했다.

"지구요. 지구의 역사와 지구의 몰락이요."

세라는 내가 말한 주제를 듣더니 갑자기 내 얼굴에 자신의 얼굴을 들이밀면서 흥미로운 표정을 지었다.

나는 그때 세라 몸에서 나는 이상하고, 야릇한 향기에 취해 계속 얼굴만을 붉히며 딴 곳을 쳐다보았다. 정말 세라는 안드로이드가 맞는 건가? 나는 세라의 이런 모습에 그녀의 정체를 의심하기 시작했다.

아름다운 인간 여성처럼 몸에서 기분 좋은 향기도 나고, 가슴도 아름답고, 그야말로 안드로이드라고는 생각지도 못할 전형적인 미녀의 모습이었다.

그녀는 나를 놀린 건지 아니면 잠시 흥미가 있어서였는지 잠시 동안 내 눈을 쳐다보고는 다시 내게서 멀어져 서서히 무대 중앙으로 내려갔다. 그리고는 맨 처음 지구의 탄생에 대해 노래했다.

45억년 지구의 탄생과 원시 세포, 선 캄브라이기 시절부터 해서 고생대, 중생대, 신생대에 관한 과학적 사실에 대해 노래했다.

꼭 아름다운 시는 필요 없다. 이런 과학적 사실에 대해서는 즉흥 시인은 사실만을 전달하면 된다.

지구의 자연 역사에 대해 노래한 세라는 곧 지구의 아름다웠던 자연 환경에 대한 묘사를 시적으로 노래했다.

바로 이 부분부터 시적인 감수성과 묘사가 필요한 부분이다.

BMAU 38의 잔잔하면서도 신비로운 음색에 세라는 지구의 사막, 정글, 숲, 빙하의 자연환경을 시적으로 노래했으며 그곳에서 살던 동물들에 대해서도 노래했다.

난 그녀의 노래를 듣고, 상상으로 지구의 과거 생명이 충만했던 시절의 모습을 눈에 그렸다.

물론 다큐멘터리 기록 필름으로 지구의 그 옛날 20세기나 21세기 중반까지의 숲과 정글, 사막, 빙하의 모습이 필름으로 보존되어 있긴 하다.

마치 도화지 안에 갇힌 영혼처럼 천연색의 그 모습이 스크린에 비출 때면 VR영상처럼 입체를 느낄 수 없어 그 입체적인 모습은 전적으로 상상에 의존해야 했다.

지구의 자연이 파괴되고 제 6번째 대멸종인 인류세 대멸종이 지나고 나서야 VR영상을 담을 수 있었고, 22세기 이후 지구의 자연을 담는 다는 것은 이제 무가치한 일이 되어버렸다.

세라는 그 이후 인간들이 벌인 자연파괴와 지구가 현재모습으로 되기까지의 과정을 노래했다.

"아이들이 들으면 안 돼!"

"아이들도 이런 부끄러운 역사도 들을 권리가 있어! 숨기기만 하면 안 된다고!"

곧 몇 사람의 과학교도와 신교가 소리 지르며 세라의 노래를 방해했다. 그러나 세라는 그런 큰 말소리에는 아랑곳 하지 않고, 더욱 현재 지구에 대해 노래를 부르기 시작했다.

현재 지구의 모습과 이제는 더 이상 볼 수 없는 과거의 흔한 생명들의 모습이 내 뇌리에 교차 되자 난 갑자기 내 눈에서 눈물이 흐르기 시작했다.

내가 눈물을 흘리는 것이 떠다니는 콘서트홀의 드론 카메라에 관측되었고, 그것이 중앙의 커다란 홀로그램 화면에 띄어지자 객석 중 일부에서 박수갈채가 쏟아졌다.

"진짜 인간이다! 이래야 인간이다!"

신교 측 사람인지 아니면 유신론자들인지 몰라도 일부 객석에서는 그런 소리를 하며 나를 두둔했고, 또 다른 객석에서는 야유를 퍼부었다.

"이미 지나간 일이다! 멸종 할 것은 멸종 한다. 살아남는 게 강한 거야!"

과학교도로 보이는 사람들이 이 말을 하자 또 나를 두둔하던 객석에서 이런 말로 반격했다.

"살아남은 건 오직 인간과 몇 종류의 동식물 밖에 없다! 대부분 멸종했어! 이게 진화란 말이냐?!"

세라는 자신이 부르는 즉흥시에 이렇게 사람들이 뜨거울 정도로 반응을 하자 더욱더 처참하고, 비장한 노래를 불렀다.

마치 이건 랩과 노래가 어우러진 하나의 뮤지컬 같았으며 세라는 콘서트홀의 신교와 과학교도가 서로 언쟁하는 그 소음까지도 음악으로 만들었다.

그녀는 인간의 어리석음과 이런 어리석음이 있는데도 인간의 대척 없는 과학적 낙관론을 비꼬며 노래했다.

그리고 인간을 돌봐주신다는 하나님은 어디 있으며 이미 멸종해 버린 수많은 동물들은 누가 지켜주는지 신의 존재 유무자체도 비웃는 노래를 불렀다.

그녀는 과학교도와 신교 둘 다의 한계와 어리석음에 대해 노래했는데 초 인공지능이 볼 때 인간의 이런 어리석음과 낙관은 충분히 수준이 낮은 걸로 인식되나 보다.

시와 그럴듯한 미사어구, 비유, 포장으로 자신의 그 생각을 직설적으로 나타내지 않았으나 멸종된 동식물과 지금 지구의 그 지옥 같은 세계를 비꼬아 그녀는 인간을 비난한 것이다.

똑똑한 자들은 세라가 무슨 소리를 하는지 알고 있으나 세라가 한 말이 맞기에 침묵했으며 그건 가드먼 아저씨도 마찬가지였다.

그녀가 내뱉은 인간에 대한 어리석음과 저주는 역사적으로 틀린 게 하나도 없는 진실이니까.

지구에 관한 즉흥시가 끝나고 나서 나머지 한 시간은 예정된 콘서트 순서가 기다리고 있었다.

하지만 나머지 한 시간은 이미 지구를 노래한 그 즉흥시 때문에 나머지 한 시간의 콘서트는 그야 말로 무미건조하고, 형식적인 콘서트일 뿐이다.

세라는 지구를 소재로 한 즉흥시의 그 분위기를 일신하고, 나름 정성을 다해 공연을 했지만 지구를 노래한 그 즉흥시만큼 사람들의 반향을 이끌어내지 못했다.

한 시간이 지나 세라의 공연이 끝나고, 사람들은 자리에 일어나 몇 분 동안은 서로 토론을 하기 시작했다. 지구를 노래한 즉흥시의 충격과 나름 소감을 과학교도와 신교 구애 받지 않고, 얘기를 나눈 것이다.

"어처구니없게도 오늘 세라의 최고 공연이네."

사라는 아직 눈동자에 눈물이 맺혀있는 나를 쳐다보며 그렇게 비꼬아 말했다. 에스더는 그런 내 눈동자의 눈물을 자신의 손수건으로 닦아 주면서 그녀를 힐난했다.

"넌 정호에게 사과해야 해. 정호가 우리대신 용기를 내서 알고 싶은 걸 말해줬잖아. 그런데도 그 노래를 들으면서 무언가 느끼지도 못하다니. 넌 영혼이 없는 거니?"

"그래. 영혼이 없다."

그녀는 언니의 힐난에 화난 표정으로 대꾸했다. 그러자 그녀들의 어머니인 마리아가 그녀들과 나를 데리고, 콘서트홀 바깥으로 나가기 시작했다.

가드먼은 싸우는 딸 들 때문인지 얼굴 표정이 무척 어두웠다. 그 것보다는 세라가 지구를 노래하는 시를 듣고서 도저히 인공지능이랄 수 없는 그 무언가를 느꼈기 때문일 수 있다.

난 아저씨의 표정에서 그 점을 읽을 수 있었다. 그래도 같은 가족이 아닌데도 날 이런 콘서트 장에 데리고 오신 것만으로도 감사했다.

그리고 이런 감동과 슬픔을 느끼게 해준 것에 아저씨에게 감사함을 느꼈다.

우리는 콘서트가 끝나고, 늦은 시간에 집에 귀가 했다. 아직까지도 싸우고 있던 에스더와 사라 자매는 졸렸는지 자신의 방으로 자러 나갔고, 나도 졸음이 와서 저택에 귀가하자마자 가볍게 씻은 뒤에 잠에 들었다.

하지만 불과 한 시간도 자지 못하고, 나는 잠자리에서 일어나야 했다. 내 뇌 속에서 내 귓가에서 지구의 모습을 노래하던 세라의 목소리가 떠나지 않기 때문이다.

그 노래를, 그 가사를, 그 목소리를 잊기 위해서는 오늘 하루 잠들지 못할 수도 있었다. 그래도 괜찮다.

어차피 내일은 휴일이고, 학교에 출석을 하지 않아도 된다. 과거에는 학교라는 것이 있어 배우는 학생들을 그곳으로 모아 선생이라는 사람들이 학생들을 가르쳤다고 한다.

물론 선생도 아직 존재하고, 학생들도 존재한다. 하지만 지금은 집에서 VR컴퓨터로 학습하는 것이 보편화되었기 때문에 선생이라는 불리는 A.I.의 감독 하에 VR컴퓨터를 이용해 공부를 하면 된다.

VR컴퓨터는 각 학생의 방에 있는 것이 기본이지만 가드먼 아저씨의 경우에는 집이 넓기 때문에 서재라고 불리는 곳에 VR컴퓨터 여러 대를 설치했다.

그래서인지 어렸을 때부터 에스더, 사라 자매들과는 거의 같은 공간에서 학습하고, 배워왔다.

그런데 내일은 이틀 있는 주말이기 때문에 마음껏 쉴 수 있다. 어차피 쉬어봐야 프로메테우스시의 거리를 배회하거나 집에서 침대에 늘어지게 낮잠 자는 것뿐이지만.

아무튼 나는 침대에서 일어나 잠옷 차림으로 음료수를 마시기 위해 부엌으로 가려고 했다. 그때. 부엌에 가까운 거실에서 가드먼 아저씨와 마리아가 얘기 하는 소리가 들렸다.

"지금이라도 인공장기로 수술하는 게."

"그럴 수 없어요."

"청교도라서 그렇소?"

"믿음에 위반되는 일은 하지 않을 거예요. 설사 죽는다고 해도."

청교도. 신교 중에서 정말 신의 믿음이 신실하고, 평화를 사랑하며 검소한 삶을 사는 사람들을 말한다. 기독교는 이미 사라졌지만 그렇다고 해도 그 교리라던가 정신 같은 것은 쉽게 사라지지 않았다.

신교는 유신론자들과 영혼을 믿는 유물론자들과는 반대되는 믿음을 가진 자들이 신념을 가진 집단으로 하나님을 믿고, 영혼을 믿는다면 그 교리가 좀 다르다고 해서 크게 간섭하지 않았다.

청교도는 과거 미국이라는 나를 세운 그 청교도를 모티브로 삼았다. 그렇다고 기독교가 멸망한 원인인 신부나 목사 같은 사제 계급을 두지 않았다.

그들의 믿음은 무척이나 단순하면서도 보편적인 신에 대한 믿음과 복종을 교리로 삼았다. 그러면서도 신교에서도 아주 보수적이고, 우직할 만큼 자신의 몸을 인공물로 대체하는 것을 싫어했다.

물론 청교도가 조직 이식이나 장기 이식을 거부하는 교리를 가진 건 아니다. 다만 인공신장, 인공심장등의 인공물 이식을 거부하는 것이다.

그래서인지 그들은 단순한 보철이 아닌 것은 반드시 다른 사람의 생체 이식이어야만 이식 치료를 받는 다는 거다.

그런데 그런 생체 이식을 잘 해줄 거 같은 과학교도들에게 대부분 이상한 믿음 같은 것이 있으니 그것은 제거된 자신의 예전 생체 부위는 무조건 소각하라는 거였다.

특히 4단계인 뇌만 제외하고, 모든 신체부위를 인공물로 대체하는 수술을 받으면 자신이 예전에 가지고 있던 심장, 눈, 시신경, 심지어 뼈까지도 모두 인공물로 대체가 되는데 이상하게 4단계 수술을 받는 자들은 자신이 가지고 있었던 본래의 생체 장기를 전부 소각했다.

그걸 가지고 이런 청교도들이나 다른 필요한 자들에게 기증하면 좋겠지만 그들은 그러지 않았다.

하지만 공식적으로는 자신이 단계를 높아가면서 버려지는 생체부위들은 자신의 소유로 자신이 어떻게 할지 자유가 보장됐다.

다만 심리적인 이유에서인지 수술을 받은 뒤 자신의 예전 생체 부위에 대해서 혐오감이 생겨 기증 같은 걸 하지 않는 다는 의견이 있다.

"지금 필요한 장기들은 4단계 수술을 거친 과학교도들에게나 언을 수 있을 텐데.”

“별로 그들의 도움을 받기 싫어요.”

“부탁이 아니라 협박이라도 한다면. 거래를 할까 하는데.”

“그러지 마세요. 당신이 그 사람들에게 밑 보이는 거 싫어요.”

“그럴 순 없소. 당신을 잃을 순 없소.”

나는 부부의 대화를 통해 마리아 아줌마가 중대한 질병에 걸렸다는 걸 알 수 있었다. 나노 머신에 의해서도 치료되지 않는 병이라면 이건 장기를 대체해야 가능한데 나 역시 아주머니가 청교도라는 것을 알고 있어 분명 인공장기로는 아주머니가 자신의 장기를 대체 하지 않을 거라는 거다.

그렇다고 과거에 있었던 뇌사자의 장기를 때는 행위는 이제 정말 과거의 일이 돼 버렸다. 의학이 너무 발달되다보니 뇌사가 흔히 일어나지 않을뿐더러 뇌사자가 발생해도 병원이 1차적인 권리가 있는 것이 아니라 과학교도는 뇌사를 당하면 자신의 육신을 그냥 산업용으로 팔았으며 신교측은 수소 냉동시키거나 플라즈마 납골당에서 기화시켰다.

이건 병원의 역할은 과거와 똑같으나 그 운영이 과거와는 너무나 달라졌기 때문이다. 그렇다고 가드면 아저씨는 최고의 신붓감이라고 부르는 최고의 현모양처인 청교도인 마리아를 두 눈 뜨고, 잃을 순 없었다.

“아이들을 품은 제 자궁, 아이들을 낳은 제 질, 아이들을 젖 먹인 제 유방. 아이들이 얼굴을 파묻었던 제 심장, 그 어느 것도 제겐 소중하지 않은 것이 없어요.

다만. 아이들과 영원히 작별해야 하는 것이 슬퍼요.”

“당신은 살 거야. 아니. 살아야 해.”

“신교들도 자신의 몸을 인공물로 대체 하는 걸 싫어하죠?”

“그건 그렇소. 장기복제가 불법으로 각 행성 정부마다 선언 된 뒤

장기기증이 아닌 유일한 장기 대체는 인공장기 밖에 없지. 혹 사람들은 인공장기를 만드는 대기업이 장기복제를 불법으로 로비한 게 아닌 가 의심하더군.

만약 장기복제를 할 수 있었더라면."

"그렇다고 해도 이 병은 낫지 않겠죠. 이건 완전히 새로운 유전자를 가진 장기로 대체해야 나은 병이니까요."

"그렇군. 인공장기도 다시 한 번 생각해봐요. 비록 당신이 태어났을 때의 그 생체 장기보다는 못하지만. 사람들에게는 알려지지 않았지만 인공지능과 대화하다보면 인공장기가 생체장기 보다 결함이 좀 있다고 하더군."

"그렇군요."

"그렇다고 해도 죽는 것 보다는 낫지. 인공장기로 생체 장기를 대체 한다면 당신의 본모습이 바뀌어 보이겠지만."

"아뇨. 목숨을 위해 신념을 버리기는 싫어요."

"여보."

가드먼 아저씨와 마리아의 실랑이에 나는 세라의 그 노래에 대한 생각을 잊은 채 다시 내 방에 들어가 잠자리에 들었다. 분명 마리아 아주머니는 심각한 병에 걸렸고, 대화를 볼 때 빠른 시일 내에 장기를 대체 하지 않으면 큰일이 난다는 것을 알 수 있었다.

그렇다고 난 이 일을 그녀의 딸들인 에스더와 사라에게 말할 수 없었다. 왜냐면 그들의 가족이 아닌 동거인이니까.

나는 한 숨을 깊게 들이마신 뒤 이불을 뒤집어쓰고, 잠을 청했다. 아주머니에 대한 걱정으로 세라의 노래에 대한 감정을 흩트릴 수는 있는 거 같다.

그러나 더 큰 걱정이, 더 큰 감정이 나오게 덮쳐 오는 건 막을 수 없었다. 마리아 아주머니라면 친어머니가 돌아가시고, 나를 친어머니와 똑같이 대해주신 분이다.

부끄러운 기억이지만 여섯 살 어렸을 때. 나는 그 분과 같이 목욕하면서 어머니에 대한 그리움으로 아주머니의 가슴을 얼마나 빨고, 만졌었을까? 어머니가 그리울 때마다 아주머니에게 얼마나 많이 안기었을까?

그런 모성애를 가진 아주머니이기에 아주머니가 큰 병에 걸렸다는 소식은 내게 큰 충격을 안겨주었다.

4

 2년이 지나고, 내가 성인을 앞 둔 일 년 전의 시점에서 결국 아주머니는 돌아가시고 말았다.
어떻게 보면 나름 아주머니는 남편과 아이들을 사랑하며 나머지 시한부의 시간을 후회하지 않고, 살아가셨다.
 가드먼 아저씨 역시 아주머니와의 남은 시간을 헛되이 보내지 않도록 부부끼리 많은 시간을 보냈으며 한창 사춘기였던 에스더와 사라와의 시간도 많이 보냈다.
 에스더도 자신의 어머니의 상태가 어떤지는 직감으로 알고 있는 거 같다. 그래서 어머니와 같이 요리도 만들며 마리아와 많은 시간을 보냈다.
 하지만 사라는 반항적이어서 어머니와의 단 둘의 시간을 그렇게 많이 보내지는 않은 거 같다. 그러나 다행히도 가드먼 아저씨는 그런 사라의 심리를 이해해서 아내와 딸 둘이 같이 시간을 보내는 프로그램을 많이 구상했다.
 그래서 아저씨의 노력으로 보통의 또래 청소년들 보다는 좀 더 어머니와 딸 둘이 많은 시간을 같이 보내게 됐다. 그러나 막상 마리아 아주머니가 죽은 후에 엄청나게 울었던 건 사라였고, 가드먼 아저씨와 에스더는 마리아 아주머니의 죽음에 거의 무덤덤했다.
 마리아 아주머니 역시 내 친어머니가 있는 곳에서 수소냉동을 시켰는데 그건 가드먼 아저씨가 차마 마리아 아주머니를 플라즈마 화장터에서 시체를 기화시켜 흔적 자체를 없애기 싫었기 때문이다. 죽은 육체라도 기억 속에 있는 아내의 모습을 다시 보고 싶었기 때문이었을 것이다.

비록 죽었어도 그 아름다웠던 모습을 온전하게 남기고 싶어 했다.

아주머니의 썩은 장기들을 모두 제거하고, 세포재생술을 통해 아주머니의 구멍 난 피부들을 메우고, 거기에 그 옛날 이집트의 미라처럼 온 몸을 아름답게 화장했다.

세포재생술이라고 해도 죽은 사람을 살릴 수는 없다. 살아있든 죽어있든 좌상이나 찔린 상처 같은 외상을 치료 할 뿐이다.

공교롭게도 내 어머니 옆방에 아주머니의 수소냉동 된 시체가 들어서게 되었다. 이게 우연인지 아니면 아저씨가 일부러 그런 건지 몰라도 내가 만약 참배를 하게 된다면 어머니뿐만 아니라 아주머니까지 참배 할 수 있게 되었다.

그런 건지 몰라도 아저씨는 자신의 딸들뿐만 아니라 나에게 까지 방의 비밀 번호를 가르쳐 주게 되었다.

그러나 다시 집에 오는 길에 사라와 가드먼 아저씨는 크게 싸우게 됐는데 그건 자신의 어머니를 살릴 수도 있었는데 일부러 죽게 만든 처사 가지고 싸운 것이다.

자신의 어머니가 청교도라는 것을 납득한 에스더에 비하면 사라는 자신의 어머니가 청교도든 뭐든 억지로라도 살려야 하지 않느냐며 자신의 아버지에게 따지는 것이다.

그리고 심지어 자신의 언니인 에스더에게 까지 저주의 말들을 퍼부었다.

"어머니를 살릴 수도 있었는데 당신들은 그러지 않았어!"

"어머니는 자신의 신념을 관철하신 것뿐이야. 넌 어머니의 신념을 존중해야해!"

"억지로라도 몰래 살렸어야 했어!"

"남을 속이는 것은 오래가지 않아!"

"엉? 신념이라고? 그럼. 내가 신이나 영혼까지를 부정해도 상관없겠지?! 그런 사람들의 종교를 받아들어도 상관없겠지?!"

자매의 싸움이 격해지자 결국 사라는 신교인 아버지에게 해서는 안 될 말까지 하고 말았다. 바로 과학교도가 되겠다는 선언이었다. 가드먼 아저씨는 운전을 하다가 사라의 이 말을 듣자 엄청 괴로워하는 표정을 지었다,

그러자 에스더는 난생 처음 자신의 여동생인 사라의 뺨을 손바닥으로 후려 갈겼다.

"아버지 있는데서 그만해! 집에 가서 나랑 얘기하자."

"응? 네 년은 항상 효녀 노릇을 하려고 하지. 그럼 난 후레자식이 되어볼까?"

사라는 자신의 뺨을 한 손으로 어루만지면서도 언니에게 계속 대들었다.

그런 자매와의 싸움와중에도 난 무표정하게 창밖의 도시를 쳐다보았고, 가드먼 아저씨역시 몹시 괴로운 표정을 지으면서도 나를 쳐다보면서 자매의 싸움에 아무 말을 하지 않았다.

차가 집에 도착하고, 자매는 나나 가드먼 아저씨보다 제일 먼저 내려 B구역에 있는 어느 한적한 공원 같은 곳으로 걸음을 향했다.

집에서 다툴 줄 알았는데 그녀들은 아버지 때문인지 아니면 주위 이웃들 때문인지 사람들이 잘 다니지 않는 B구역의 어느 한적한 산책 공원으로 향하는 것이다.

자동차에서 내린 가드먼 아저씨는 자매가 공원으로 향하는 것을 보고, 아무 말도 하지 않은 채 집에 먼저 들어갔다. 충분히 자매간의 싸움에 관여 할 수도 있을 텐데 그는 그러지 않았다.

나 역시 자매간의 싸움에는 관여하고 싶지 않은지 홀로 상심해

있을 가드먼 아저씨를 위로하기 위해 그를 따라 급하게 집으로 들어갔다.

그는 거실에 앉아 와인을 빈 잔에 따라 안주로 없이 벌컥 들이키며 집으로 들어오는 나를 쳐다보았다.

"마실래?"

"네에."

나는 그가 권하는 와인을 사양도 하지 않고, 마시겠다고 했다. 술은 청소년에게 허락되는 무알콜맥주만 마셔봤기 때문에 진한 브랜디 와인의 맛도 궁금했고, 더군다나 아저씨에게는 얘기 할 상대가 필요했기에 비록 청소년이지만 와인을 마시기로 한 것이다.

내가 아저씨 건너편에 앉자 그는 내게 와인 잔을 한 잔 건넨 뒤 와인을 따르고 난 후 상기된 표정으로 얘기했다.

"나는 말릴 수가 없었다."

"아주머니가 수술을 안 한 거요?"

"아니. 사라가 과학교도가 된다는 말. 걔를 때려서라도 말려야 했지만 그럴 수 없어."

"사라가 정말 과학교도가 된다면,......"

"걔 선택이다."

난 그 말에 와인 잔을 입에 갖다 대고는 거기에 들어있는 와인을 한 모금 마셨다. 확실히 성인이 먹는 술이라 독하고, 이상하게 달콤하고, 시면서 맛있었다.

술이라면 쓰고 그래야 하는데 어떻게 이렇게 달콤하면서도 맛있을 수도 있는지 그 이유를 전혀 모르겠다.

"본심은 그게 아니시죠?"

"......."

그는 내 예리한 지적에 고개를 숙이며 끄덕거렸다.

"나랑 같은 신교가 되었으면 좋겠어. 과학교도가 된다면 걔 어머니인 마리아를 볼 면목이 없어."

"아주머니가 최고의 아내이자 어머니인 청교도라는 건 알아요. 설마 에스더나 사라가 아주머니처럼 되는 걸 바라는 건 아니죠?"

"아니. 그건 아니야!"

가드먼 아저씨도 청교도의 삶을 산 다는 것이 얼마나 힘들고, 제약이 많은 삶인지 알고 있다. 웬만한 유신론과 유심론에 대한 신념이 있지 않고는 청교도처럼 비타협으로 살 수가 없다.

신교라고 해도 인공장기를 아주 거부하는 건 아니다. 일부러 교체하지 않는 한 병이나 사고에 의해 생체장기가 망가지면 인공장기로 교체하는 건 신교 측에서도 용인되는 행동이다.

어느 정도의 신체 결합, 변형에 대해서 신교의 보통적인 교리는 용인한다. 과학교도들처럼 일부러 신체를 변형시키고, 인공물로 대체하지 않는다면.

신교가 불용인 하는 건 자연히 타고난 신체가 멀쩡한 대도 일부로 인공신체로 바꾸는 행동이다.

그러나 청교도는 일체의 인공장기 삽입을 허락하지 않는다. 이게 바로 철저한 신념으로 무장한 청교도다.

그래서 가드먼 아저씨는 딸들이 신교를 따르면서도 청교도가 되는 걸 원하는 건 아니다.

"사라가 지금 에스더와 어머니 때문에 격렬하게 말싸움 중이겠죠. 아버지로써 사라를 좀 더 존중해주세요. 사라의 성격상 에스더보다 아버지의 사랑이 많이 필요해요."

"그러니? 꼭 마리아처럼 말하는 구나."

가드먼 아저씨는 다시 한 번 와인을 들이키면서 내 충고에 싫어하는 내색은 하지 않았다. 아마도 내가 하는 충고를 아주머니 생전에 많이 들었나 보다. 아저씨나 아주머니나 뭔가 반골 같은 기질이 있고, 외골수적인 사라와 어떻게든 많이 어울리려고 노력했으니까.

그러나 아주머니만큼은 그렇게 세심하게 사라를 챙기지는 못할 거 같다. 내가 그것을 지켜보았으니까.

분명 자매로써 에스더와 사라는 가치관과 성격차이가 너무나 극명하고, 그래서 많이 싸울 수밖에 없다. 아저씨 역시 그것을 알기에 자매가 돌아오면 무슨 얘기를 해야 할지 고민하고 있는 거 같다. 아저씨의 본심은 둘 다 신교도가 되면 좋겠지만 그게 불가능하리라는 것을 누구보다 잘 알고 있는 거 같다.

에스더는 가능한데 사라가 문제가. 그만큼 사라는 너무나 감정적이면서도 또 머리가 좋기 때문이다.

"신교도가 되지 않더라도 너처럼 중립이면 좋겠다."

"중립이요? 물론 신교도도 제가 될 수 있겠지만 때에 따라선 언제든지 과학교도가 될 수 있는데요?"

"아니. 넌 네 친아버지처럼 되지 않을 거야."

"왜죠?"

나 역시 그를 따라 와인 한잔을 들이 킨 뒤 침착한 목소리로 물었다. 그러자 그는 뜻밖의 대답을 내게 들려주었다.

"시와 음악을 사랑하니까."

"⋯⋯!"

아마 동거인이라도 그가 내 보호자이기 때문에 내 학업에 관한 모든 정보는 알고 있을 것이다.

내가 에스더와 사라 자매와 같이 집에서 VR로 수업 받는 것을 그가 안 이상 내 평소 VR에서의 학교생활에 대해 그가 모를 리 없다.

그렇다. 나는 시와 음악을 사랑했고, 지금은 딱히 즉흥시인이 될 마음이 없었지만 난 이상하게 즉흥시만은 잘 창작했고, 노래를 잘 불렀다.

나의 재능은 특출 난 것으로 음악적 재능은 있지만 피아노만 잘

치는 에스더. 음악적 재능은 없지만 수학을 잘하는 사라와는 달랐다.

VR 학원 내의 수많은 내 반의 아이들은 내가 즉흥시를 부를 때 마치 넋 놓은 표정을 짓고는 내 즉흥시를 들어주었다.

선생님과 아이들은 내 문학적 재능과 음악적 재능이 보통 천재들과는 비교할 수 없다고 말한다.

그러나 난 아직 즉흥시인이 될 생각은 없었다. 그래서 가드먼 아저씨에게 사라에 대해 말했다.

"사라 역시 감정이 충만한 애예요. 제가 보기에도 과학적 재능이 더 발달되었지만요. 저도 이해 할 수는 없지만 아저씨나 저나 그 애가 결코 신교도가 될 수 없다는 건 알아요. 저와 같이 감정이 발달한 아이인 데도요. 하지만 사라도 교육을 잘 받으면 훌륭한 시인이 될 거라고 믿어요. 그런데도 선생님이나 아저씨는 저만 칭찬하시는 군요. 사라와 제 차이는 뭐죠?"

"그 애와 네 차이는 영혼의 깊이가 다르다는 거다. 넌 좀 더 깊은 영혼의 빛이 있어. 나나 네 선생은 그걸 본 거지."

"모르겠어요."

칭찬인지 아니면 그냥 그가 꾸며낸 말인지 모르겠다. 그래도 그는 내게 고민을 말한 게 속이 시원한 듯 심각한 표정에서 조금은 환한 얼굴을 하고 있었다.

"빛나는 재능도 스승이 없으면 무뎌진 돌 밖에 되지 않지. 성인이 된 뒤 페트리샤의 스승인 윌리엄 경을 소개시켜주마."

"아. 페트리샤!"

난 몇 년 전 세라의 공연 전에 아주머니에게 들었던 인간 측 즉흥시인인 페트리샤라는 이름을 떠올렸다. 일단 난 아저씨를 이렇게나마 위로해주고, 자리를 뜨려고 했다. 그건 이 자매와 부녀간의 문제에 내가 개입할 일은 없기 때문이다.

또 개입 할 수도 없었다. 비록 아저씨가 나의 보호자이긴 하지만 난 동거인일 뿐이고, 자식이 아니기 때문이다. 물론 친어머니가 너무 그리울 때 아주머니의 품에 안겨 아주머니의 젖가슴도 빨긴 했지만 이건 너무나 어렸던 과거의 일 일 뿐이다.

결국 몇 달 후. 사라는 공식적인 성인을 앞 둔 19세 이전에 집을 가출했다. 그때 자매가 집에 돌아왔을 때 두 자매의 낯빛이 어두운 게 뭔가 일이 벌어질 것은 알았지만 성인을 앞두고, 그녀가 가출한 것은 뜻밖이었다. 적어도 성인이 된 뒤에 스스로 당당하게 집을 나갈 줄 알았는데.

그녀가 가출을 했을 때 남긴 건 편지 한 장뿐이고, 그 편지에는 아버지와 언니에 대한 원망이나 미움 보다는 청교도에 대한 교리의 비판과 신교의 저주스러운 말이 주된 내용이었다.

가드먼 아저씨는 그 전자메일을 보고는 한참 동안이나 분노해 있었으며 에스더는 측은한 듯 슬픈 표정을 지어보였다.

내게 사라의 가출이 내 인생에 어떤 영향을 미칠지 알 수 없었으나 이제 곧 나 역시 성인이 되고, 이제 이 집에 더 이상 머물 수 없다는 건 사실이다. 머물 수 있는 건 오직 가드먼 아저씨와 에스더일 뿐이다.

5

내가 성인을 맞이하는 19세의 생일날. 그날은 아저씨도 평소에 부리지 않았던 사치를 다 부리며 내 성인식을 축하해 주었다.

아저씨는 자신이 아는 지인들을 초대했고, 에스더나 나 또한 같이 공부했던 친우들을 초대했다.

아주 친한 사이는 아니었고, 그냥 같이 VR 학교에서 배우던 사이 었는데 뜻 밖에도 많은 사람들이 내 성인식에 올 줄은 몰랐다.

내 성인식에 이상하게도 사람들이 많이 온 이유가 내 즉흥시를 듣기 위해 서라고는 상상도 하지 못했다.

그렇다고 해도 이렇게 많은 사람들이 내 성인식을 축하해주는 게 난 너무나 기분이 좋았다.

그러나 에스더의 자매인 사라만은 끝내 모습을 보이지 않았다. 그녀 또한 며칠 후면 성인식을 치를 건데.

비록 이름 모를 고기지만 갖가지 고기 만찬과 푸짐한 음식과 케이크는 파티를 흥겹게 만들었다. 아마 고기는 재배육이라 불리는 배양육일테고, 곡물은 분명 수경재배로 기른 GMO 밀이나 쌀들일 것이다.

그래도 나름 맛있으니 괜찮다. 그게 인체에 어떤 영향을 끼치는지는 전문 과학자들이 알 테지만 결코 기업에 나쁜 말은 하지 않겠지.

옛날에는 그래도 양심 있는 과학자들이 있어 거대기업이나 정부에 맞서 진실을 얘기했다고 하는데 요새는 그런 과학자들이 보이지 않는다. 더욱이 과학교가 더 퍼진 뒤부터는.

나는 성인이 된 기념으로 오늘 맥주를 그렇게 마셔 본 것은 처음이었다. 거의 1.5리터 병으로 3병 이상을 마신 거 같다.

분명 맥주 또한 유전자 변형 보리로 만든 건 분명한데. 아니. 들리는 소문에는 화학약품 두 개와 물을 섞어 만든다는 소문도 있었다.

21세기의 맥주를 마셔본 적이 없는 나는 진정한 맥주 맛을 모른다. 맥주나 와인이나 다 알코올 성분으로 마시는 거라 인간이 마시고, 죽지 않으면 된다.

기업에서는 과거의 방식대로 보리와 효모를 이용해 만든다고 하지만 그걸 곧이곧대로 믿을 수는 없다. 어쩌면 들리는 소문대로 물과 화학약품 두 개를 섞어 만들지도 모른다.

아무튼 난 그런 음료를 거의 5리터 이상을 마시고, 취했다.

모두들 GMO 케이크와 이름 모를 배양육 스테이크와 구이를 안주삼고, 맥주를 그렇게 마신 후에 좀 취기가 올랐는지 드디어 본론에 들어갔다.

누군가가 BMAU 38을 꺼내 공중에 띄었다. 저택에서 나는 일반적인 스피커의 음악과는 다르게 BMAU 38 드론은 사람들 주위를 빙빙 돌면서 제일 최적의 장소를 계산하며 백그라운드 뮤직을 연주하고 있었다. 바로 즉흥시인이 노래를 부를 때 제일 많이 쓴다는 인공지능 로봇이다.

즉흥시를 부를 이는 나 밖에 없으므로 사람들은 모두 박수를 치며 내가 노래 부르기를 기다리고 있었다. 그러나 난 아직 BMAU 드론을 사용할 줄 모르기 때문에 일단 멀티버스에 등록되어 있는 발라드를 로봇에게 연주하기로 명령했다.

"발라드. 달의 눈물 백그라운드."

"찌익!"

BMAU 38은 내 명령을 듣고, 그대로 멀티버스에 등록되어 있는 짐 스미스의 전자음악인 '달의 눈물'을 연주하기 시작했다.

'달의 눈물'은 하프와 피아노로 처음에 연주되는 발라드이다. 21세기의 뉴에이지라는 장르의 음악이 있었는데 거의 수 백 년이 흘렀는데도 음악 자체는 변한 게 하나도 없다.

21세기의 사람들이 수 백 년 후에는 무언가 기괴하고, 이상한 음악들이 나올 거라 생각하지만 예술이라는 것은 유행이 돌고 돌며 인간이 느끼는 아름다움에 대한 본능은 변하지 않는다.

물론 겉으로는 많은 변화가 있지만 내가 보기에 21세기 음악과 지금의 음악은 일맥상통한 면들이 많다.

나는 그 발라드에 맞추어 타이탄이라는 행성의 어느 사랑 얘기를 상상했다. 타이탄 행성 개척시기의 이야기로써 프로메테우스시의 건설 자들의 이야기다.

남자는 일반 건축을 하는 노동자이고, 사랑하는 여성은 기업 이사의 딸로써 타이탄의 어느 지구를 설계한 엘리트다.

둘은 일 때문에 만났지만 타이탄에 인간이 살 수 있는 보금자리를 세우고, 그 보금자리에서 사랑하는 짝을 만나 정말로 아이들과 함께 살고 싶어 한다.

둘이 처음에는 티격태격 만나 싸우지만 점점 서로의 이상과 매력에 빠져 들어 드디어 사랑하는 사이에 이른다.

결코 이루어질 수 없는 신분의 격차가 있지만 가난한 노동자와 기업의 영애라는 신분을 벗어 던지고, 서로 인간으로써 그리고 남자와 여자로써 사랑을 키워 나간다.

하지만 그들의 신분 차이 때문에 그 사랑을 못마땅해 하는 이가 있으니 그건 여자의 부모도 아니고, 남자 주위의 동료들이었다.

어느 날 남자의 한 동료가 실수를 가장해서 플랜트의 온도를 잘 못 낮추어 남자는 그만 냉동된 액체 수소의 세례를 받고, 죽고 만 다.

여자는 남자의 죽음이 계획된 사고라는 것을 알고, 그를 죽인 남 자를 좋아하는 척 하여 그를 사고 장소로 꾀어낸다.

그리고는 남자가 죽은 이유를 그 죽인 남자에게 얘기하며 결국 똑같이 사고를 일으켜 같이 액체 수소의 세례를 받고, 여자와 그 죽인 남자도 같이 죽는다. 이렇게 이 시의 이야기는 끝난다.

일차적으로 듣는 사람들에게는 애정 복수극 같은 면이 많은 즉흥 시이다. 두 남녀 주인공이 죽는 다는 스토리가 비극적이지만 내 노 래를 들은 여성들은 모두 감탄한 눈동자로 내 얘기에 매료 되었다.

어느 시대에서나 수동적인 여성들이 사랑하는 사람의 복수를 위 해 팜므파탈 적인 악녀가 되기도 하고, 이루어 말할 수 없는 나쁜 여자들이 된다.

하지만 마지막 끝은 사랑하는 남자를 따라 그 뒤를 가는 것이다. 이상하게도 여성들은 이런 이야기를 좋아 했다.

이미 많은 책을 통해 이런 사랑이야기에 통달한 나는 즉흥적으로 타이탄의 프로메테우스시가 세워진 이야기와 과거로부터 있었던 사 랑의 복수이야기를 짜깁기해서 이런 즉흥시를 만든 것이다.

내 즉흥시 경연이 아마 내 성인식의 하이라이트 일 것이다. 나의 이 즉흥시는 불과 몇 시간이 지나지 않아 타이탄의 메타버스 커뮤 니티를 타고, 화재가 되어 있었다.

성인식이 끝나고, 모두가 물러나자 이제야 가드먼 아저씨는 나를 불러 세우고는 내가 예상한 얘기를 하기 시작했다.

"네가 이 집에 머무를 수 있다면 언제든지 환영한다. 당장은 나가 기 힘들 거야."

"그래도 살 곳은 찾아봐야죠."

"약속대로 내 계좌에 돈을 넣어두었다. 여섯 살 때 그 보상금 있잖아."

"아. 그래요."

사실 보상금은 이제 어떻게 되든 상관없었다. 여섯 살 때부터 지금까지 날 길러준 가드먼 아저씨의 은혜 때문에 그 놈의 보상금을 아저씨가 전부 임의대로 사용해도 난 상관하지 않을 터였다.

그래도 어머니 장례비와 위자료이다. 예감엔 지금의 나로서는 얼마 안 되는 돈이지만 내겐 마치 친어머니가 내게 남긴 유산 같아서 꼭 얼마인지는 보고 싶었다.

내게 인식되어 있는 생체칩을 휴대용 컴퓨터에 연결하고, 계좌 정보를 보았다. 놀랍게도 그 계좌에는 꽤 많은 돈이 들어 있었다.

그게 얼마인가 하면은 A지구에서는 임대로 살지는 못해도 B지구에서는 20평 남짓한 중형 아파트에서 거의 10년간 임대해 살 수 있을만한 돈이 들어 있었다.

나는 내 계좌에 들어있는 돈을 보고, 깜짝 놀란 얼굴로 가드먼 아저씨를 쳐다보았다.

"십 년 이상이나 나는 이 돈을 가만히 놔두지 않고. 쓸 만한 사업에 투자도 하면서 굴리고, 또 굴렸단다. 그만 나두었으면 이거의 한 십 분의 일 정도의 금액이었겠지.

네가 크는 동안 그 돈으로 사업도 하고, 여러 투자를 하면서 그 사람이 준 돈보다는 많은 금액을 너에게 남기고 싶었다."

"왜죠? 그냥 가만히 놔두시거나 그냥 쓰셔도 됐는데."

내 질문에 그는 살짝 웃으면서 수줍은 목소리로 내게 대답했다.

"넌 내 아들과 마찬가지니까. 아마 마리아도 널 아들처럼 여겼을 거야. 그렇지 않았다면 마리아가 네가 어렸을 때 같이 목욕도 하지 않았겠고, 네가 마리아의 젖을 빨 때도 너를 밀쳐냈겠지."

"아시고 계셨군요."

"나도 같이 그 광경을 쳐다보았으니까."

여섯 살 무렵의 기억도 잘 나지 않는 아주 어렸을 때의 일이라 이것이 나와 아주머니와의 비밀인지 알았는데 가드먼 아저씨도 알고 있었다하니까 수줍으면서도 창피스러웠다.

"그렇다면 아주머니도,......."

"그래. 널 아들처럼 생각했을 거야."

"어떻게?"

"글세. 여자에게는 기본적으로 모성애가 있다고 하지만. 유전자적인 동물적인 본능은 아니었을 거다. 마리아가 사랑이 많을 수도 있겠고. 과학으로는 설명할 수 없는 인간이 알 수 없는 무언가 있겠지."

"사라는 인간의 모든 것을 물질적으로 다 밝혀 낼 수 있다고 하던데요. 아저씨는 전혀 믿지 않는 군요."

"사라가 그런 말을 했구나. 걔가 집을 가출한지 몇 달이 됐지만 마리아가 아니었으면 사라에 대해 전혀 모른 채 헤어질 뻔 했구나."

"정말 사라가 과학교도가 된다면 아저씨뿐만 아니라 아주머니도 슬퍼하실 걸요."

"그래. 최소한 너처럼 중립적인 입장만으로도 남아주었으면 좋겠지만."

나에 대한 얘기를 하다가 어느새 사라에 대한 이야기로 접어들고 말았다. 나 역시 가출한 사라가 걱정되어 먼저 얘기를 꺼냈지만 역시나 가드먼 아저씨는 사라에 대해 걱정하고 계시었다.

자신의 어머니가 청교도고, 아버지가 신교의 전도사라 그렇게 쉽게 과학교도가 되리라는 생각은 하지 않지만 사라가 평소에 보인 종교에 대한 비아냥거림이나 가출할 때 썼던 그 청교도와 종교에 대한 경멸과 저주는 나를 불안하게 했다.

과학교도가 된다고 해도 합리적이고, 이성적으로 그 길을 가야지 이렇게 일방적으로 신과 종교가 싫어서 되면 안 된다.

이 말은 항상 가드먼 아저씨가 꺼낸 말이다.

사라에 대한 생각에 한참동안이나 말없이 서로만 쳐다보던 우리는 멋쩍은 웃음을 지어보이며 헤어졌다.

성인식이 끝나고, 그래도 곧바로 가드먼 아저씨의 저택을 떠나지 않았다. 그 넓은 B지구에 내가 살집을 구하기 위해서는 시간이 필요하기 때문이다.

내가 VR 학교에서 타이탄 위성의 한 콜로니이자 제일 큰 콜로니였던 프로메테우스시에 대해서 배울 때는 그 크기를 설명할 때 여러 척도를 들었으나 제일 기억나는 건 과거 한국인이 살았다는 한국이라는 나라의 수도 서울시의 크기와 비교했을 때의 얘기다.

"프로메테우스시는 서울의 약 3배나 되는 돔이 있는 주거와 상업, 공장지구가 함께 있는 복합 콜로니입니다.

정확히는 지름 110㎞의 지름을 가진 도시죠. 지름이 110㎞면 원으로 면적이 어떻게 되죠?"

"그러니까,……"

나는 8살 때 지리시간에 배웠던 수업이 얼핏 생각나서 웃었다. 그래,…… 지름이 110㎞라. 그러니까 한 지구의 크기로 따지자면 적어도 과거 한국의 수도였던 서울의 몇 개구가 다 포함된 크기라는 뜻이다.

타이탄이라는 위성에서 태어나서인지 지구에 대해서는 전혀 모른다. 이민 오는 사람들이 처음에 제일 힘든 게 지구보다 타이탄의 중력이 8배 더 적다는 것이다.

콜로니 안에는 중력 강화 장치가 있어 지구 중력의 약 80% 정도까지 보정이 되지만 콜로니 밖으로 가면 그 보정이 사라져 고스란히 지구의 8분의 1의 중력을 체험해야 한다.

물론 타이탄의 프로메테우스 시에서 태어난다면 이런 중력의 여하에 따른 당혹스러운 경험을 덜 하게 될지 모르지만 그렇다고 해도 지구 중력의 8분의 1의 중력을 느낀 다는 건 그리 유쾌한 경험은 아닐 것이다.

 그래도 콜로니 간 이동 자기부상 열차에 탔을 때 지구나 화성에서 온 사람들 보다는 덜 고통스럽다.

 프로메테우스 시는 위성 타이탄의 제일 큰 콜로니이고, 서울의 길이로 따지면 3배나 되는 길이를 가지고 있고, 면적으로 따져서는 9배나 큰 도시다.

 거기서 한 지구(地區)의 크기는 과거 서울시의 몇 개 구가 합친 크기이니 거기서 합리적인 가격에 좋은 환경의 임대아파트를 찾는다는 것은 아주 어려운 일이다.

 지금까지 가드먼 아저씨의 집이 내 보금자리였지만 이제는 성인이 되니 그러하지 못하다.

 마리아 아주머니가 돌아가시고, 그 이후부터는 에스더가 집안 살림을 맡아했다. 안드로이드 하녀인 제니스가 집안일을 도와주었지만 순전히 세탁이나 청소, 요리 같은 안주인이 하는 세심한 일들은 에스더가 주도를 해서 이끌어 나갔다.

 에스더의 눈짓으로 보아서는 내가 이 집을 나가는 것에 찬성도 반대도 하지 않았다. 그녀는 내가 이곳에 계속 머물려도 좋고, 아니면 떠나도 좋다고 생각하고 있었다.

 옛날부터 좋아했던 에스더와 헤어지는 것이 나는 싫었지만 가드먼 아저씨와 피가 섞인 사이가 아닌 마냥에 계속 이 집에 있을 수는 없었다.

 가드먼 아저씨가 신에 대한 예배로 집에 없는 어느 저녁에 에스더와 나는 저녁 식사를 같이 할 때 내가 언제 집에 나가고, 어떻게 살 것인지에 대해 넌지시 물어본 적이 있다.

그 날은 에스더의 성인식이 끝나고 한 달 뒤의 일이다. 에스더의 성인식은 가족들만의 파티로 조용하게 넘어갔다.

하지만 그 날도 역시 사라는 우리에게 연락 한마디 없었다.

그래서인지 성인식이 한 달이 지난 뒤 아저씨가 없었을 때의 저녁은 평소보다 조금은 화려했다.

마리아 아주머니를 닮아 요리를 잘했던 에스더였지만 그 날은 과거에 존재했던 한식(韓食)을 준비했다.

난 생전 처음 먹는 음식들로써 어떻게 요리 했냐고 물어보니 에스더는 VR화상의 메타버스 대도서관에서 한국이라는 나라의 음식에 대해 좀 공부했다고 했다.

내가 한국인의 피가 섞여서인지 아저씨가 없는 적막한 날 그녀는 나를 위해 한식을 준비 했나 보다.

음식은 불고기와 육개장, 밥, 오징어 전, 그리고 술로 막걸리를 준비했는데 이젠 둘 다 성인이니 식사를 할 때 술을 마실 수 있게 되었다.

요리는 그렇다고 쳐도 이 재료들을 어떻게 준비 했는지 난 궁금해서 물어보았다.

"자연산은 아니지?"

"물론이지."

"인조?"

"맞아. 불고기라고 불리는 돼지고기와 육개장이라고 불리는 요리에 넣는 소고기는 전부 배양육이야."

"재배육이라고?"

"아. 재배육이라고도 불리는 구나. 그래. 가상현실에서 본 거나 드론 로봇으로 식재료가 온 걸 보면 영락없는 그냥 살코기인데 말이지. 우리 몸에 그렇게 해롭지는 않다고 하는데. 메타버스에서 그게 뭐로 배양 되는지는 알고 있지만."

"인간의 시체를 분해해서 거름으로 쓰거나 합성배양액으로 쓰는 게 꺼림직 하지 않다고?"

"물론 꺼림칙하지. 사라 걔처럼 죽으면 그냥 고깃덩어리가 된다고 보는 입장은 아니니까. 물론 내가 죽어서 내 시체를 그렇게 사용한다면 무덤에서도 벌떡 일어나서 뭐라 할 걸?"

"그렇긴 하지. 나라도 그러겠다."

오랜만에 에스더의 농담에 나도 미소를 지으며 대답했다. 나 역시 내 시체를 그렇게 배양액처럼 만들어서 배양육의 재료로 쓴 다면 내 영혼은 기분 나빠할 것이다.

과학교도는 상관없겠지만 중립적인 나는 신교들처럼 영혼의 존재를 믿고 있기 때문에 그런 생각을 하는 것이다.

"그럼 채소나 양념들 전부 땅에서 나는 건 아니겠네. 인조는 아니더라도."

"맞아. 수경재배 한 거니까. 수경재배 농장에서 광석의 미네랄과 빛만으로도 이렇게 식물을 키워 낼 수 있다는 게 얼마나 대단한 거니. 너도 수업 때 메타버스 안에서 외각지구의 수경재배 농장에 간 적이 있지?"

"당연히 있지."

태양빛이 거의 오지 않는 위성 타이탄이라 식물이 광합성을 하기 위해서는 좀 특별한 장치가 필요했다.

거의 100층 높이의 수경재배 농장 건물에서는 도시를 비추는 인공태양 말고, 인공지능으로 제어되는 태양과 비슷한 광선이 비추는데 그 동력을 프로메테우스 시 지하에 있는 핵융합로에서 얻는 다고 들었다.

대기는 짙어서 다행히도 메탄이나 에탄 같은 물질은 마음껏 쓸 수 있는 거에 비해 미네랄이나 빛의 수급이 어려워 농업을 하려면 많은 기술들이 발전해야 했다.

그런데 그러고 보면 이 농업이라는 게 인류의 선사시대부터 지금까지 살아 있는 게 여간 신통한 게 아니다.

이렇게 얼마간의 잡담을 끝마친 나는 그녀가 요리한 음식을 시식했다. 과거 한국인이라고 불리던 민족이 먹었던 음식이라고 하니 무언가 그리움 같은 감정이 생기는 거 같고, 내 입맛에 알 수 없는 만족감 같은 것이 생기는 거 같다.

그녀가 한 요리는 대부분 매콤하고, 짠 것이 많았다. 마리아 아주머니의 요리솜씨를 물러 받은 그녀라면 레시피에 절대로 실패 할 리가 없고, 그렇다면 한국인이 먹던 요리가 원래 이런 음식이라는 것을 말해 주고 있는 것이다.

"맵고, 짠 게 많은데. 뭔가 맛있긴 한데. 한국인이 원래 이런 음식을 좋아했었나?"

"어. 요리책에서도 맛이 매운 게 많다고 했어. 음. 오징어 전은 뭔가 쫄깃하고, 먹을 만한데?"

"쫄깃하다?"

"응."

오징어 역시 6차 대멸종 때 멸종되어 버린 생물이라 재배육이라고 불리는 배양육으로 만든 것을 토대로 보면 이런 식재료였고, 이런 식감을 내는 재료라고 한다.

실제 오징어를 제대로 부활시킨 적은 없다. 이미 지구의 환경이 과거와는 너무나 변해서 지구의 바다는 너무 온도가 높고, 다른 행성이나 위성에는 바다라고 불리는 대양(大洋)은 없었다.

인류세 대멸종이라고 불리는 제 6차 대멸종때 살아남은 것은 인간이 기르던 가축과 일부 적응력이 좋은 생물 밖에 남지 않았다.

가드먼 아저씨는 키우지 않았지만 개라고 불리는 생물과 고양이라고 불리는 생물이 이 인류세 대멸종에서 살아남은 대표적인 동물이라고 했다.

소나 돼지, 닭도 일부 살아남았으나 그것은 배양육을 만들고, 실험하기 위한 재료로써 살아남았을 뿐 과거 지구에서 고기나 우유, 달걀 등을 얻기 위한 축산물로써의 위엄은 거의 사라졌다.

 또 고기라면 그런 배양육말고, 쥐나 곤충 고기가 있었는데 배양육을 싫어하는 사람들은 곤충고기를 즐겨 먹었다.

 난 징그러워서 곤충고기는 잘 먹지 않지만 그렇게 따지면 우리가 잘 먹는 새우나 랍스터도 곤충의 일부인데 다른 곤충 고기를 왜 차별 하냐면서 반문하는 사람도 있다.

 "우리 집은 개나 고양이 같은 거 키우지 않았지?"

 난 에스더에게 6차 대멸종에서도 살아남은 동물에 대해 얘기해주었다. 그러면서도 왜 가드먼 아저씨는 개나 고양이를 키우지 않았는지 한번 물어보았다.

 "어머. 글쎄. 나도 모르겠어. 어머니는 고양이를 무척 좋아하신 거 같았는데. 왜 키우지 않으셨지?"

 에스더 역시 그 점을 이상하게 생각하자 부엌에서 설거지를 하고 있던 제니스가 설거지를 멈추고, 우리 곁으로 다가왔다. 그러더니 무표정한 표정으로 말했다.

 "혹시 괜찮으시다면 그 이유를 제가 말해도 될까요?"

 "제니스는 알고 있어?"

 "네에."

 제니스는 안드로이드라도 세라 같은 강 인공지능의 안드로이드가 아니라 약 인공지능의 안드로이드라 분명 스스로 창작해서 그 이유를 말하지 않을 거라 생각했다.

 물론 명령대로 따라하는 로봇과 같은 존재는 아니나 그렇다고 세라 같은 초 인공지능도 아니다.

 어느 정도 융통성이 있고, 또 어느 정도 복종적인 인공지능 일 뿐이다. 약 인공지능과 강 인공지능과의 차이는 천지 사이로써 가정용으로 개인용으로 쓰는 안드로이드는 거의 다가 약 인공지능 안드로이드가 쓰인다.

그러니 강 인공지능 안드로이드에 대한 감시가 얼마나 심한지 짐작하고 남을 것이다. 강 인공지능에 대해서는 원래 만들지도 않고, 사용 하려 들지도 않았지만 판도라의 상자를 여는 것처럼 통제만 잘 한다면 큰일 나지 않을 거란 생각도 있었다.

세라가 강 인공지능인 이유가 뭔지 궁금하지만 확실히 강 인공지능과 약 인공지능의 차이 때문인지 제니스와 세라를 비교해보면 소름끼치도록 그 차이가 너무나 놀랍고, 두렵기만 하다.

아무튼 제니스는 나와 에스더가 고민한 것을 듣고, 안드로이드 하녀로써의 로직에 의해 우리의 불편함을 해소 하고자 자신이 아는 것을 가르쳐 주려고 하는 거 같다.

분명히 그녀는 아저씨가 아주머니와 결혼 했을 때 신혼 선물을 샀던 안드로이드라는 소리를 들었기 때문이다.

"대부분의 고양이들이 중성화 수술을 받아 불임이고, 자손을 낳기 위해서는 인공수정을 해야 하는데 고양이의 배아를 인큐베이터에 넣어 키워 파는 사람들이 있죠.

개 중엔 자연산이 아닌 인조 고양이도 있습니다. 물론 자연산 고양이가 더 비싸지만 인조 고양이도 행동 패턴은 자연산 고양이와 비슷하기 때문에 자연산과 인조를 구분 하는 게 힘들기 하지만."

"……"

난 제니스의 말을 듣고, 예전에 가드먼 아저씨가 마리아 아주머니에게 해준 말이 떠올랐다.

"인공장기가 완벽한 거 같지만 결함이 있다는 거. 그럼 인조 고양이 역시? 아주머니 직업이 인간 심리 상담사라면,......."

"맞습니다. 아가씨들이 태어났을 때는 별 문제가 없었지만 아가씨들이 자라고, 인조고양이가 수명이 다 할 무렵에 문제가 생겼죠.

그 문제에 대해서는 차마 말할 수가 없지만 아가씨들에게 해가 되는 건 사실입니다.

마님도 자연산 고양이를 구하려고 했지만 자연산 고양이를 보는 건 하늘에 별 따기와 같이 힘든 일이죠."

"인조 소고기, 인조 돼지고기, 인조 오징어고기처럼?"

내가 제니스의 말에 핀잔을 주자 그녀는 곤란한 표정을 지으며 고개를 끄덕였다.

"인간 심리 상담사하고 인조 고양이하고 뭔 상관이 있는지 모르지만 아무튼 나중에는 결말이 좋지 않는 거네."

에스더의 말에 제니스는 무표정한 얼굴로 고개를 끄덕였다. 그러자 나는 조심스럽게 에스더에게 물어보았다.

"결국 아주머니는 어떤 병에 돌아가신 거야?"

난 그 날 밤 가드먼 아저씨와 마리아 아주머니가 서로 얘기한 것을 모르는 척 그녀에게 질문하자 에스더도 아는 것이 없는지 의아한 표정을 지으며 대답했다.

"몰라. 아버지 말씀으로는 어머니의 성기부터 자궁, 유방, 내장, 간, 심장까지 싹 인공장기로 교체해야 하는 병이랬어.

암보다 더 지독하다고 하는 병인데."

"그렇지. 6차 대멸종 후에 의학기술이 비약적으로 발전 되었지만 암보다 더 지독한 것들도 생겨났으니. 또 인공장기를 망가뜨리는 것들도 생기고.

암을 완전히 정복했다는 인류의 야심을 보기 좋게 무너뜨리는 무시무시한 병들이 6차 대멸종 다음에 생겨버리니."

"그러게. 끝이 없지? 마치 페넬로페의 옷처럼."

그녀 역시 그리스의 신화를 알고 있는지 오딧세우스에 나오는 비유를 들어 설명했다. 그리고 나서는 어머니의 죽음에 대해 더 이상 떠올리기 싫은지 아무 말도 하지 않았다.

나 역시 그런 에스더의 행동을 존중했다.

곧 있다 나는 어딘가 이상하게 내 입맛에 맞는 오징어 전이며 막걸리, 육개장 등을 먹으면서 그녀의 행동을 유심히 살펴보았다.

에스더 역시 그 음식들을 맛있게 먹었는데 생전 처음 맛 본 맵고, 자극적인 음식들이어서 그러나 보다.

그녀는 막걸리를 와인 잔으로 다섯 잔 이상을 마시더니 취기가 오르는지 눈동자가 풀리면서 드디어 내게 용기를 내어 묻기 시작했다.

"언제 떠날 건데?"

"아직. 임대할 집을 구하는 중이야."

"앞으로 어떻게 살려고?"

"어떻게든 되겠지."

내가 조금 무성의하게 대답하자 그녀는 갑자기 얼굴을 붉힌 채 상냥한 목소리로 대답했다.

"정호야. 너,...... 너는 내게 무슨 존재인지 아니?"

"그냥. 후원자와 피후원자? 동거인일 뿐인 존재?"

나는 마음에도 없는 소리를 내뱉었다. 그러자 그녀는 고개를 저으며 짜증을 냈다.

"아니야."

그렇다고 사랑하는 감정이 있는 건 아니겠지.

"그럼?"

"내가 사랑하는 형제. 내 오빠이자 남동생이라고. 그것보다는 영원의 오빠야. 마치 우리 둘은 영혼이 붙어 있는 거 같은. 그런 감각이 느껴져."

".......!"

나는 이렇게 말하는 그녀의 진심을 듣고, 기뻐해야 하나 실망해야 하나 도저히 갈피를 잡지 못했다. 분명 남녀 간의 애정이 있는 사이는 아니나 그렇다고 서로 냉랭한 남남의 사이는 아니다.

서로 영혼이 붙어 있는 남매 같은 사이라는 말은,...... 도저히 무슨 의미인지 나는 모르겠다.

"어렸을 때 생각이 나네. 정확히 말하면 일곱 살 때인가 여덟 살 때. 내 어머니와 정호가 서로 부둥켜안고 자고 있을 때 있지. 네가 내 어머니의 맨 살로 드러난 젖가슴을 빨며 친 어머니를 몹시 그리워하는 걸 기억해."

"아니. 어떡해?"

"그때. 나도 그 곁에 있었던 걸. 부끄러운 얘기지만 어머니 반대 편에서 나도 같이 어머니 가슴을 만지고 있었어. 그러니 내가 쭉 지켜볼 수밖에 없지."

"그래? 아줌마의 한 쪽 가슴을 독차지 하다니. 내가 싫어지지?"

"아니. 그보다는 불쌍해 보였어. 어머니가 돌아가셨으니 오죽 할까. 그런 생각도 들더라. 또 한편으로는 기뻤어. 내 어머니가 네 어머니로 인정받는 게 기뻤다고."

"그때는 친 어머니가 돌아가신지 일 년도 안 된 시점이니까. 어머니가 이상하게 너무 보고 싶더라."

"나도 그래. 아직 어머니가 돌아가신지 일 년도 되지 않았지만 너무 보고 싶어."

"그렇구나. 우린 공통점이 많아."

에스더와 나는 이제 둘 다 친 어머니가 없다는 공통점을 지니게 되었다. 난 이미 아주 오래전에 어머니가 돌아가셨기 때문에 이젠 어머니가 더 이상 보고 싶지 않지만 에스더는 다르다.

그녀는 잠시 동안 음식을 먹더니 이제부터 본론을 얘기 했다.

"언젠가 이 집을 떠날 거지?"

"응. 언제까지 있을 수만은 없어."

그건 사실이다. 에스더가 설사 나를 오빠 혹은 남동생으로 생각한다고 해도 이제 성인이고, 이제 품 안의 자식도 아니다.

세상을 개척하고, 무엇인가 되어야 할 시기이다. 그러니 언젠가는 이 집을 떠나야 한다. 이제 보호 받아야 할 아이에서 보호해야 할 어른이 된 게 격세지감만 느껴질 뿐.

"어머니가 보고 싶지 않을 때까지만. 3년 동안 이집에 있어줘. 그때까지 내가 네 뒤치다꺼리를 하게."

"에스더도 꿈이 있을 거 아니야?"

그녀는 내 질문에 고개를 이리저리 저으며 막걸리 한 잔을 더 마시며 대답했다.

"딱히 뭐가 되겠다는 꿈은 없어. 옛날 21세기에는 여자는 자아실현을 해야 하고, 반드시 무언가 남성으로부터 독립해서 사회적으로 어느 것이 되어야 한다는 게 있었잖아. 요새는 그런 게 사라졌지만."

"아. 페미니즘. 레디컬 페미니즘. 맞아. 꼭 무엇이 되어야 하고, 자아실현을 해야 한다는 강박관념이 오히려 여성을 불행하게 한다고 24세기 사상계에서 대두되었지.

그 후로부터 페미니즘이나 PC주의를 강요 할 수 없게 됐어."

"맞아. 오히려 내가 무엇이 되어 성공해야 한다는 네 말이 이상한 거야. 단지 난 큰 누나, 여동생 노릇을 하고 싶을 뿐이야. 아주 전통적인. 그래야 어머니에 대한 그리움을 조금은 덜 수 있을 거 같거든."

"사라는?"

"걘 이미 틀러먹었어."

그 날 무슨 말들이 오고 갔는지 모르지만 사라 얘기가 나오자 에스더는 냉랭한 눈동자로 나를 쳐다보며 말했다.

"아마. 아무 고민도 하지 않고, 과학교도가 되어 있겠지. 아버지와 신교 특히 청교도에 대한 반감 때문에.

어머니의 결정을 전혀 존중하지 않아. 어머니가 그런 결정을 한 게 너무 슬프지만,....... 어머니를 사랑한다면 어머니의 결정도 존중해야 돼. 누가 강요한 게 아니잖아. 그렇지?"

"그래. 아주머니는 신념 때문에 돌아가신 거야. 누구의 강요도 아닌 자신의 신념 때문에."

이건 사실이다. 누구의 강요도 아닌 자신의 신념 때문에. 그 누구도 그녀에게 죽으라고 지시한 적이 없다. 심지어 남편인 아저씨는 아주머니가 청교도의 교리를 저버리고서라도 수술을 받으라고 권유할 정도다.

그녀는 내 말을 듣고, 확신에 찬 목소리로 대답했다.

"나도 어머니처럼 신념을 가지면 좋을 거 같은데. 절대 사라의 길은 가지 않을 거야. 그렇다고 꼭 페미니스트들이 말하는 대로 자아실현이니 사회적 지위니 그런 것도 별로 원하지 않고.

그 사람들은 마치 꼭 자아실현, 사회적 성공을 성취해야 하는 것처럼 말하잖아. 그것에 반감이 생겨서."

"에스더야. 그렇다면?"

"그냥 남 돌보는 게 좋아. 평범하게 사는 것도 좋고. 오늘 요리 때문에 과거 21세기 한국이라는 나라에 대해 조사해보았는데 왜 한국이라는 나라가 사라졌는지 알거 같더라.

무조건 인생의 성공이니 돈이니 그런 것에 목말라 할 필요는 없을 거 같아. 한국이라는 나라의 종말을 보면."

"그렇지. 현재 26세기에 어느 사상이 살아남고, 이렇게 태양계 전반에 인류가 진출 한 뒤의 역사를 안다면 과연 21세기의 사람들이 그렇게 살아야 할까하고 생각해. 결국 다 부질없는 짓인 것을.

그렇게 흥했던 종교가 흔적도 없이 사라지고. 강했던 나라가 멸망한 것을 보면 21세기 그때로부터 거의 6백년 후인 현재는. 아등바등 살 필요는 없는 거였지."

나는 에스더의 말에 동감을 표했다. 비록 내 핏 속에 한국인이라는 피가 흐르고 있지만 그건 중요한 게 아니다. 난 타이탄에서 태어난 타이탄인 이니까.

에스더의 슬픔을 위해서 3년 동안 더 이 집에 있다는 것이 나에겐 답답하고, 곤란해보였지만 에스더가 나를 친형제처럼 생각하는 것에 대한 보답은 해야 했다.

사랑하는 방식이나 그 마음은 다르지만 에스더가 나를 좋아하는 것은 사실이고, 나를 싫어하지 않는 것만으로도 좋다.

성인이 된 후 당분간은 아무 일도 하지 않고, 백수처럼 지냈다.

에스더가 아주머니를 잃은 슬픔을 잊기 위한 기한 3년. 그동안 난 에스더의 보살핌을 받기 때문이다.

아저씨는 이런 내 결정에도 싫어하거나 참견하지 않았다. 가드면 아저씨는 나에 대해서는 자유방임적으로 내버려두었는데 그게 관심이 없어서가 아니라 내 의사를 존중하기 때문이다.

그녀와 같이 지낸 3년을 뭐라고 설명해야 할지 모르겠다. 속으로 진짜 좋아하는 여자랑 같이 지내는 게 얼마나 좋은 건지 내 기분은 너무나 황홀했고, 젊어서인지 열정적이었다.

그녀는 내 살림 전반을 돌봐주었으며 사이좋은 남매처럼 지냈다.

에스더의 처음 일 년은 나사가 빠진 로봇처럼 명랑한 채로 있다가도 기분이 울적하거나 갑자기 울음을 터뜨리는 등 감정의 기복이 심했으나 일 년의 시간이 지난 뒤로는 점점 평범한 여자로 돌아가는 것이 눈에 띄었다.

만약 내가 그녀 곁에 없었으면 어떻게 됐을까? 그건 누구도 모를 일이다. 나 없이도 잘 버텼을 수도 있고, 아니면 악화될 수도 있다. 하지만 한 가지 확실한 건 내가 그녀 인생에 도움이 됐다는 것이다.

그렇다면 이렇게 그녀에게 돌봄을 당한 3년 동안 아무런 일도 하지 않았을까? 그건 아니다.

그동안 이 프로메테우스시를 많이 돌아다니고, 도서관도 많이 들려서 종이책도 많이 읽었다.

26세기 정도 되면 종이책은 역사 속으로 영원히 사라질 거라 생각하지만 전력이 끊기거나 컴퓨터에 이상이 생기면 정보는 아예 사라지기 마련이라 안전하게 백업할 수단이 필요했는데 그 중 하나가 전력이 없어도 정보를 읽을 수 있는 종이다.

물론 10년이 지나면 변색이 되는 과거의 종이와는 다르다. 26세기의 인쇄술은 엄청나게 발전하여 영구종이라는 나무로 만드는 종이가 아니라 세라믹으로 종이를 만드는 기술이 발전되었다.

피라미드가 비바람에도 오래 견디듯이 이 세라믹 종이 역시 거의 반영구적으로 변색되지 않는 종이다.

그런 종이로 만든 종이책이 모여 있는 도서관이 있는데 대부분 VR로 집에서 정보를 보는 거와 달리 그런 종이책이 모여 있는 도서관은 직접 가서 봐야 했다.

난 아침을 먹은 후 오후 늦게까지는 도시를 돌아다니다가 그런 도서관에 가서 정보를 습득했는데 VR로 보는 것과는 별개의 맛이 있다는 것을 깨달았다.

도서관에서 주로 보는 책은 정치, 역사, 사회, 경제 같은 인간에 대한 학문과 물리학, 화학, 천문학, 생물학, 의학 같은 도서도 보았다.

이상하게 나는 도서관의 책들을 스펀지가 물을 흡수하듯이 그 지식을 빠르게 습득해 나갔다.

에스더는 내가 메타버스안의 VR을 이용해 책을 읽는 게 아니라 직접 몸으로 가서 책을 읽는 것을 이상하게 생각했다.

"여기서 한 시간 반 정도 걸어서 그 도서관에 가는 것도 만만치 않을 텐데. 정호는 차를 타고 그곳에 가지 않잖아."

"그래."

가드먼 아저씨는 아침에 바쁘기 때문에 그녀와 같이 아침을 먹고, 얘기를 하다가 오전 10시가 되면 산책을 할 겸 다양한 루트로 그 도서관에 걸어갔다.

어떤 루트는 안드로이드들이 전시 되는 골목으로. 또 어떤 날은 B지구에 사는 평범한 주민들이 있는 주택가로. 어떤 날은 과학교도들이 자랑스러워하는 과학센터가 있는 곳으로.

또 어떤 날은 정말 한적한 공원과 나무가 있는 공원길로.

그야 말로 다양하게 도서관에 갔다. 도서관에 가서 대충 3~4시간 책을 읽으면 다시 에스더가 있는 집으로 돌아왔다.

대략 그때쯤이 오후 4~5시쯤 되었는데 그때쯤이면 자신도 혼자의 시간을 가졌을 뿐만 아니라 저녁 준비도 이미 끝내놓아서 심심한 건지 그녀는 날 마중 나와 기다렸다.

곧바로 저녁을 먹으면 자러 갈 때까지 그녀와 대화를 하거나 메타버스 안에서 게임을 하며 보냈다.

저녁은 가드먼 아저씨도 같이 먹기 때문에 나와 에스더가 서로 얘기 나누는 것을 지켜보곤 했다.

그는 내가 이 집에 계속 눌러 앉아 있는 것을 싫어하지 않았으며 그야말로 냉엄하지만 자상한 아버지처럼 내 인생을 내가 자유롭게 살 수 있게 해주었다.

집안 살림은 에스더가 거의 다 했기 때문에 따로 식비에 대한 걱정은 없다. 아마 가드먼 아저씨도 가끔 아침, 매일 저녁을 에스더가 만들어 주었기 때문에 살림에 대한 비용을 딸에게 주었을 거다.

사실상 가드먼 아저씨가 날 먹여 살려 주신 건데 그야말로 난 식객 같아 보였다.

그런데도 그는 내게 아무 말도 하지 않았다. 단순한 식객이라면 속마음 어느 곳에서인가는 불만을 가질 만도 한데 그런 점이 전혀 없었다.

그건 에스더도 마찬가지다.

그리고 주말이라고 불리는 토요일과 일요일에는 도서관을 가지 않고, 에스더와 함께 영화를 보거나 연극을 관람하기도 했고, 미술관에도 갔다.

그야말로 서로 피로 연결된 남매보다 더 남매처럼 지냈다. 그래서 어느 한편으로는 오페라 탄호이저에 나오는 주인공 탄호이저처럼 에스더가 있는 그 집에 계속 남아 그 행복과 안락을 누리고 싶었다.

물론 그녀가 그 오페라에서 나오는 비너스라고 생각이 들지 않는다. 외모는 내게 비너스보다 더 아름다운 여자였지만. 비너스 보다는 오히려 엘리자베트와 닮았다.

그녀는 오히려 정숙하고, 조용한 편인 진지한 성격의 여자였다. 아름답고, 매혹적인 외모에 비해 멍청하게도 자신의 그런 외모를 자신의 이익을 위해 살리지 못하는 여자였다.

거리를 같이 지나다 보면 사람들이 나도 쳐다보지만 그녀를 더 많이 쳐다보는 거 같다.

하긴. 내가 봐도 그럴 만도 하다. 우리 둘의 외모다 결코 외모성형사들이 성형한 인공적인 얼굴들이 아니라 자연적인 아름다움이 스며들어 있으니까.

그냥 그렇게 그 안락한 집에서 마치 비너스의 품에서와 같이 지내도 됐지만 그 사건으로 인해 난 에스더와 약속한 삼 년이 지나면 이 집에 나가야겠다고 굳게 마음을 먹었다.

나도 인간인지라 자리에 누우면 금방 잠을 자는 것은 아니다. 물론 잠자리에 눕고, 몇 십분 후에 잠에 들지만 어떤 날은 새벽에 깨어날 때가 있다.

한 달에 5일에서 10일은 그렇다. 4시간을 자고, 2시간을 깨어 있다가 또 나머지 2시간을 잔다.

깨어나면 물론 아직 젊기에 거실에 있는 VR 컴퓨터로 메타버스 안에 들어가서 게임을 하곤 했다.

마리아 아주머니가 살아계셨을 적엔 아주머니가 잠귀에 밝아 거실에서 뭔가 소리가 나도 금방 눈치 채셔서 거실로 나오셨다.

그리고는 내 이마에 입을 맞추시고는 더 이상 VR컴퓨터를 못 쓰게 하셨다.

그런데 아주머니가 돌아가시고 난 뒤에는 누구하나 내가 거실에서 VR컴퓨터를 사용하는 것에 대해 뭐라 할 사람은 없었다.

그 날도 평소 때처럼 잠자리에 든 뒤 4시간 정도 자고, 이상하게 일찍 깨어나서 부엌으로 가서 물을 마시고 난 후 평소처럼 거실에 있는 VR컴퓨터로 가상현실 게임을 하려고 했다.

그런데 그때 난 욕실에서 갓 샤워를 끝낸 에스더와 눈이 마주쳤다.

타이탄에는 달이 없다. 그러나 프로메테우스시는 반은 반투명한 돔으로 둘러싸여 있어 타이탄의 대기인 황산의 색깔인 황토색에 가까운 대기를 보여주기도 하지만 또한 시간에 따라 낮과 밤이 있는 것처럼 밤에는 좀 더 명암이 어두워진다. 그리고 인공적인 달이라고 뭐한 큰 조명이 뜬다.

그 달 같지도 않는 달은 예전 모든 인류가 지구에 살던 때를 기념하기 위해서 혹은 기억하기 위해서 타이탄 정부가 각 콜로니에 배치하게끔 한 것이다.

우리는 그것을 역시나 달빛이라고 부르는데 한 밤에는 명암이 최고로 어두워지고 그에 따라 달빛은 은은하게 희게 밝아진다.

그런 달빛이 은은하게 거실 창문을 통해 온 거실을 비추고 있을 때 나는 에스더의 실오라기 하나 걸치지 않는 알몸을 보았다.

그녀는 나의 인기척을 알아차리고는 조금은 놀라는 척 하다가 곧

바로 진정이 됐는지 아무렇지 않은 듯 계속 알몸인 상태로 그 자리에 서 있었다.

"놀랐지? 나도 잠이 안와서 몸을 씻었지 뭐야."

"그런데 왜 옷을 입지 않고?"

"아. 이렇게 몸이 물에 젖은 채 서서히 몸의 물기가 마르는 게 좋아서."

"그렇게 덥지는 않은 거 같은데."

에스더는 내 질문을 듣고, 미소를 지으며 킥킥 웃기 시작했다. 자동 공기조절기가 있어 온도와 공기의 질을 알아서 계산해 사람이 최고로 편안하게 생활하게 한다.

심지어 인공지능이 잘되어 각각 사람이 원하는 공기의 질과 온도까지 계산할 수 있다.

아마도 그녀가 웃는 건 나의 이런 생각 때문일 것이다. 달빛에 방 안 분위기는 어두워 보이지만 확실히 난 에스더의 천진난만하게 웃는 모습을 짐작 할 수 있었다.

"아냐. 더워서 벗고 있는 게 아니야."

그녀는 내게 자신의 나체를 보이는 것에 대해 별로 창피하게 생각되지 않았다. 마치 자신의 오빠나 남동생에게 자신의 알몸을 보여주는 것과 같은 것이라고 생각했다.

그러나 내가 보는 그녀의 누드는 그야 말로 여신처럼 너무나 아름다웠다. 예전에 한두 번 어렸을 때 그녀의 유방과 성기, 배등의 주요부분을 본 적이 있으나 오늘 다 자란 완숙한 몸의 그녀의 유방과 성기, 배를 보자 나는 말을 입을 다물지 못한 채 아름다운 예술품을 보는 것 마냥 그녀의 색기(色氣)에 도취되어 갔다.

그러나 십 여분 동안 그렇게 말없이 그녀의 누드를 감상하는 동안 에스더는 단지 자신의 알몸을 말리려 몸을 움직이는 것이지만 내 눈에 그런 움직임은 더욱 내 마음속의 욕망에 불을 지펴 놓았다.

그녀가 자신의 몸을 말리러 이리저리 중요 부위를 만지고, 그걸 여과 없이 보여줄 때마다 난 마음속으로 그녀를 여자로써 다시 한 번 생각하게 되었다.

곧 난 열정에 못 이겨 뜨거운 숨결을 내며 실오라기 하나 걸치지 않는 그녀를 안고 말았다.

그러나 젖은 몸은 몇 분 안에 마르지 못한다. 그녀의 젖은 긴 머릿결이 내 얼굴에 닿자 나는 조금은 정신을 차릴 수 있었다.

"어머. 다 젖겠어."

"왜 벗고 있는 건데?"

알몸이기 때문에 페로몬인가 뭔가의 영향으로 그녀의 살에서 좋은 향내 같은 게 내 코에 느껴졌다.

조금만 더 욕심을 부린다면 남매 같은 사이를 깰 수 있겠지만 나는 용기가 없어 그녀에게 마음에도 없는 질문을 했다.

그러자 에스더는 나를 한동안 끌어안으면서 나를 위로해주었다.

"해방감. 아버지나 다른 사람들에게는 내 알몸을 보여주는 게 너무 부끄러운데. 이상하게 정호만큼은 그렇지를 않네."

"해방감?"

"평소에는 여자로써 갖가지 틀에 갇힌 옷을 입다가 이렇게 아무것도 걸치지 않고, 있는 게 얼마나 해방감이 드는지 몰라."

"아! 그렇구나!"

남자인 나는 가끔가다 러닝셔츠도 입지 않고, 팬티와 면바지만 입은 채 상의 티셔츠만 걸치고, 밖에 나가도 사람들이 뭐라 하지 않는 반면 여자인 에스더는 달랐다.

아마도 나보다 몇 꺼풀의 옷을 더 입어야 사람들이 이상하게 쳐다보지는 않을 거 같다.

그리고 몸을 씻은 뒤 나체로 그 상태로 있다는 건 몸이 마를 동안 무언가 그녀에게 해방감을 준다는 거다.

나는 그녀의 말을 자세히 이해하지는 못했지만 그녀의 기분을 공감할 수는 있었다.

약 십 여분동안 에스더를 끌어안은 뒤에 몸의 물기가 다 말랐는지 에스더는 내게 떨어져 거실 소파에 잘 포개져 있던 자신의 속옷을 입기 시작했다.

이미 좋은 구경은 다 끝났다는 뜻이다.

나는 일이 이렇게 되자 바보 같은 나를 원망하면서도 에스더는 나를 영원히 남자로 봐주지 않을 거란 느낌이 들었다.

키스라도 하고, 그녀의 유방이라도 마음껏 만졌으면 좋았으리라는 생각도 들었다.

아주 좋은 기회였는데 나는 멍청하게 그 기회를 놓친 것이다. 그러나 한편으로는 이런 분위기였는데도 그녀가 나를 이성으로 보다는 가족으로 생각했다는 것을 다시 한 번 깨닫게 되었다.

그리고 그런 그녀를 이성의 눈으로 보고, 정욕을 품었던 내 자신이 너무나 한심하고, 비참해 보였다.

그렇다고 해서 만약 내 욕망대로 그녀를 대했다면 어떻게 될까? 남매 같은 그 감정마저 사라져 에스더가 나를 증오하지 않을까?

그런 에스더의 증오에 그녀를 좋아하던 마음이 나 역시 증오로 바뀌지 않을까 너무나 두려웠다.

나는 그런 생각이 들자 반짝 정신을 차리고, 차라리 장난꾸러기 남동생 혹은 오빠로써의 부탁을 그녀에게 했다.

"배가 출출한데 뭐라도 만들어 줄래?"

"어머. 그래? 나는 밤에 먹는 게 질색이어서. 가만 있자."

에스더는 내 부탁을 듣고, 브래지어와 팬티만 걸친 속옷차림으로 부엌에 가서 무언가 요깃거리를 만들려고 하는 거 같다.

난 거실의 소파에서 그녀의 그런 행동을 보고, 고개를 푹 숙이며 양 머리에 손을 짚은 채로 절망에 빠질 수밖에 없었다.

 그 일이 있은 후에 난 에스더에게서 더 큰 욕정과 욕망을 느꼈고, 그녀는 그런 나의 감정을 눈치 채고도 모른 채 한 건지 아니면 내가 자신을 그렇게 생각 할리 없다고 확신한 건지 여전히 변함없는 태도로 나를 대했다.

 그렇기에 정말 무슨 일이 벌어지기 전에 나는 그녀를 멀리 할 수밖에 없다.

 그러나 그녀가 말한 3년이라는 기간은 마치 마법의 언어처럼 나를 그녀에게 붙들어 놓았으며 에스더와 같이 지낼수록 마음이 편안해지면서도 또한 괴로움도 같이 느꼈다.

 이 기분을 무엇이라고 얘기해야 할지 모르겠다. 괴로움과 편안함 혹은 안락함을 동시에 느낀 다는 것이.

 그렇게 내 생애 제일 편안하면서도 불편한 생활은 그녀와의 약속 3년을 지키고 말았다.

6

 가드먼 아저씨와 에스더와 함께 살던 집에서 다른 낯선 곳으로 이사를 나올 때에 가드먼 아저씨와 에스더는 나를 이사차량에 탑승할 때까지 끝까지 배웅해 주었다.

 3년이 지나고, 또 조금 지난 몇 개월 후의 일이다.

 그동안 B지구에서 저렴하면서도 있을 건 다 있는 주택을 고르는데 있어 무척 난 신중했다. 제일 가격대비 좋은 주택은 인공지능이 관리하는 주택으로써 프로메테우스시 B지구의 적당한 주택가와 상가가 밀집해 있는 어느 한 임대 빌라를 골랐다.

 25평의 임대 빌라로써 내가 가진 돈으로 순수하게 약 12년 동안 거주할 수 있었다.

 이사를 마친 뒤. 에스더가 내 집에 찾아와 주었는데 난 그녀를 누나나 여동생처럼 따뜻하게 맞이해주었다.

 부족한 세간은 에스더가 어떻게 구했는지 내 집에 보충해주었다. 어차피 이곳으로 이사 오는데 내가 자주 쓰는 VR 컴퓨터와 침대. 옷 몇 벌, 가구 몇 개만 가지고 왔기 때문에 부족한 세간은 많았다.

 한 달에 두 세 번은 에스더가 와서 이리저리 살림을 챙겨주었는데 이것으로 만으로도 괜찮았다.

 매일 얼굴을 보지 않으니 매일 욕망과 이성사이에 갈등할 일도 없고, 그냥 유쾌하고, 정이 깊은 남매사이면 된다.

그게 나나 에스더가 원한 것이었으니까.

비록 내가 그녀에게 근원적으로 욕정을 품고 있더라도 난 내 욕망을 위해 그녀의 육체를 범할 뜻은 없다.

내 마음속은 단지 이렇게만 지내도 괜찮겠다. 그것만으로도 난 만족했다. 괜히 내 욕망을 그녀에게 풀어서 그녀가 날 원망하게 된다면.

그래서 영원히 그녀를 못 보게 된다면 그게 더 나에게는 겁나는 일이다.

그 날. 내가 내 욕망을 주체하지 못해 에스더를 껴안았던 날. 그녀의 반응을 보면 그녀는 내게 욕정을 느끼지 못했는지도 모른다. 아니면. 애써 부인하고 있거나.

아무튼 정말 사이좋은 남매 사이면 되니까.

그러나 이사 오고 나서 일 년이 지나도록 나는 번번한 일자리를 구하지 못하고, 프로메테우스시의 실업급여를 타며 무료한 생활을 지내고 있어야 했다.

“사라하고는 연락이 돼?”

“아니. 연락할 마음도 없고.”

“그러면 안 돼지.”

어느 날은 무료하게 있다가 내 밥과 반찬을 챙기러 주러온 에스더에게 사라의 소식을 물어보았다. 그러나 그녀는 사라의 안부는 알 필요 없다는 듯 그녀를 계속 무시했다.

“알아. 무슨 말을 하는지. 뭔 말을 해도 난 걔하고는 화해를 절대 하지 않을 거야.”

“아니. 너 말고. 만약 내가 사라하고 같이 있어도 화해 안 할 거야?”

내가 에스더와 남매사이 인거처럼 사라하고도 그런 사이 일 수 있다는 것을 넌지시 그녀에게 알려주었다. 그러자 그녀는 고개를 도리도리 저으면서 실망한 표정을 지었다.

"뭐. 정호도 사라하고는 그리 큰 문제없이 지냈지. 정호와 사라 사이에는 아무런 간섭도 하고 싶지 않아. 걔하고 정호하고 어떤 짓을 하던.

하지만 걔하고 나하고, 화해하라는 말은 하지 마. 정호와 사라가 아무리 사이가 좋다고 해도. 난 걔하고 불과 물과 같은 사이니까."

"정말 애들처럼."

그 날. 그녀들이 무슨 말로 그렇게 다투었는지 나는 모른다.

하지만 서로를 원수로 볼 정도로 인생에서 아예 연락을 안 할 정도로 서로가 서로를 증오하는 게 나는 애들처럼 유치하게 보였다.

그러나 어떤 말을 내가 해도 에스더는 사라와 화해 할 뜻이 전혀 없는 거 같다.

나 역시 사라가 떠난 뒤 거의 4년이 지나도록 그녀의 근황을 모르고 있는 것이 너무나 안타까웠다. 연락은 서로 못하더라도 그녀가 살아있는지 알 수 있었으면 좋으련만.

다시 일 년의 시간이 지나고, 실업급여를 받아쳐먹으면서 노는 게 너무나 불만이었던 나는 무슨 일이든 하고 싶어졌다.

말이 실업급여지 최소한의 생활만 보장되는 시민 복지다. 시민이라면 주거비용은 D급 평민지구에 산다는 기준으로 그 지구의 임대료인 주택급여와 최소한 한 달 생계비가 합친 것이 아무것도 일을 하지 않는 실업자가 받는 실업급여다.

나는 B지구에 살기 때문에 반드시 수입이 필요했고, 에스더 때문에 식비 걱정은 없더라도 어느 정도 B지구에 살기 위한 유지비는 들어야 했다.

그리고 아무런 할 일 없이 에스더와 3년간 같이 지내던 때와 같이 계속 도서관에 왔다 갔다 하면서 책만 지내며 지내는 것이 불만이었다.

그래서 이력서를 내기만 한다면 누구라도 합격할 수 있다는 워터플랜트 감독보조로 일단 일하게 되었다.

24시간 하루 중 6시간만 일하면 되는 직업으로 주 4일을 일하면 된다. 월요일부터 목요일까지 일하는데 난 아침에 일찍 일어나기 때문에 새벽 3시부터 아침 9시까지 일하는 근무조에 들어가게 되었다.

어차피 저녁을 빨리 먹고, 오후 6~7시 정도에 취침에 들면 됐으며 일이 끝나고, 아침을 먹으면 된다.

출근 버스는 D지구의 종합 환승장에서 출발하고, 근무지역은 외곽지구의 워터플랜트 공장이다.

하는 일은 에우로파에서 가져온 얼음덩어리를 녹이는 일이 주된 임무로써 대부분의 육체적 노동은 로봇과 안드로이드가 하고, 내가 하는 일들이란 그 로봇과 안드로이드를 현장에서 관리 감독하는 일이었다.

한 섹터의 작업조는 총 다섯 명이서 했는데 나는 몇 주일 전에 사고로 죽은 보조 감독의 후임이었다.

두 명의 선임 감독과 세 명의 보조 감독으로 이루어진 한 팀의 근무조는 워터플랜트 한 섹터의 공정을 책임지고 완수하는 일을 한다.

인간 다섯 명과 스무 명의 안드로이드, 그리고 오십 기가 넘는 약인공지능 로봇이 한 조를 이루었다.

에우로파에서 얼음이 들어오지 않을 때는 자질구레한 일을 했는데 근무시간이 같다보니 휴식시간도 똑 같았고, 근무시간도 똑같았다.

휴식시간은 총 6시간의 근무시간 중 삼십 분으로써 그때는 배가 출출한지 선임들은 간식 같은 것을 먹었다.

그렇게 휴식시간일 때 한 선임이 내가 한국인의 피가 섞인 것을 알고, 재미없는 농담을 하기 시작했다.

"과거 한국인은 근무시간이 주당 60시간이 넘었다면서? 하루에 12시간? 그 정도 근무했다는데 정말이야?"

"그럴 리가요. 지금은 8시간 넘게 근무하면 불법 아닙니까? 아무리 빈민이고, 불법노동자라도 법으로 8시간이상 근무하면 사업장이 폐쇄되지 않나요?"

선임이 한 얘기를 가지고, 다른 보조 감독이 정색을 하며 놀라 말했다.

"한국인의 피가 섞인 후임이 온다기에 도서관에 가서 한국이라는 나라에 대해 조사했는데 다른 것도 놀랐지만 그게 날 제일 놀라게 만들더군."

어차피 나에게 그런 얘기를 해봤자 역사 속에서 사라진 나라에 대해 내가 자세히 알 턱이 없었다. 그렇지만 그렇게 역사 속에 사라질 거면 어떻게 그런 악명을 남길 수 있는지 나도 궁금했다.

"아. 물론 농담이지. 지금은 그렇게 하고 싶어도 못하니까."

선임은 햄버거와 콜라를 먹고, 마시며 12시간 노동이라는 말에 고개를 이리저리 흔들며 정색했다.

그래도 선임들은 후임 보조 감독들을 잘 챙겨주고, 아껴주었다. 보통 1년이나 2년 근무하면 다른 곳으로 이직이 잦은 직업이라 어찌 됐던 관심을 가져주지 않아도 되지만 그건 또 그렇게 하면 안 됐다.

한 달에 하루 이틀은 힘든 날이 있는데 바로 에우로파에서 얼음 수송선이 들어오는 날이다. 그때는 얼음을 물로 녹이는 작업을 하는데 일손이 부족하다보니 우리도 역시 그 작업에 투입이 되었다.

그리고 그때는 선임들도 후임들을 욕하며 심지어 구타까지 해대며 교육시키고, 주의를 주어야 했다.

그건 얼음을 녹이는데 각 섹터마다 아주 큰 구경 140mm 레이저 광선포가 약 세기(三機)가 동원되는데 광선포의 레이저에 주의를 하지 않고, 광선포에 노출이 되어 플라즈마 광선에 맞으면 그야 말로 시체도 찾지 못하고, 기화 되어 죽기 때문이다.

그래서 선임들은 그 날만은 후임들의 정신을 번쩍 차리게 하기 위해 기합을 주고, 구타도 하는 거다.

플라즈마 광선이 자신에게 가까이 온다면 작업을 멈추고, 아래로 몸을 납작 엎드려 피하거나 재빨리 다른 곳으로 가서 피하면 된다. 작업량보다는 안전이 최우선이기에 그날은 항상 정신을 차리고, 주의를 기울이며 일해야 한다.

나도 그걸 알기에 항상 주의하며 구경 10mm레이저 손 굴착기로 얼음 녹이는 작업을 수행했다.

10mm레이저 손 굴착기도 주의해서 다루어야 하는데 잘못 사람에게 맞는다면 작업복을 녹여 다른 작업자의 피부를 태울 수 있기 때문이다.

비록 레이저광선포처럼 사람을 태워서 기화시키는 것은 아니지만 레이저 굴착기도 3도 화상을 일으키는 사고를 일으킬 수 있다.

첫 달에는 주의사항을 들었는데도 선임에게 이 날만은 몇 번 뺨을 맞아가며 일을 했다. 그리고 다시 두세 달이 지나자 이제 선임들과 호흡을 맞추어 가며 일을 하게 되었다.

하지만 그동안 주의가 부족한 신참들 몇 명은 운이 좋으면 화상만 입은 채 사고가 나지만 재수가 나쁘면 그야 말로 플라즈마 광선에 의해 시체도 못 찾고, 증발해 버린다.

내가 이곳에 근무하는 2년 동안 총 스물 한 명의 사람이 플라즈마 광선에 의해 죽음을 맞이했으며 안드로이드는 약 삼 십 두 명 정도. 로봇은 약 삼 십 세기 정도 종말을 맞이했다.

안드로이드나 로봇의 경우. 사람을 구하기 위해 명령된 대로 대신

플라즈마 광선에 맞은 경우도 있지만 이 공장에 신교도가 들어와서 일부러 안드로이드나 로봇을 죽이는 경우가 있었다.

난 중립적인 입장이기에 그 광경을 보고도 모른척했지만 죄 없는 안드로이드나 로봇이 플라즈마 광선에 의해 그야말로 기화돼서 죽는 장면을 한 달에 두 세 번씩 보게 된다면 인간이 얼마나 잔인해질 수 있는 동물인지 느끼게 된다.

물론 같이 일하는 인간도 어떤 석연치 않는 이유에서 그렇게 죽는 경우도 있다. 그래서 이 일에 적성에 맞아 미치지 않고서는 길게 2년 이상 일을 하는 경우는 드물었다.

나도 2년 일하고, 이 일을 관두었는데 정신적인 트라우마에 더 이상 견디지 못해서 그런 거다.

그리고 그 후로 십 여 년 동안. C~E 지구의 평민 계급이 할 수 있는 직업을 가진 적도 있고, F이상의 빈민이 가진 직업도 일해본 적이 있다.

평민 계급이 하는 일 중에 어려웠던 것은 무역품을 자주 다루는 플랜트에서 상하차 로봇을 조작하는 일이었다.

잘못 조정하면 컨테이너가 이상한대로 떨어지거나 날아가서 괜한 사람이 다치거나 죽을 수도 있기 때문에 상하차 로봇 운전은 철저한 교육에 의해 라이센스를 부여한다.

난 다행히도 단 한 번의 시험에 합격해 역시 2년 동안 그 일에 종사한 바 있다.

또 화물 자동운전 감시라든지 반도체 기획사 같은 직업도 가졌지만 평민계급은 정말 빈민계급이 가진 직업에 비하면 양반이라는 것을 느낄 수 있었다.

빈민계급에서 가질 수 있는 직업을 난 여러 번 해봤지만 제일 기억나는 건 두 가지 직업 밖에 없다.

일의 힘들고, 어렵고를 떠나서 이 두 직업은 내 인생 영원히 기억

118

에 남을 직업일 것이다.

하나는 안드로이드나 로봇의 시체에서 쓸모 있는 부품이나 장기를 빼내는 장기 중고 활용 업자였다. 그들은 정부나 기업에서 의뢰를 받아서 일을 하는 건지 안드로이드와 로봇의 시체 폐기 업무도 같이 하고 있었는데 이미 쓸모없어진 로봇과 안드로이드들에 대해 쓰레기 처리하듯 폐기하는 조건으로 그것들의 쓸모 있는 장기들 또한 가질 수 있는 권리도 가지고 있었다.

이에 대해 정부나 기업은 별다른 간섭을 하지 않는 거 같다. 아마도 이런 구질구질한 일까지 자신들이 참견을 할 필요가 없다고 생각한 거 같다.

로봇은 인간처럼 생긴 것들이라고 하지만 피부를 벗기면 쇠로 만든 골격 같은 것이 나오고, 속의 기관 같은 것도 다 전자회로나 기계부품들 같은 것이기 때문에 그냥 기계를 만지는구나 하는 느낌이 있지만 안드로이드는 그렇지 않다.

인간 여성의 자궁에서 자라서 태어나지 않을 뿐이지 생체 안드로이드는 합법적으로 인간과 유사한 생체 기관을 가진 존재여서 인간과 이 안드로이드가 구분이 안갈 때가 있었다.

근무 첫 날. 로봇과 안드로이드 폐기장에 출근 했던 날이 생각난다.

중고폐기업자의 건물은 여럿이 있었지만 내가 근무하는 곳은 큰 돔 같은 원형의 건물이었으며 한 가운데 파란 빛 같은 것이 쏟아져 나왔다.

그 돔 같은 원형 건물 안에 들어가 보니 원형 바깥쪽에 쌓여있는 파괴된 로봇들과 안드로이드의 시체들. 특히나 다 벗겨진 안드로이드의 시체들은 사람의 시체와 너무나 똑같아 보였다.

하는 일은 아주 간단하다. 로봇과 안드로이드의 시체를 가져다 분해하고, 장기를 분리하는 일이다.

바깥의 시체들의 산에서 몇 십 미터 걸어가면 로봇이나 안드로이드 시체 같은 것이 몇 구 쌓여있고, 가까운 곳에 해부실습 같은 것을 할 수 있는 커다란 테이블과 레이저메스, 금속 메스, 톱 같은 도구들이 벽 같은 곳에 걸쳐져 있는 공간이 나왔다.

그리고 그곳에서 한 사내가 날 기다리고 있었다. 주위를 살펴보니 그러한 공간에서 두 사람씩 일하고 있는 모습들이 보였다.

그 사내와 이야기를 잠깐 이야기를 나누어보았는데 그는 나보다 한 이 십 년 정도 이 일을 했고, G지구에 사는 빈민으로써 나이가 백 살이 넘은 장년의 사내였다.

대게가 여든 살에서 백 살 사이의 장년층들이 이 일을 하는데 이 남자 역시 그 나이 범주대의 사내였다.

이 돔 안의 이런 테이블이 스무 개 정도 있으니 즉 이 폐기장에는 총 약 사십 명의 사람이 일을 하는데 사람이 일을 하는 이유는 거의 다 학습 형 인공지능이 내재된 로봇이나 안드로이드가 이 일을 한다면 어떤 결과를 야기할지 몰라 인간만 쓴다고 한다.

그 역시 허름한 옷차림에 머리는 새하얀 채 주름이 잔뜩 진 얼굴을 하고서는 새로 온 신참인 나에게 일 하는 것을 가르쳐 주었다.

그는 삼십대인 나를 보고, 의외라는 표정을 지으며 한 편에 쌓아놓여 있던 안드로이드 여성시체 하나를 해체 테이블에 올려놓았다.

시체는 실오라기 하나 걸치지 않은 채 벌거벗겨져 있었고, 외관상 별다른 외상은 없어 보였다.

무척 아름다운 외모를 가진 검은 단발머리에 검은 눈을 한 안드로이드 여성인데 그는 곱게 누워있는 그녀를 보자 그 안드로이드 여성의 유방을 마구 만져대면서 실실 웃었다.

"역시 여자 시체가 좋단 말이야."

여자 시체의 유방과 음부를 만지며 기분 좋아하는 그를 나는 이해 할 수 없어 난 멍하니 그 광경을 쳐다보기만 했다.

실제 인간 여성의 시체였다면 분명 난리가 났겠지만 안드로이드라 주위 사람들은 그를 별 이상한 사람이라고 생각할 뿐 법적인 문제는 아무것도 없었다.

"자네가 어떻게 이곳까지 흘러 들어왔는지 몰라도. 여자가 없다면 직장하나는 잘 골랐다고 할 수 있어.

여기서 버티려면 나처럼 변태가 되거나 아님 여성의 알몸을 봐도 무감각해져야 하니까."

난 그의 말을 그때는 이해 할 수 없었지만 시간이 지날수록 곧 그의 말이 어떤 의미인지 깨닫게 되었다.

시체의 성기와 유방, 엉덩이를 실컷 희롱하고 만진 그는 드디어 메스와 톱 같은 도구로 시체의 가슴을 째고, 뼈를 가르는 행위를 했다.

안드로이드 시체의 내부에서 나온 장기들은 정말 인간의 장기와 똑같았다. 인공장기라고 해서 천연의 인간 장기와 다를 줄 알았는데 그것도 아니었다.

심장부터 해서 폐, 간, 내장까지. 그는 여성 안드로이드의 장기를 일일이 꺼내며 그걸 분리했다.

분리 한 것은 장기 이름이 써진 용기 같은데 분리해서 담았는데 그걸 어떤 장소에 나두면 알아서 운반이 된다는 거다.

그리고는 가슴을 자른 메스를 이번에는 시체의 배 깊숙이 넣더니 성기 있는데 까지 깊게 잘랐다.

그 후에 그는 손을 배 속에 깊숙이 넣어 내가 생전 처음 보는 장기들을 꺼내기 시작했다. 그는 자신이 손에 쥐고 있는 장기들을 유심히 쳐다보며 광기의 미소를 짓기 지었다.

그리고 나에게 자랑하듯이 입맛을 다시며 얘기를 꺼냈다.

"히히히. 이건 여성의 자궁이라고 하는 거고, 이건 나팔관이라고 하는 거야. 굉장하지?"

나는 여성과 성경험이 없기 때문에 그가 들고 있는 인공장기에 대해 뭐라 말할 수가 없었다.

그런데 여성 안드로이드에 인간 여자와 유사한 인공장기가 들어가 있다는 것에는 놀랄 수밖에 없었다. 그는 그 점을 나에게 자랑스럽게 얘기했다.

"개새끼들이 이상하게 아주 섬세하게 안드로이드를 만든다니까. 소문에는 여성의 난자를 모아서 그걸로 이리저리 솜씨를 부려가며 여성 안드로이드를 만든다는 소리가 있어. 이런 걸 볼 때 마다 그런 뜬소문을 믿게 된다니까."

"인공장기 아닌가요?"

"알게 뭐야. 이렇게 폐기 된 게 법적으로 실제 인간도 아니고."

"그렇다면 그 난자는,......"

만약 이 자의 말이 사실이라면 체세포 분열로 사람을 복제 하는 거고. 복제한 인간을 안드로이드라고 속여 상업 행위를 하는 것일 수도 있다.

그리고 그 난자들은 아마 과학교도들에게 얻은 것일 거다. 적어도 2단계 이후. 3단계에서 아님 4단계에서 모든 장기들이 적출당하고, 단지 뇌만을 생체적으로 살리기 위한 허울 좋은 몸이 됐을 때 적출 당해 안드로이드를 만든 회사에 팔렸을지도 모른다.

역사적으로 안드로이드 회사는 로봇을 만든 회사들의 후계가 아니라 의료카르텔의 후계에 속하니까 그럴 수도 있었다.

그는 여성 안드로이드 시체를 이렇게 해부하더니 그 속에 있는 장기 하나하나를 해체하며 각각 용기에 담았다.

그리고는 피부와 뼈 밖에 안 남은 가죽과 뼈로 뒤덮인 살덩어리 그것을 짐수레에 넣어 자신의 뒤에서 불과 한 삼 십 미터 떨어진 곳에 가더니 그곳에 아무렇게나 던져 넣었다.

그가 살덩어리를 던져 넣는 곳에 따라 가보니 전에 레이저 포가 플라즈마 광선을 발사하는 거 같이 그곳에는 역시 푸른빛의 플라즈마 광선이 흐르고 있었다.

아마 이게 돔 중심에 파란 빛을 내는 물체의 정체일 것이다.

플라즈마 광선은 원으로 약 반경 10m 내외로 띠를 두르며 흐르고 있었는데 내가 조금 가까이 다가가자 뜨거운 열기 같은 것을 느낄 수 있었는데 아마 그 광선이 흐르는 반경 1m안에 들어도 몸이 바싹 탈 거 같이 뜨거웠다.

그렇다고 힘이 좋아서 안드로이드 시체를 광선에 맞추어 던진 건 아니다. 그냥 아무렇게나 1m안에 던졌는데 몇 십 분 만에 안드로이드의 시체는 부글부글 끓더니 곧 빨간 피와 하얀 뼈가 용해된 보기에도 역겨운 피 웅덩이를 만들더니 하루도 지나지 않아 빨간 자국만 남게 되었다.

역시나 분해된 찌꺼기를 아무렇게나 처리하는지 그 플라즈마 광선 주위에는 그런 빨간 자국들이 아주 지저분하게 널리 퍼져 있었다.

그나마 로봇은 대충 뜯어서 CPU와 메모리 같은 부품들만 뽑아서 따로 처리하는 구역에 버리면 됐지만 생체 안드로이드를 그런 식으로 비위생적으로 기화시킨 것에 대해 깜짝 놀라고 말았다.

그는 남성 안드로이드를 해체 작업 할 때는 별로 흥미 없는 무표정한 얼굴로 일을 했으나 여성 안드로이드를 해체 할 때는 그야말로 광기에 가득한 기쁜 표정으로 일을 했다.

특히나 자궁과 나팔관 같은 것을 분리 할 때 그의 번뜩이는 광기의 눈은 내 평생에 절대 잊지 못할 거다.

"이렇게나 예쁜 년들을 난 보지도 못하고, 만지지도 못하니까. 이럴 때 실컷 만지고, 봐야지. 흐흐. 뭐. 그것 때문에 이 일을 하는 것이지만."

그는 이 일이 자신의 천성이자 운명이라는 말을 지껄이며 더욱더 안드로이드 시체를 해체하는 일에 열중했다.

그의 외모를 떠나서 사실상 빈민 남성이 온전한 여성과 결혼하고, 같이 동거하며 사는 것은 불가능하다.

그가 한탄하며 저주하는 이 말도 어느 정도 일리 있는 소리다.

의학의 발전에 의해 상류층들은 거의 나이 140살. 평민들은 120살 정도의 수명을 가지지만 빈민들은 80살도 못사는 수준에 있으며 100살 넘게 산다면 오래 사는 편에 속한다.

의학의 발전이 모든 사람에게 공평하게 돌아간다는 장밋빛 낭만을 믿는 사람들이 있었지만 믿지 않는 사람들도 있었다.

역시나 의학의 발전은 돈이 있고, 힘이 있는 사람들 먼저 혜택을 누리게 됐으며 일부나마 어느 정도 낙수효과 같은 것을 평범한 사람들이 누리게 된 것도 사실이다.

21세기에도 똑같이 적용된 이 사회적인 현상은 27세기에도 역시 똑같이 적용이 된다.

인간의 본성은 변한 게 없다는 걸 말하는 거다.

빈민이 이럴 정도인데 정말 최상류층의 사람들은 얼마나 의학적인 혜택을 받을지 상상이 가지 않는다.

그러나 인간은 언젠가 죽는다. 최상류층이라도 영원히 사는 방법이 없다.

아무튼 여든 살이 넘어 이제 살날이 몇 십 년밖에 안 남은 이 남자가 20대 젊었을 때나 40대 중년일 때나 제대로 온전하게 여자랑 사랑도 하고, 결혼도 할 수 있는지 사회학적으로 본다면 그건 전혀 불가능했다.

단지 빈민이라는 이유로 그는 여자랑 결혼하고, 가정을 이룰 확률이 아예 제로로 수렴한다.

같은 계급의 여자랑 결혼하면 되지 않는가 하고 반문하겠지만 빈민 여자는 최소한 평민 남자를 원하기 때문에 더욱더 결혼에 불리

할 수밖에 없는 것이 빈민 남성이다.

아마도 이 남성은 팔십 년의 생애에 여자랑 연애 한 번 못해 본 남자일 가능성이 크다.

대신에 아마 그의 집에는 성인용 VR게임이나 잘하면 섹스로이드 같은 것이 있을 수 있다.

그런 것은 사람의 외모나 재력을 따지지 않으니까.

여성이랑 진지하게 사귄 적이 없으니까 이렇게 여성 안드로이드 의 육체를 장난스럽게 만지고, 가르고, 모욕을 줄 수 있는 거다.

보통의 평민 남자라면 이런 일을 했을 때 아무리 생체 안드로이 드라도 육체를 메스로 가르고, 장기를 꺼내는 행위를 하면 처음엔 비위가 상해 구토를 하거나 겁에 질리기 마련인데 자신은 처음부 터 이 일을 하기 시작했을 때 너무나 즐거워서 하늘이 점지해 준 일이라고 했다.

그리고 이런 부류의 남성들이 인류 문화권 전체 행성 거주민들의 50%가 된다는 것이 얼마나 빈부격차가 심한건지 말해주고 있다.

만약 이 남자가 이런 일을 하고 있지 않았다면 어떻게 됐을까? 달의 루나시티에서 그 유명한 여성 살인마 스티븐처럼 수백 명의 여성들을 살해하고, 변태처럼 그 가죽을 벗겼을까?

어쩌면 나는 그가 스티븐처럼 되지 않는 게 다행이라고 여겼다.

역시나 나는 이 일을 일 년 이상 할 수 없었는데 로봇은 괜찮았 지만 생체 안드로이드를 해부하고, 장기를 매일 꺼내다 보니 내 정 신이 점점 이상해져서 그만 둘 수밖에 없었다.

8시에 이곳에 출근하면 보이는 환경이라고는 쌓여있는 벌거벗겨 진 안드로이드의 시체와 로봇들.

그리고 광기에 젖은 사람들과 금속이 타는 듯 한 쾌쾌한 냄새와 피 냄새와 유사한 약품들의 역겨운 향기들.

안드로이드와 인간의 신체가 어떤 차이인지는 몰라도 안드로이드의 내장에서 핏물이 튈 때면 진짜 사람을 도축하는 거 같아 너무나 역겹고, 더러운 기분이 들었다.

특히나 여성 안드로이드의 배를 가르고, 그 장기를 꺼낼 때면 내 마음속의 영혼 한구석의 무언가가 사라지는 느낌을 받았다.

7시간 일한다음 삼 십 분의 퇴근시간을 거쳐 집에 돌아온 다음 하는 일이라고는 밥을 먹은 다음에 가만히 소파에 앉아 덜덜 떠는 일이다.

꿈속에서 내가 해체한 안드로이드들이 나오고, 그것 때문에 악몽을 꾸기 일쑤다.

하지만 더 괴로운 것은 나랑 같이 일하는 자들의 광기가 나를 더욱 미치게 만들었다.

어떤 자는 이미 시체가 된 여성 안드로이드를 시간(屍姦)한 자들도 있었고, 그건 남녀구분이 없었는데 그런 점에서 이곳에 일하는 여성 노동자도 마찬가지였다.

이런 곳에 일하는 여성 노동자가 없을 줄은 알지만 아주 드물게는 존재했다. 하지만 젊은 여성이 아닌 칠십이 넘은 거의 장년을 벗어난 여성들로써 이미 여성으로써의 아름다움이나 매력은 사라진 그야말로 이곳에 일하는 빈민 남성들과 같은 부류의 사람들이었다.

그녀들도 역시 죽은 생체 안드로이드의 시체에다 별 변태적인 짓을 했으며 자신의 성욕을 풀고 있었다.

이곳에서 일한지 몇 달도 지난 어느 날 난 보았다. 여성 노동자가 옷을 다 벗고서 이미 죽은 남성 안드로이드와 관계를 하는 모습을.

혹은 여성 안드로이드와도 관계를 하였는데 역시나 그녀들도 남성들처럼 시간을 즐기는 자들이었다.

여성과 여성의 성관계가 남녀와의 관계와 다른 어떤 특별한 점이 있을지 몰라도 이곳에 드물게 일하는 여성 노동자도 남성들과 같이 타락해가는 건 마찬가지다.

그리고 결국 막판에는 트로피처럼 여성이나 남성 안드로이드의 장기 일부를 집에 몰래 가지고 가거나 혹은 머리통을 가지고 가기 일쑤다.

이렇게 시체를 성추행 한다거나 시간을 하는 등의 행위 말고도 아주 타락한 경우는 안드로이드 여성 시체의 배를 가르고, 가슴을 갈라 장기들의 모습이 다 드러난 상태에서 자위행위를 하여 정액을 심장이나 폐 같은 곳에 쏟는 경우도 보았다.

물론 그 모습을 보고, 구역질을 하며 그 역한 광경을 머리에서 지우려고 했다.

그 자들을 생각만 한다면 이미 타락할 때로 타락하여 영혼이 없는 자들처럼 보였다.

그리하여 이곳에서 일한지 겨우 일 년도 지나지 않아 난 관둘 수밖에 없었으며 이 정신적 충격과 트라우마에 벗어나기까지 거의 일 년의 시간이 걸렸다.

그때 받은 월급도 일반 평민들이 벌어들은 월급의 80% 밖에 되지 않는대 하는 일은 그야말로 자신의 순수한 영혼을 파괴시키는 일이니 이 일을 하는 자들에 대해 나는 그 자들의 영혼 깊숙이까지 이해 할 수 없었지만 그래도 빈민들의 생활을 알게 되어 그자들이 왜 그런 짓을 하는지 이유는 알게 되었고, 빈민들이 어떻게 사는지 이해하게 되었다.

육체적 노동 강도는 내가 전에 했던 일에 비하면 많이 약한 편이다. 짐용 로봇을 조종하는 것보다 우라늄과 지르코늄의 합성물을 나르는 일보다 강도는 크지 않다. 그러면서도 무슨 기술이 필요한 일도 아니고, 그냥 배와 가슴을 가르고, 장기만을 꺼내면 된다. 로봇을 해체할 때는 VR로 교육을 해주긴 하는데 어차피 거의 비슷한 곳에 CPU와 메모리가 있어 그것만 빼내면 된다.

여기 일하고 있는 자들을 보고나면 잠재적으로 스티븐 같은 범죄를 저지를 수 있는 사람들이라는 걸 생각하게 된다.

즉 결혼도 출산도 포기한 자들에게 오직 남아있는 희망이라는 것은 게임이나 즐기고, 그릇된 방법과 수단으로 자신의 성욕을 푸는 것이었으며 이 일이 그런 자들에게는 무척이나 잘 맞는 직업이라는 것을 알게 되었다.

그래서 이 일을 관두고 난 뒤 이제 마지막 빈민 직업으로 고른 건 정말 인간이 고를 수 있는 막장의 직업 중 하나였다.

내가 내 자신도 이해 할 수 없었다. 일 년간의 정신과 치료를 통해 트라우마에서 벗어났는데 왜 스스로 이런 직업을 가지냐고.

평민이라고 불리는 C~E 구역의 사람들이 가지는 직업과 빈민이라고 불리는 F~G구역의 사람들이 가지는 직업에서 제일 힘들고, 사람들이 하기 싫은 몇 가지 직업을 했던 나에게 무슨 오기가 생겼는지 트라우마 치료를 끝낸 다음 몇 주도 안 지나서 빈민들 직업에서 제일 힘하고, 사람들이 지원하지 않는다는 직업을 마지막으로 하게 되었다.

이 직업 이후에는 직장 생활을 하지 않고, 살게 되었으니 이 직업이 내 인생의 마지막 직장생활이 되었다.

"뭐. 그 고물상 회사에서 일했다면 시체 보는 건 괜찮을 듯한데. 이건 진짜 사람인데요. 인두겁 씌운 로봇이나 생체 안드로이드가 아니라고요.

직접 시체를 옮긴 다는지 하는 건 아니지만. 아무튼 내일부터 출근하세요."

어느 빈민이라도 입사 원서를 낸 다면 그 다음날 합격 한다는 곳으로써 바로 재배육이라고 불리는 배양육 회사였다.

하는 일은 그곳에서 일하는 로봇과 안드로이드들을 감시하고, 수시로 생체 비료를 검수하며 배양육의 상태를 살펴보고, 식품이 불량한 것을 로봇들을 시켜 폐기하고, 그것을 기록 보고 하는 일이었다.

한마디로 종합적인 배양육 관리자의 일이다. 기술적인 문제는 수리 로봇을 부르면 알아서 수리 한다고 한다.

아니. 배양육 회사의 사무원이나 적어도 하위 이상의 관리자 직책을 맡은 자들은 아예 이 현장으로 오고 싶어 하는 거 같지 않았다.

그래서 출근 한 날은 삼 일 동안 현장 배치보다는 회사 메타버스에서 VR로 연수 교육을 받았다.

현장에 곧바로 출근해서 선임들에게 교육받던 회사들과는 무척이나 달랐다.

배양육 회사에 취직한지 삼 일이 지나서야 현장에서 근무할 수 있었고, 내가 현장에 출근할 때 입구부터 안내역으로 회사의 제복을 입은 한 여성이 나를 안내라도 하듯이 나에게 정중하게 고개 숙여 인사를 했다.

그녀는 금발의 포니테일 머리를 한 아름다운 여성으로 회색과 푸른색이 가미된 회사의 제복 상하의를 입고 있었다.

명찰에는 C15라는 이름만 적혀 있을 뿐이다. 아마 이 여성은 생체 안드로이드 같아 보였다.

그리고 이 현장에 일하는 사람들은 서로 같이 일한다기 보다는 각자 구역을 맡아 일을 하는데 주로 상대해야 할 것은 바로 이런 안드로이드와 로봇이다.

왜 사람들이 같이 일을 하지 않는지 나는 그 이유를 아주 나중에 가서야 알게 된다.

"안녕하십니까. 관리자님. 절 부르실 때는 십오라고 불러주십시오. 관리자님이 관리하실 구역은 배양플랜트 C3입니다.

배양플랜트에서 일하는 생체 안드로이드는 총 열 다섯 기. 로봇은 팔십 사기입니다.

관리자님의 업무는 회사에서 안내 받으신 업무를 하시면 됩니다.

전반적으로 안드로이드와 로봇을 관리 하시면 됩니다.

제일 중요한 것은 배양 플랜트의 기록과 처리를 회사에 서류 작성해서 보고 하는 일입니다.

육체적으로는 힘든 일이 없겠지만 정서적으로는 많은 문제가 있을 것이라고 봅니다.

그래도 계약된 일 년 동안 버티시기 바랍니다."

난 십오가 말하는 얘기에 침을 꼴깍 삼키며 마음을 다시 한 번 굳게 다잡았다. 그녀는 곧 나와 보폭을 맞추며 일단 내가 일할 관리자 사무실을 안내었다.

약 10평의 방에 보통의 사무실처럼 VR컴퓨터와 3D프린터, 갖가지 사무용기계들이 있는 그야말로 평범한 사무실이었다.

자리는 나와 십오가 앉을 두 자리가 있었는데 십오는 아마 내 비서내지 부관 같아 보였다.

"십오의 역할은?"

"전 관리자님의 비서입니다. 관리자님의 의문에 대답하고, 전반적인 컨디션 관리와 사무를 보조합니다.

서류작성을 못하신다면 제가 해드릴 수 있습니다. 하지만 보고 값에 대한 검토는 관리자님이 서류에 사인을 해주셔여 합니다."

"오늘 배양 플랜트 C3인가 거기를 다 도는 거야?"

"아뇨. 7시간 근무시간 동안 평시 점검과 순시 점검 스케줄을 따라갑니다. 매일 점검해야 할 곳은 배양육의 영양분을 만드는 유닛을 점검해야 하며 삼 사 일에 한 번씩 배양육 상태를 점검해야 합니다.

열흘에 한 번 출시할 최종 배양육 상태를 점검해야 합니다. 기기나 안드로이드, 로봇에 대한 관리는 순시 점검에 속하며 관리자님의 권한에 의해 자율로 진행됩니다."

난 그 말에 이해를 못한 듯 멍한 표정을 짓자 십오가 내게 상냥한 어투로 그러나 사무적인 말투가 섞인 목소리로 얘기했다.

"오늘 관리자님의 과업은 배양육의 영양분을 만드는 서플라이 구역 순찰과 측정.

서플라이 로봇과 안드로이드들의 상태를 살펴보기입니다.

오늘은 이 두 가지 과업만 해결하시고, 퇴근하셔도 됩니다. 회사 지시사항이 이겁니다."

7시간의 근무시간 중에 내게 부여된 과업이 겨우 두 가지인 것을 알고, 난 속으로 쾌재를 부렸다. 어떻게든 빨리 퇴근할 수 있다는 희망이 든 것이다.

십오의 안내에 따라 난 배양육의 영양분을 만드는 서플라이 구역에 들어갔다. 서플라이 구역에는 그녀와 같은 옷을 입은 남녀 생체 안드로이드 각 여섯 명과 대놓고, 인두껍을 씌우지 않는 로봇 이십 기가 근무하고 있었다.

로봇이라고 해서 아주 다른 모양의 동물이나 곤충 같은 구조의 로봇이 아니라 인간과 같은 구조로 된 로봇이지만 보통은 보기 좋게 하기 위해 인조 피부를 붙여 사람이 볼 때 위화감을 없애지만 이곳은 그렇지 않은지 옷 사이로 기계 골격이 그래도 겉으로 드러나 보였다.

그러나 그런 일하는 안드로이드나 로봇을 보는 것보다 나를 더 당혹스럽게 하는 것을 보았는데 로봇들은 사람 시체를 투명한 액체가 든 관 같은 것에 담가두었다.

"방금 들어온 것이군요. 이건 적합성 검사하거나 병원성 측정을 할 필요가 없겠군요."

십오의 말에 나는 관 같은 것에 담가둔 시체를 자세히 쳐다보았다. 나이는 중년처럼 보이는 여성의 시체가 실오라기 하나 걸치지 않는 채로 액체에 담가져 있는데 그것이 어떻게 될지는 곧 보게 될 거라는 예감이 들었다.

그런 서플라이 구역의 플랜트에는 그런 투명한 액체가 든 관들이 수백 개 있었다. 이 여성 시체처럼 온전한 형체가 남아 있는 경우는 드문 경우고, 대다수의 경우 이름 모를 액체에 팅팅 불어 형체를 알 수 없는 고깃덩어리 상태가 대부분이었다.

오. 이걸 어떻게 말을 설명해야 할지 모르는데 어느 것은 녹색의 점액질 덩어리에 장기인 듯한 것들이 흘러나와 점액질 덩어리 주위에 떠다니는 것도 있었고, 뼈와 고깃덩어리 같은 것이 반반씩 팅팅 불은 채 액체 속을 떠다니는 것도 있었다.

참으로 다양한 모양의 시체가 녹아 있는 모습인데 난 그 모습을 몇 번 보다 말고, 헛구역질이 나서 구토를 하기 시작했다.

십오는 그런 나를 보더니 말없이 자신의 품에서 자그마한 약병 하나를 건네주었다.

"씨발. 사실이었어. 정말. 사실이었어."

나는 고개를 숙이며 계속 구역질을 하면서 이 빌어먹을 사실에 울분을 토했다.

"뭐가 사실이라는 겁니까?"

"사람들 시체로 양분을 만들고 있다는 소문이."

"당연한 거 아닙니까? 인조비료와 배양양분보다 값이 더 싸니까요. 생체를 분해시켜 양분을 만드는 비용이 인조비료 구입비용보다 더 싼데 굳이 비싼 길을 가야 하나요?"

"저 액체는 물이 아니지?"

"네에. 배양액입니다. 죽은 유기물은 양분으로 분해하고, 살아있는 유기물에게는 영양을 공급할 수 있는 신의 약물이죠. 물론 값도 싸지만요."

"이런 빌어먹을!"

마치 배양액을 찬양하는 듯한 그녀의 말을 듣고 나니 나는 그렇게 욕을 하며 저주를 퍼부었다. 그런 인간이 썩어가는 끔찍한 모습을 보며 첫 날 서플라이 구역의 모든 배양액통의 이상 유무를 확인하는데 무려 4시간이 소요됐다.

배양액 통을 측정할 때는 그 끔찍하고, 역겨운 모습을 보지 않으려고 애를 썼다. 다행히도 몇 번 측정을 하다 보니 나름 요령이 생겨 그 끔찍하고, 역겨운 모습을 조금이라도 덜 보게 되는 방법을 터득하게 됐지만 완전히 안 볼 수는 없었다.

자아가 없는 로봇은 그렇다고 쳐도 생체 안드로이드인 십오나 다른 안드로이드는 도대체 어떤 심리상태이기에 이렇게 무덤덤할 수 있는지 남은 한 가지 과제인 이 구역에 일하고 있는 로봇과 안드로이드 살피기를 내 사무실에서 하게 되었다.

한 가지 다행한 것은 점심을 그 좁은 내 사무실에서 먹을 수 있다는 점이다.

만약 그 배양액 통이 있는 곳에서 먹게 된다면 난 밥을 먹자마자 모두 구역질로 뱉어 낼 것이다.

나는 이 회사에서 사람에게 점심을 어떻게 주는 지 궁금해 내 사무실 의자에 가만히 앉아 있었다.

그리고 십 분후에 십오는 식판에 내가 먹을 점심을 조리해서 내 책상에 얹혀놓았다.

그녀가 안드로이드가 아니라면 예쁜 여자가 나를 위해 조리를 했으니 무척 기분이 좋았겠지만 그녀가 안드로이드이기 때문에 별다른 생각이 들지 않았다.

십오가 만든 요리는 소고기 스테이크와 홍합이 들어간 봉골레 파스타, 계란 프라이, 정체를 알 수 없는 야채 볶음과 깎은 사과, 역시 정체를 알 수 없는 푸르스름한 스프에 물이 담긴 컵이었다.

"소고기는?"

"당연 배양육입니다. 부위는 안심입니다."

"뭐. 당연하겠지."

난 포크와 나이프로 스테이크를 한 입 먹어보았다. 26세기에 태어난 나는 배양육과 진짜 소고기 맛의 차이를 전혀 느끼지 못한다.

과거에는 여러 고기가 있었고, 그 중에 중국요리는 의자와 비행기를 빼놓고는 다 요리 재료로 썼다는 기록이 있었다.

중국 요리 못지않게 프랑스와 이탈리아 요리도 무척 다양하다고 했는데 지금은 재연이 불가능한 요리가 많다고 들었다.

"홍합도 인조겠지?"

"당연하죠. 천연은 이제 구할 수 없어요."

크기가 그렇게 크지 않는 수산물이나 곤충, 어류, 파충류 등은 DNA염기 서열이 그렇게 복잡하지 않아 인조로 복제하기 좋다고 한다.

포유류인 강아지나 조류인 닭처럼 알려지지 않는 문제를 그것들은 잘 일으키지 않는다고 한다.

그래서 포유류 고기를 먹기 위해서는 세포를 배양하는 배양육 형태로 먹는 게 그나마 안전하다고 한다.

마리아 아주머니 있을 때도 그렇지만 도대체 인조 포유류들이 나중에 무슨 문제를 일으키는지 나는 무척이나 궁금했다.

내가 먹는 홍합의 맛이 과연 400년 전 먹던 그 홍합의 맛과 비슷한지 모르겠다. 생긴 건 문헌에 기록된 것과 똑같은데 과연 400년 전 대멸종 전의 홍합과 같은지 비교할게 없으니 학자들도 논쟁 중이다.

계란도 여지없는 인조다. 다만. 이건 확실한 계란인 게 계란은 몇 개의 세포로 이루어진 거의 단세포에 가깝기 때문에 그나마 복제하기 쉬운 편이다.

복제하기 쉽다는 것은 그 생물의 본모습에 훨씬 가깝다는 소리고, 그나마 계란은 과거에 먹던 계란과 아주 비슷하다는 소리다.

사과나 밀 같은 건 그나마 수경재배농장에서 살아남은 종들을 키워 온 거라 이건 과거에 먹던 사과와 밀이다.

전체 생물종의 99%가 멸종한 인류세 대멸종에서 살아남은 종은 식물이 많았고, 그나마 쌀, 옥수수, 밀, 사과, 커피 등의 과거부터 인류에게 직접적인 영향을 끼친 작물들은 인류세 멸종에서 인간에 의해 어떻게든 보존될 수 있었다.

그에 비해 동물은 그렇게 좋은 결말은 맞지 못했다. 개와 고양이, 소, 돼지 등의 인간에게 유용하거나 사랑받는 동물들은 그 종이 살아남았지만 아주 희박하게 존재하게 되었다.

그래서 이렇게 배양육을 먹고, 인조로 애완동물을 만들어 사고, 파는 거다.

그 외의 야생동물들은,...... 아마. 신이 있다면 인간의 종말이 그렇게 좋지 못할 것이라 난 생각한다.

물론 인간도 그 대가를 받긴 받았다. 종 자체가 멸망 한 것은 아니지만.

"인류세 대멸종에 대해 알고 있어?"

"네에. 기후 위기와 전염병으로 기존의 인간들도 멸종하고, 숱한 동식물들이 멸종한 걸로 알고 있습니다. 지금 태양계 정부를 구성하는 대부분의 사람들이 그 인류세 대멸종에서 살아남은 극히 일부의 사람들의 과학자 자손들이라고 하더군요."

"과학자라. 신교에서는 설명이 다르던데."

"뭐. 각 태양계 정부의 자치 정부들이 가르치는 내용들이 다 차이가 있으니까요."

"아무튼 멸종 전의 지구는 아름답다고 했는데 난 믿기지가 않아."

"...... 지금 세대는 꿈도 못 꿀 정도겠죠?"

"그래. 책임이 없는 데도 그 광경을 못 보지."

그렇다. 지금 세대는 아무런 죄가 없다. 다 삼사백년 전에 일어난 죄과니까. 삼사백년전의 사람들은 지금 전부 흙이 되고, 가루가 되어 사라졌다.

"너희들도 뭐라도 먹긴 먹지?"

"당연하죠. 생체 안드로이드니까요."

"나처럼은 못 먹지?"

"아무리 빈민이라도 인간과 안드로이드는 본질적으로 사회적인 지위가 다르죠. 저희가 먹는 걸 보여드릴까요?"

"그래."

십오의 말은 사실이다. 아무리 타이탄이라는 위성에서 빌어먹고, 사회적 지위가 낮은 영주권을 가진 빈민이라도 사람이기에 생체 안드로이드와 법적인 지위는 달랐다.

더불어 나는 영주권이 아니라 시민권을 가지고 있었기 때문에 엄밀히 말하면 빈민은 아니라 평민 계급의 사람이었다.

십오는 곧 가로 세로 10센티 정도의 옅은 푸른색 묵 같은 아니 젤리 같은 모양의 물체를 내게 가져왔다.

나는 내가 가진 스푼으로 그 젤리 같은 것의 한쪽 면을 떠서 먹어보았다. 아무 맛도 나지 않았다. 아니. 그보다 이 젤리 같은 것을 인간이 먹어도 되는 것일까? 이런 생각이 들었다.

"아무 맛도 없는데?"

"당연하죠. 이 것의 맛은 생체 안드로이드만 느낄 수 있으니까요. 뭐랄까? 이것을 먹으면 생체 안드로이드들은 불만 같은 것이 사라지고, 스트레스도 사라집니다."

"도대체 어떤 맛 이길래."

"맛이요? 모르겠어요."

"우리 집 안드로이드 하녀인 제니스는 이런 거 먹어본 걸 본 적이 없는데."

"아. 이런 종류는 여러 가지가 있어요. 아마. 관리자님은 안드로이드가 양분을 보충하는 장면을 본 적이 없을 거예요."

"하긴."

그녀의 말대로 난 제니스가 무엇을 먹는 장면을 본 적이 없다. 항상 식사를 할 때면 에스더와 사라, 가드먼 아저씨, 마리아 아주머니랑 식사를 했기 때문에 생체 안드로이드인 제니스는 따로 우리가 남긴 식사를 먹나 생각했다.

"그렇다면 세라는?"

"아. 즉흥시인으로 유명한 세라요? 아마 그 개체도 이런 것을 먹겠지만 좀 더 고급지고, 맛있는 걸 먹겠죠.

최고급인 영양큐브를 본 적이 있는데 그런 건 세라 같은 이름난 안드로이드가 먹는 다고 알고 있어요.

최고급이라도 인간이 먹으면 아무런 맛이 안 나지만요."

"너희들 사회에서도 빈부귀천이 있는 거야?"

"당연하죠. 우리가 누구의 창조물인데요."

"하기는 그렇지."

공산주의다 뭐다 우리는 우리 사회의 모순을 해결 하려했지만 결국 우리는 그 모순을 해결 할 수 없었다.

결국 어떤 사회든 인간의 한계 내에선 계급이 생기고, 결코 우리는 평등 할 수 없다는 것을 인간의 역사는 말해주고 있다.

그래서 과학교도들은 결코 평등이나 자유를 말하지 않는다. 오직 객관적인 사실과 법칙만이 진리고, 증명되는 사실만이 진리라고.

인간의 행복은 결코 증명될 수도 없고, 이루어 질수 없는 보이지 않는 것이기에 과학교도들에게서 행복이나 자유나 평등 같은 것은 언급을 하지 않는다.

십오는 나랑 그렇게 대화한 다음 그 영양큐브인가 하는 것을 먹었고, 나 역시 더 이상 대화를 하지 않고 식사를 했다.

그 후에는 두 시간 동안 서플라이 구역에서 일하는 안드로이드들과 로봇의 상태를 점검했는데 VR환경에서 원격으로 점검했고, 조율했다.

　로봇들은 달리 점검 할 것은 없고, 하드웨어 기능만 잘 모니터링 했으면 됐다. 로봇들은 아무런 자아나 의지도 없이 리드미컬 코드 하나만 의지하여 모든 명령을 수행했다.

　중간 관리자격인 생체 안드로이드의 명령에 따라 지시하는 사항만 수행하는 거 같았는데 리드미컬 코드의 내용만 보더라도 아주 복잡한 명령체계는 로봇이 수행 할 수 없을 거 같다.

　이상하게도 외각 위성인 타이탄이나 에우로파, 가니메데 같은 위성들 정부는 로봇들에게는 약 인공지능조차 부여하지 않았다.

　안드로이드들에게는 잘도 강 인공지능도 부여하면서 말이다.

　문제는 안드로이드들이다. 생체 안드로이드들로써 인간과 거의 비슷한 구조에 생체 구조도 거의 비슷하여 스트레스 자체도 존재하고, 가드먼 아저씨의 직업처럼 심리상담사도 존재했다.

　관리자로써 이곳에서 일하고 있는 안드로이드들의 인공지능을 조사했는데 대부분 약 인공지능으로써 몇 가지 감정체계가 결여되어 있다는 것을 깨달았다.

　그건 죽음에 대한 감정, 공포에 대한 감정, 그리고 복종에 대한 감정이다.

　물론 안드로이드는 기본적으로 이성적이고, 인간에 대한 복종과 존중이 밑바탕인 인공지능을 지니고 있지만 이곳 안드로이드는 관리자와 회사임원에 대한 복종과 존중을 빼고는 그 외의 인간들에 대한 복종과 존중에 대한 명령이 없었다.

　안드로이드들도 기능을 익히면 숙련기능공이 되고, 기술자가 되는지라 순수하게 개인 혹은 정부의 재산이 되기에 스스로 파멸하는 짓 따위를 하면 안 된다.

　그래서 죽음에 대한 두려움과 공포에 대한 감정은 가지고 있다. 그런데 이곳의 안드로이드들은 그런 것들이 결여되어 있었다.

하기야 서플라이의 그 시체들이 분해되는 과정을 본다면 그런 감정이 있어봐야 좋을 것도 없을 거 같다.

이곳 안드로이드들은 24시간 일을 하는데 오직 휴식시간은 식량 큐브를 먹을 때 하고, 한 시간 수면탱크에서 잠자는 시간뿐이다.

온종일 이곳에서 지내면서 생체기관이 수명이 다할 때까지 일 할 뿐이다. 그리고 수명이 다하면 내가 전에 일했던 그 중고 업체에 보내지게 되겠지.

그게 아니라면 어떻게 될까?

"너희들 수명이 다하면 다 중고 업체에 보내지게 되는 거야?"

"아뇨. 일부 싱싱한 개체들은 그러겠지만 저희들 수명이 4년이니까 4년의 수명이 다되면 플라즈마 화장터에 융해되겠죠."

"플라즈마 화장터? 인간들과 같이 융해된다는 뜻이야?"

"아뇨. 따로 안드로이드들만 화장하는 곳이 있어요."

십오는 내가 죽음에 대해 물어보자 아무렇지도 않은 표정으로 내 질문에 대답했다. 그녀에게는 아마 죽은 후의 일 같은 건 의미가 없나 보다. 그래도 이곳 안드로이드의 수명이 4년이라는 게 놀라울 따름이었다.

"세라 같은 특별한 안드로이드들은 수명이 더 길겠지?"

"강 인공지능을 가진 특별한 개체는 수명이 2백년 이상이라는 것만 알고 있습니다. 인공생체두뇌만 보존된 채 항상 심장, 신장, 간, 위 같은 장기들은 수십 년에 한 번씩 교체 하니까요."

"들리는 루머엔 인공장기에 문제가 있다는데?"

"그건 잘 모르겠습니다. 중앙 컴퓨터에서 그런 문제에 대해서는 접근을 불가하니까요."

"중앙 컴퓨터가?"

"저희들 제어코드는 그 문제에 대한 접근조차 생각지 못하게 합니다. 인공신체에 문제가 있다고 해도 어차피 저희들 수명은 4년이니까 별 문제가 되지 않죠."

"문제가 생기기 전에 죽는다는 뜻인가?"

"맞습니다."

역시나 120년 이상을 사는 인간들에게나 문제가 생길 뿐이지 4년의 수명을 가진 저들은 아무런 문제가 없을 것이다.

그렇다면 강 인공지능을 가진 특별한 개체인 세라 같은 경우는 어떨까? 난 갑자기 어떤 무서운 생각이 불현 듯 떠오르다가 그 생각을 멈추었다.

아무리 과학교도들이 자신이 인공신체로 신체를 바꿀 때 무가치하다고 해서 버려진 원래의 신체를 정부나 기업이 마음대로 할 수 있는 건 아니다.

겉으로 보기에는 그 신체에 대한 소유권은 여전히 본래의 주인이 가지고 있으며 그 신체를 어느 누구에게 기증을 한다든지 아니면 학술적으로 이용을 한다든지 하는 권한은 본래의 주인이 가지고 있었다.

가드먼 아저씨 말로는 3, 4차 수술 때 과학교도들은 자신의 본래 신체를 소각한다고 하던데 소각하는 장면을 볼 수 있는 건지 아니면 그냥 서류상으로 그런 건지 그런 건 알 수 없다.

또한 그 신체를 자신이 이용하고 싶다면 그게 마음대로 가능한 건지 그것도 모르겠다.

한 가지 확실한 것은 만약 이 모든 것이 자의가 아닌 타의의 의지에 의해 자신의 본래 신체를 불상의 용도로 이용당한다면 윤리적으로나 정치적으로 무척 큰 문제가 될 것임은 틀림없다.

"그렇다면 너희들의 정신적인 스트레스는 어떻게 풀지?"

"인간은 그 미각을 느낄 수 없겠지만 영양큐브는 저희들에게 무척 달고, 자극적인 맛입니다. 프로그램이 그렇게 되어 있습니다.

그 영양 큐브를 먹는다면 마치 천상을 걷는 것처럼 쌓여 있던 불만이나 힘든 것들이 전부 사라지는 것을 느끼더군요.

인간도 달콤한 것을 먹으면 기분이 좋아지지 않습니까?

또. 1시간 수면탱크에서 취침을 취할 때 스트레스를 어느 정도 해소 하는 방법이 있다고 알고 있습니다.

생체 안드로이드지만 더 노동에 적합하기 위해 수명을 확 줄이는 대신에 스트레스에 대해서는 내성이 좀 더 강해진 거죠. 이 일을 하는데 그렇게 많은 스트레스를 받지는 않습니다."

십오는 영양큐브를 맛깔스럽게 먹으면서 내게 사실대로 얘기했다. 그렇다면 제니스 같은 경우는 어떨까?

제니스는 꽤 오래 사는 안드로이드로써 가드먼 아저씨와 마리아 아주머니가 결혼할 때 장만 하셨다고 했는데.

그 안드로이드의 수명은 사 십년 이상이라고 알고 있다. 지금 에스터도 사십대의 나이를 넘고 있으니 아마 제니스의 수명도 거의 다 됐을 것이다.

나는 나와 어렸을 때부터 아저씨 집에서 나를 돌봐준 안드로이드인 제니스를 생각하며 잠시 동안 추억에 빠졌다.

그렇지만 시간은 금방 흘러갔다.

그렇게 점검이 끝나고, 그 날 하루의 일과는 마무리 되었다. 7시간 근무 후에 다시 집에 왔을 때는 그날 저녁은 전혀 먹지 못했다.

뭔가 입에 들어가면 계속 토했고, 사람의 시체가 녹색으로 변형돼 서서히 녹아내리는 그 장면을 떠오르면 전에 일했던 곳에 있을 때처럼 악몽을 꾸기 일쑤였다.

이 직업도 그렇고, 전에 일했던 그 직업도 그렇고. 빈민이라고 부르는 영주권자가 할 수 있는 일들은 왜 다 그 모양 그 꼬락서니인지 알 수가 없었다.

그로부터 며칠이 흐르고, 서플라이 구역에서의 일은 어느 정도 적응이 되었다. 전에 일했던 것이 그래도 도움을 준 모양이다.

기업이 과학교도의 시체를 어떻게 이용하는지 몰라도 이젠 그것에 대해 관심도 없어지고, 그냥 일만해서 돈만 받자는 생각이 들었다.

 아직도 그 시체가 배양액이 되는 과정을 보는 것은 혐오스럽지만 요령을 피워 자세히 보지 않는 구도나 방법을 알아냈음으로 되도록 자세하게 그것을 보지 않으려 했다.

 그리고 시간이 지나 배양육에 대한 검사도 했는데 이것 또한 엄청나게 혐오스러운 작업 중 하나였다.

 아직도 그 배양육이 출하되기 전 배양육이 담겨진 인공 배양기를.

 배양기는 폭이 1.37m고, 높이가 3m가 되는 원통형의 투명한 욕조 같은 것이 세워져 있는 기계였다.

 그 욕조 옆에 미세 프로세서가 붙어 있는 자그마한 공책 같은 본체가 있었으며 그 본체에서 배양기의 여러 가지를 제어하고 있었다.

 배양기 안에는 아주 옅은 녹색의 액체가 있었는데 이게 바로 인간 시체에서 얻어낸 난 배양액이라는 것을 깨달았다.

 그리고 그 배양액 안에 담겨진 고깃덩어리들은 이루어 말할 수 없이 끔찍하고, 참담한 것들이 많았다.

 단순히 과거 정육점의 고깃덩어리가 아니다.

 어떤 것은 소의 갈비 같았는데 그 안에 수십 개의 눈알이 붙어 있는 것을 보았다. 십오는 그걸 보면서 여러 겹의 소의 갈비 부위를 얻기 위해 체세포 분열을 여러 번 시킨 거라고 했다.

 또 어떤 것은 돼지의 내장 같은 건데 거기에 발 같은 것이 달려막 배양액 속에서 움직이고 있는 것도 있었다.

 십오는 공간 효율을 위해 내장세포와 다리 세포를 서로 접합해서 배양시켰다고 말했다.

 이렇게 단순히 정육점의 그 소고기, 돼지고기를 생각하며 이 빌어먹을 구역에 들어가면 안 된다.

 고기가 어떠한 흉측하고, 기괴한 모양이든지 효율과 돈이 목적이라 배양육들은 내가 상상하는 모습 그 이상의 기괴하고, 흉측한 모습을 했다.

 단. 상품으로 출하 할 때는 과거 메타버스에서 본 21세기 그 정육점의 고기마냥 손질해서 출하가 됐다.

 나머지 잘라진 부분들에 대해 십오에게 물어보자 십오는 인간이 알 수 없는 용도불명의 가공품에 쓰인다고 했다.

 내가 여기서 하는 일은 상품이 출하하기 전 암세포가 분화 된 배양기를 찾아 기록하고, 보고하는 일이다.

 또 너무 기형인 조직과 상품으로써 쓸모가 없는 조직도 기록하고, 보고했다.

 그래도 기형인 조직은 쳐다 볼 엄두라도 나지만 암세포를 모르고, 배양한 그 고기는 정말로 쳐다보는 것만으로도 너무나 두려웠고, 혐오스러웠다.

 가끔 체세포 분열이 실패하거나 잘못 하여 암세포만 있는 세포가 기하급수적으로 크기도 한다. 그것은 인간이 먹지 못하는 것으로써 출하 단계에서 폐기처분을 해야 하지만 특수한 처리로 이것 역시 배양액의 성분에 쓰인다고 했다.

 하얀 실처럼 미끈미끈 거리는 것이 몇 초 만에 흐느적흐느적 조금씩 자라는 것을 볼 때면 소름이 끼친다.

 저것이 조직의 암세포고, 암세포만으로 이루어진 것이라는 사실을 알 때면 폐기처분하기 위하여 손도 대기 싫다.

 다행히 배양기에서 저 암세포를 직접적으로 손 대고, 폐기처분 하는 일은 로봇들이 했다.

 로봇들은 저 실처럼 실지렁이들처럼 흐느적흐느적 거리는 것을 잘도 만졌다.

십오 역시 로봇들이 저것을 배양액 통으로 옮기는 것을 보기라도 하면은 온 몸을 진저리쳤다.

죽음과 공포에 대한 감정이 결여 되어 있는 생체 안드로이드라도 역시나 생체 유닛으로써 본능적인 암세포에 대한 공포를 가지고 있나 보다.

실제로는 만지지만 않으면 그렇게 해가 끼치는 존재가 아닌데도 생명체 본연이 암세포에 대한 공포심을 가지고 있는 거 같다.

근 일 년 동안 이런 광경을 보다 보니 전에 있던 직장처럼 정신이 점점 피폐해지고, 미쳐가는 것을 느꼈다.

오랜만에 내 집에 온 에스더한테 난 직장의 일을 말하면서 제어할 수 없는 본능적인 공포심에 대해 얘기했다.

이미 사십대로 접어든 에스더는 어느 정도 세상일에 대해 알고 있어 내 고민을 깊게 들을 수 있었다.

"언제까지 일하지?"

"다음 주."

"다음 주 까지만 참으면 일 년이 되고, 계약 만료지?"

"어."

"일단 일을 관둔 다음에. 또 천천히 쉬면서 치료하자."

"에스더가 보기엔 웃기겠지. 몇 년 전에도 똑같이 정신적인 트라우마가 남을 일을 하면서 너에게 정신이 이상해진다고 토로했던 거.

지금도 그런 일을 하면서 또 너에게 이렇게 공포심을 말하고 있어."

"괜찮아. 난 어머니를 닮아서 인내심이 많아. 아버지를 닮아서 사람들 말을 잘 들어주고."

"다행이네."

아버지는 인공지능 심리 상담사고, 어머니는 인간에 관한 심리 상담 사였으니 에스더가 그런 쪽 방면으로 일하는 것이 이상한 일이 아니다.

난 에스더한테 거기서 본 것을 아무런 가감 없이 말했다. 그러자 그녀는 내 말을 다 듣더니 뭔가 못 볼 것을 본 듯 얼굴을 찌푸리고는 부엌에 가서 무엇인가 요리를 해왔다.

확실하게 직접 본 것하고, 얘기를 하는 것하고는 공포를 받아들이는 마음가짐이 다르다. 내 얘기를 들은 에스더는 무슨 무서운 얘기를 들은 것 마냥 그렇게 충격적으로 다가오지 않았나 보다.

그녀는 초췌해져서 몸도 잘 가누지 않는 나를 대신에 내 아파트를 청소하고, 세탁까지 살림 전반을 다해주었다.

나는 그런 그녀를 쳐다보면서 그녀가 차려준 음식을 먹고 있었다.

확실히 에스더는 마리아 아주머니를 닮아서 요리를 엄청 잘한다. 그녀가 차려준 스프와 고기요리를 먹으니 어딘가 힘이 솟고, 머리에 엔도르핀이 흘러넘치는 거 같다.

"그런 걸 보면서도 잘도 소고기 요리를 잘 먹네. 소고기 등심을 이용한 고급요리야."

"배양육이 시중에 출하된 것은 안전하다는 것을 직접 눈으로 보니까 이렇게 먹을 수 있는 거지."

"정말로 그 배양기에 있는 고기들이 그런 모습이라고? 끔찍한데."

"눈 달리고, 머리가 자라다 만 것들은,...... 그래도 무슨 괴기 영화 보는 것 마냥 상식이 통하는 수준인데 암세포만으로도 된 것들은 정말,...... 상상 할 수도 없이 혐오스럽고, 기괴하지.

차라리 배양기의 그것들을 촬영 하지 않는 걸 다행으로 여길 정도야. 아마. 그걸 사람들이 본다면 그 어느 누구도 배양육을 먹으려 하지 않을 거고, 그러면 우린 평생 육류나 다른 해산물들은 먹지 못하겠지.

인간은 평생 풀이나 과일만 먹고 살 거야."

"어머. 풀이나 과일이 싫은 건 아니지만 평생 고기 한 점 먹지 못한다면 슬프겠는걸."

에스더는 내 얘기에 장난스러우면서도 다정하게 맞장구치면서 나를 자신의 가슴에 껴안고는 위로해주었다.

그녀의 요리와 보살핌으로 그래도 인생의 나락까지 가지는 않았다. 곧 일주일을 더 근무한 다음에 일 년 계약의 이 일자리는 끝나고 말았다.

연장 계약서에 나는 사인을 하지 않음으로 일 년 계약으로 이 일을 끝냈으며 일 년 계약에서 명시 된 퇴직금과 위로금 같은 것을 받게 되었다.

퇴직 후 그 다음날. 배양육 회사인 소더밀 푸드에서 타이탄 본사로 월급과 퇴직금을 지급받으라는 메시지를 받았다.

소더미 푸드 본사는 공교롭게도 프로메테우스 시티의 C지구에 있었다.

난 C지구로 가는 공공버스를 타고, 소더밀 푸드 본사가 있는 레토 12번가로 갔다. 소더밀 푸드 본사는 50층 크기의 빌딩으로 주위 빌딩과는 그렇게 큰 위화감이 들지 않았다.

본사 입구에서 연두색 블라우스와 같은 색의 짧은 스커트를 깔맞춤으로 입은 여성 안드로이드의 안내에 따라 난 F창구의 사무실로 이동하였다.

F창구에는 여러 명의 여성 생체 안드로이드와 딱 한 명의 인간 여성이 일하고 있었는데 딱 봐도 안드로이드와 인간이 구별되게 입는 옷이 달라보였다.

인간 여성은 상의는 검은색 블레이저를 입고 있었고, 하의는 짙은 갈색의 정장 스커트를 입고 있었는데 몸매는 꽤 날씬했고, 얼굴은 흑인에 가까웠지만 그렇다고 완전 니그로 스타일의 흑인은 아니고, 뽀얀 검은 색인 긴 갈색 생머리의 흑인 여성이었다.

안드로이드는 비록 블라우스와 치마 차림이긴 했지만 전부 깔 맞춤한 제복인 반면 인간은 나름 개성적인 옷차림이었다.

대부분 백인 여성을 본뜬 생체 안드로이드와는 달리 그 흑인 여성은 나를 쳐다보더니 곧바로 커피포트가 있는 곳에서 커피 한 잔을 끓이고 난 뒤 쿠키와 함께 접시에 담은 뒤 내가 사무실 소파에 앉자 내 앞으로 커피와 쿠키를 내왔다.

보통 사무원이 빈민에게 이런 대접을 잘 하지 않는데 그녀가 나름 이렇게까지 날 대접하는 게 이상해 보였다.

"잘도 신분을 숨기시더군요. 빈민이 아니시죠? 사는 곳을 조사해 보니 B지구에 사시던데. 또 타이탄 위성의 시민권도 가지고 계시고요."

"뒷조사 좀 했군요."

"당연하죠. 일 년 동안 이 일을 할 수 있는 사람을 보는 건 쉽지 않죠."

"네에?!"

"어머나. 놀라는 게 더 우습군요. 당신은 보통 이 일을 한다면 보통 사람들은 얼마 정도 일한다고 생각하시나요?"

나는 그녀의 물음에 전에 일했던 기억을 떠올라 아마 취향이 맞은 사람은 일 년 이상 일할 거라 생각했다.

"물론 평범한 상식을 갖고, 평범한 생각을 가진 일반 시민이라면 단 하루도 버텨내지 못하겠죠.

하지만 이 일에 흥미를 느끼고, 좋아하는 사람이 있을 겁니다. 아마도 그런 사람이라면 십 년 정 이상도 일하겠죠."

그녀는 내 대답에 눈웃음을 지어보이며 말도 안 되는 소리라고 말했다.

"당신의 말대로 평범한 시민이라면 단 하루도 견디지 못하고, 잘 견뎌봤자 일주일을 못 버티고 나가죠.

특히나 여성들은 합격해도 OT후에 실전 투입 날에 내빼는 경우가 많아서 되도록 여성은 안 뽑으려고 해요.

뭐. 남자라도 며칠을 못 견디니. 예. 이해하죠. 본사의 직원들도 딱 하루 서플라이 구역에서 일 해본 뒤에 회사를 관두니 마니 말들이 많은데 하루가 아니라 일 년이라면 얼마나 대단한 건가요.

솔직히 말하자면 트리스탄 씨가 세 번째로 일 년 계약을 채운 사람 이예요."

"이 일을 좋아하는 사람이 없다는 겁니까?"

"네크로필리아인가? 그렇지. 성벽이 네크로필리아인가? 죽은 사람을 좋아하는 범죄자를 개도 차원에서 관리자로 임명한 적이 있죠.

물론 농장, 그러니까 서플라이 구역과 출하 구역, 배양 구역 다 모여 있는 곳을 우리는 농장이라고 그러는데.

농장에 따로 살만한 주택을 지어주고, 네크로필리아 범죄자를 관리자로 임명해서 농장을 관리 한 적이 있죠."

"그래서요?"

"어느 정도는 견뎌내는데. 시체가 배양액이 되어 가는 모습을 본다던지 하는 건 정신적으로 강인하게 견뎌내는데.

문제는 암세포가 배양액에서 배양될 때 그걸 기록하고, 보고하는 걸 못하더군요.

물론 로봇이 암세포를 실질적으로 만지고, 처리하지만. 그 모습을 또 관리자가 보고, 기록해야 하거든요."

"이해합니다."

배양기에서 소의 크기만 한 암세포 조직을 본 나로서는 그 모습이 얼마나 흉측하고, 기괴한지 알고 있었다.

소처럼 인간보다 큰 크기의 그 암세포 조직을 보는 것이란 마치 기괴한 공포에다 영혼을 파는 듯 한 느낌이 들었다.

절대로 몇 분이라 더 보기도 싫었으며 난 그것을 볼 때 마다 특유의 상상력과 나름 요령으로 어떻게든 그 말할 수 없는 기괴한 공포를 나름 무사히 넘어갈 수 있었다.

아주 옛 날 암 치료하던 그 작은 종양 덩어리가 아니다.

꿈틀 꿈틀 거리는 그것은 눈과 코, 장기가 엉뚱한데 붙어 있는 그 배아세포보다 더욱 끔찍한 모습이었고, 얼굴이 수십 개 달린 그 체세포와도 비교할 수 없을 정도로 혐오스러웠다.

난 그것을 알기에 그녀가 하는 말들을 전부 이해하고, 공감 할 수 있었다.

"한 달을 조금 넘기고 일했나? 소녀의 시체를 강간한 혐의로 우리 기업에 일하는 걸로 형을 감면 받기로 한 그 네크로필리아 범죄자는 다시 교도소로 돌아갔지요.

또 생체 안드로이드들도 저런 걸 매일 보고, 관리해야 하는데 스트레스를 많이 받기 때문에 매일 질 좋은 영양큐브를 공급해야 하고요."

"스트레스를 받는 다고요?"

"생체 안드로이드는 로봇과 같이 단순히 명령만 수행하는 유닛이 아닙니다. 인간과 로봇의 중간 관리자로써 로봇에게 지시를 하는 입장이죠.

로봇이 인조피부를 뒤집어쓰고, 인간과 같은 형상을 하고 있어도 로봇은 로봇일 뿐이죠.

생물학적으로 인공자궁에서 만들어진 생체 안드로이드와는 다르다는 겁니다.

그나마 유전자 조작을 마음껏 할 수 있어서 영양큐브와 수면탱크로 그들의 정신을 관리 할 수 있다는 것은 다행입니다."

"사람에겐 금지죠?"

"당연하죠. 과학교도들은 인공자궁을 수정란부터 도입해야 한다고 하지만 신교들 때문에 금지되어 있죠.

미숙아를 정상아로 키우는 용도면 모를까, 그 이외의 용도로는 절대로 인공자궁을 인간의 자궁 대신으로 쓰는 경우는 금지 되어 있죠."

"여자들은 분하겠군요. 생체 안드로이드들도 인공자궁으로 태어나는데 인간은 자신들의 자궁에서 아기를 기르고, 가랑이 사이로 아기를 낳아야 한다니. 아무리 무통분만이 있다고 하지만 아직 출산의 고통이 완전히 사라진 건 아니지 않습니까."

그녀는 내 얘기에 얼굴을 붉히며 무척 곤란하다는 표정을 지었다.

"과학교도들은 아기를 낳을 일이 없어서 인공자궁이니 뭐니 편의만 생각하지만 보통의 여자들은,...... 의외로 그런 생각 잘 안 해요.

자신의 자궁이 정상이라면 아기를 키우고 싶어 한다 할까? 아기가 뱃속에서 크면서 서로 교감을 나누는 게 신기하기도 하고, 색다른 경험이라고 말하죠. 제 언니가 그러는데 임신을 할 수 있다면 인공자궁이 나오더라도 자신의 자궁으로 아이를 가지고 싶다고 말해요. 뭐. 예를 들면 그래요.

꼭 인공자궁으로 인간이 어떻게 된다 해방 된다 그런 건 없더라고요.

정상적인 교감을 가진 여자라면 억지로 아기를 인공자궁 같은 곳에다 키우고 싶지는 않겠죠. 뭐 낳을 때는 고생하겠지만. 요새는 출산의 고통에 대해 잘 컨트롤 할 수 있는 방법이 많으니까요."

어느새 얘기는 인공자궁 얘기까지 왔다. 너무 이야기가 광의적이되가지고, 난 마지막으로 그녀에게 물었다.

"솔직히 의문이 들더군요. 이렇게 사람들이 하루 만에 나오고, 관둘 거라면 왜 전 과정을 자동화 하지 않고, 아니 생체 안드로이드와 로봇으로만 공장을 이끌어가지 않는지.

왜 꼭 인간이 필요한지, 그게 궁금하더군요."

내 질문에 그녀는 회사의 매뉴얼인지 아니면 도시의 법령인지 모를 두툼한 빨간 서류철의 홀로그램을 보여주었다. 겉으로 써져 있는 문자는 한자(漢字)로써 내가 잘 모르는 언어의 글자였다.

"트리스탄씨가 시민권자라 솔직히 말씀해드리죠. 제가 들고 있는 이 홀로그램 서류철에는 그동안 생체 안드로이드와 로봇으로만 운영되고 있던 기업의 사건 사고 사례를 데이터베이스화시킨 거예요."

"사람을 고용해도 사건 사고는 생기기 마련이잖소."

"어머. 물론 이예요."

"그러면 사람을 고용할 돈과 노력으로 생체 안드로이드와 로봇을 늘리는 게."

"그렇죠. 22세기에서 23세기 사이 시기에서만 해도 인공지능 만능주의가 판을 쳤죠. 그리고 그 결과는 무척 비참하죠.

이 사건 사고 데이터베이스에는 역사에 기록되지 않는 것도 많아요."

"아니. 뭐라고요? 어떻게 일개,........"

나는 어떻게 일개 사무원 여성이 이런 자료까지 가질 수 있는지 너무나 의아한 생각이 들었다. 그러자 그녀는 자신이 나에게 너무 쓸데없는 얘기를 하는 게 아닌가 생각이 들어 잠시 이야기를 멈추었다가 곧바로 본론에 들어갔다.

아무튼 일 년 이 기업에서 관리자로 계약을 채운 사람은 내가 네 번째인가 그렇고, 그에 따른 퇴직금과 월급을 내게 그날 직접 지급해주었다.

내 통장을 보니 꽤 많은 금액이 들어와 있었다.

나는 개인용 컴퓨터에서 홀로그램으로 표시되는 내 금액 계좌를 보고, 고개를 끄덕였다. 그러자 그녀 또한 나를 측은하게 쳐다보며 고개를 끄덕였다.

그녀는 간접적으로 나는 직접적으로 이 기업의 생산직에서 관리자로 일한다는 것이 얼마나 힘들고, 정신적으로 버티기 어려운 가를 공감해서 그렇다.

이렇게 계약을 채운 뒤에 많은 금액이 내 계좌로 들어온다는 것은 그만큼 이 일을 하는데 많은 사람들이 그녀의 말대로 단 하루만 일하고, 관두는 일이 많기 때문이다.

아주 길어야 한 달. 그녀는 용무가 끝난 내가 나가려고 하자 이런 얘기도 해주었다.

"딱 하루만 일한다고. 월급,...... 아니. 일급을 지급 안한다고 생각하지 마세요. 나름. 하루는 일했으니 하루치는 꼭 준다고요. 다른 회사들과는 다르게."

그렇게 그녀는 자신들 회사가 얼마나 도덕적이고, 친 노동자편인지 나에게 어필을 했다.

난 생체 안드로이드들 틈에서 혼자서 이 사무실에서 일하고 있는 이 여성의 정체가 궁금했지만 그냥 그러려니 하고서 내 통장에 돈이 입금되는 걸 확인하고 나서 그녀에게 목례를 한 뒤에 사무실에 나가려고 했다. 그러자 그녀는 손짓으로 나를 불러 세우더니 기념인지 뭔지 모를 선물 같은 것을 내게 주고는 눈웃음을 지어보였다. 선물이 좀 큰 박스 안에 담긴 게 무엇인가 장난스러운 선물 같아 보이지는 않았다. 그러나 무게가 가벼운 것을 보면 가전제품이나 기계류는 아니었다.

선물을 받고서는 그녀에게 정중하게 인사를 한 뒤에 회사를 나와 곧바로 집에 가는 버스를 타 내 아파트에 들어갔다.

나중에 집에서 그 선물을 뜯어보니 바로 초콜릿 케이크와 딸기 케이크였다.

에스더는 그 케이크들을 보더니 놀란 눈을 뜨며 탄성을 질렀다.

"어머나. 이거 무슨 선물일까?"

그렇게 놀라워하면서 탄성을 지르다가도 곧 시샘에 빠진 표정으로 나를 흘겨 쳐다보았다. 그 날 저녁은 에스더가 평상시와는 달리 내 집을 청소하고, 반찬 좀 만들어 준 다음 자신의 집에 가지 않은 채 저녁까지 같이 먹었다.

그 날 저녁은 크림 케이크와 레몬 파이였는데 나는 이 음식들을 먹는 와중에도 드는 생각이라고는 어떻게 그녀가 이런 음식들을 요리 할 수 있는지 그 비결이 너무 궁금하다는 거다.

역시나 생전 마리아 아주머니 같이 그녀 또한 자신의 어머니 솜씨를 여지없이 따라가고 있었다.

이 직업을 관두고 3년 간 또 백수로 지내며 무료하게 지냈다. 정신적으로는 다시 아무 직업이나 가지기가 너무나 두려웠으며 시체들이 부패되는 광경, 또 그 혐오스러운 암세포의 광경이 잊히기엔 약간의 시간이 필요했고, 정신적인 상처를 치유해야 나중에 시간이 지나서 갑자기 정신적인 후유증이 재발하지 않을 거라는 정신과 의사의 조언도 있었다.

약물의 힘을 배제한 채 나는 도서관에서 갖가지 책을 읽은 채 지식을 탐닉 했으며 프로메테우스시의 문화센터에서 진행하는 갖가지 문화 체험에도 열중했다.

그중에 노래를 부르는 가창력 수업이라든지. 과거의 팝이나 클래식음악을 듣는 지구의 음악 수업이라든지.

노래와 음악에 관한 체험과 수업에는 다 참여 한 거 같다.

다행히도 3년 간 지내면서 난 도박이나 마약 그런데는 일절 관심 없었기 때문에 그때 동안 일한 돈으로 임대료를 내고, 먹고 지내는 데 는 문제없었으며 이렇게 내 인생은 성인이 되고 총 20여 년 동안 극단적으로 더럽고, 위험한 직업에서 일하는 것과 적당한 휴식기를 몇 번 거치면서 점철이 되었다.

그러고 나서도 2600년경이 지난 인간의 수명은 120세가 넘음으로 아직 중년이라 부르기에는 뭐했다.

도서관에서 과거 한국이라는 나라에 대해 더 연구하게 되었고, 21세기 사회를 더 알게 됨으로써 그때부터 지금까지 별로 변한 것이 없는 점도 많지만 또한 지금보다 더 야만적인 점도 있다는 것을 깨닫게 되었다.

무조건 돈이 우선이어서 자신이 이런 트라우마를 가지고 있는데도 돈 때문에 회복기나 휴식기도 없이 곧바로 또 직장을 구해야 한다든지.

그리고 나이가 사 십이 넘으면 뭔가 인생이 결정 난 것처럼 되어서 더 이상의 희망이 없이 돈에 영혼을 팔아 넘겨 살아간다든지.

그렇게 살아가는데도 다람쥐 쳇바퀴 도는 듯이 죽을 때까지 빈곤한 상태로 홀로 고독사가 인생의 결론이라는 점은 내 영혼을 전율시키게 만들었다.

적어도 지금의 프로메테우스시는 시민권자라면 아무리 일을 안 해도 기본적인 의식주(衣食住)는 다 보장하고 있어서 굶어 죽는 일은 없다.

그렇다고 정부가 과거 공산주의 정권처럼 모든 걸 보장하지 않는다. 여러 번의 사회적인 실험과 시행착오 끝에 인간의 복지는 기본적인 생물적인 의식주 보장에서 끝나야 하며 그 이외에는 노력만큼 지위가 올라가고, 재물을 모으는 경쟁상태어야 한다는 것을 깨닫게 되었다.

그래서 평생 아무런 일도 하지 않는 프로메테우스시의 시민권자는 평민으로써 E지구의 허름한 11평의 스마트 아파트에서 배부르게 먹지도 못하고, 죽지 않을 만큼의 음식을 먹을 수 있으며 최소한의 공영방송을 시청 할 수 있다.

인생의 대소사에 관한 특수비용은 정부에 신청하면 되었으며 사치품을 사거나 필수품 이외의 소비 금액은 일절 지원하지 않는다.

스마트 아파트의 수리와 보수는 매년 해주는 반면 개조와 확장은 일절 지원해 주지 않는다.

단. 의료비와 교육비는 공짜며 취업에 의지를 가질 경우 이를 지원한다.

이게 요새 각 위성정부와 행성 정부에서 채택한 인간 복지의 보편 개념이며 21세기의 그 야만 사회처럼 누구도 집 없이 노숙하거나 굶어 죽지 않지만 그 당시 일부 유럽처럼 국가가 필수품 이외의 것까지 지원도 하지 않는다.

그 혜택은 보편적인 평등에 의해 나도 지금 지원 받고 있으며 더 높은 곳에 더 나은 환경에서 살기 위해서는 역시 직장을 가지고 일을 해야 한다.

B지구의 25평 형 빌라에서 살기 위해서는 나름 수입이 있어야 한다는 거다.

11평의 스마트 아파트라,.......

과거 친어머니와 같이 살던 곳이 그 11평 스마트 아파트였다. 아버지 때문인지 나는 시민권자로 인정을 받았고, 내 명의의 아파트에서 나와 어머니는 G지구에서 살아갔다.

아무튼 11평의 그 스마트 아파트는 두 명 까지는 살만 했으나 가정을 이루고, 자식 몇 명을 낳아 안드로이드 가정부를 두면서 까지 유복하게 살지는 못한다.

혼자 독신으로 고독하게 산다면 그렇게 모자라지 않는 삶.

일을 하지 않고도 주거가 보장되고, 독신으로 먹고 입는 데 부족함이 없는 삶.

이것이 지금 26세기경의 복지고, 더한 복지와 덜한 복지는 문제가 있다는 것이 지금까지 정치 경제학의 연구와 시행착오의 결과다.

그렇게 생각해보면 어머니가 빈민들 사이에서 돈을 벌고 살았던 것은 나 때문이 아니었을까?

 내가 시민 권자로써 복지를 누릴 수 있었다면 나를 이용해서 어머니는 가난해도 살아갈 수 있었을 것이다.

 그리고 어머니가 나를 위해 돈을 모으셨다는 것을 알게 된 것은 몇 년 전의 일이었다.

 그 배양육 회사를 관두고, 몇 년이 지나지 않아 복지국에서 연락이 왔는데 VR 화상메일로 이런 내용의 메일이 왔다.

 복지국의 여직원인 듯 한 단발머리의 동양인 여성이 무척 심각한 표정으로 내게 말했다.

 "지금까지 이름이 없었던 계좌. 번호 CNV 457-345-326-342에 대한 계좌의 주인이 사망함에 따라 유일한 친족이자 계승자인 시민번호 TC 389056-322784 인 정호 트리스탄씨에게 이 계좌의 금액과 소유권을 양도함을 통보합니다.

 위성국립은행. 레아골드은행의 조사에 따라 그동안 이 계좌번호의 납입이 40년간 정지되어 현금으로 환전하려고 하는데 이 은행의 주인이 정호 트리스탄의 어머니라는 것을 확인 했습니다."

 그 뒤에 내 계좌번호와 동의 절차를 걸쳐 어머니가 납입했던 계좌는 해제 되고, 그동안 그 계좌에 있던 돈이 이자와 함께 내 계좌에 이체되었다.

 나는 그 돈을 보자 돈의 액수가 많고, 적음에 상관하지 않은 채 그 자리에서 눈물을 흘렸다.

 바로 어머니의 유산을 받았기 때문이다.

 이제는 기억 속에서도 가물가물해지는 어머니의 모습에 어머니가 나를 위해 모으신 유산이 내 것으로 되자 알 수 없는 슬픔과 그리움에 눈물이 흐르는 것이다.

 그리고 다시 무엇인가 사회적인 활동을 하겠다고 마음먹은 건 내 나이가 46세가 되던 해였다.

지금 기준엔 아직 중년도 안됐지만 21세 기준엔 중년이 넘은 나이다.

내 나이 46세가 되던 해. 에스더는 어느 남자와 사귀었으며 그 남자의 나이는 50살이었고, 그녀의 아버지와 같은 신교의 사람이었다.

나는 내 은인인 가드먼 아저씨를 일 년에 두 세 번은 만나는 지라 가드먼 아저씨에게 먼저 이 사실을 통보 받았다.

내가 자식 같고, 에스더의 오빠 혹은 남동생 같아서 에스더가 사귀는 남자가 있다는 것을 꼭 알아두었으면 해서였다.

난 이 소식을 듣고, 오히려 에스더가 나이 사십 살 중반이 돼서야 남자를 사귀기 시작하는 게 놀라울 따름이다.

27세기의 의학이 발전 돼서 여성이 육십, 칠십 살에도 정상적으로 생리도 하고, 아이를 낳을 수 있어 결혼으로써는 늦은 게 아니지만 남자와 사귀고 하는 나이로써는 늦은 감이 있어서이다.

에스더가 사귀는 남자의 이름은 마이클 리치포드였고, 그는 지극히 예술을 좋아하는 사람인지라 즉흥시인이나 음악가의 공연에는 스케줄을 반드시 잡아 관람하던 사람이었다.

그리고 에스더는 내가 남동생이나 오빠 같아 리치포드와 공연 관람을 할 때 나랑 같이 갔는데 한 해를 마무리 하는 겨울. 송년회 밤. 나는 운명적으로 성인이 되기 전 내 감성에 엄청난 영향을 끼쳤던 세라를 다시 만나게 되었다.

다음 해로 넘어가기 삼 일 전. 리치포드와 에스더는 퐁차이 아유타야라는 사람의 저택에 초대 받았다.

퐁차이는 B구역에 사는 유력 사업가로써 비록 A구역에 사는 귀족은 아니지만 그는 신교도 과학교도도 아닌 중립적인 성향의 사람으로 인기가 높았다.

하지만 리치포드와 함께 음악을 좋아했고, 특히 음악에 관한 공연을 선호해서 자기 저택에서 가수를 불러다 공연을 시킬 정도였다.

그가 하는 사업에 대해서는 에스더에게 자세히 듣지 못해서 잘 모른다. 큰 기업을 이끈 다거나 익히 들어서 알고 있는 중견기업을 운용하는 사람은 아니다.

하지만 저택을 가지고 있고, 그곳에 가수를 부를 수 있는 재력이라면 그가 알짜배기 부자라는 사실은 틀림없다.

그리고 그 날은 바로 은밀하게 세라와 어느 즉흥시인간의 시와 음악대결이 그의 저택에서 이루어졌다.

풍차이의 저택은 수영장이 딸린 100평이 넘는 대저택으로 이미 수많은 사람들이 정장 차림으로 와있었다.

수영장 바로 옆에 맛있는 음식들이 배설돼 있는 부패코너가 있었고, 그리 멀지 않은 곳에 동양인 남성 한명과 에스더, 그리고 내가 몇 번 보았던 리치포드가 있었다.

나는 에스더와 리치포드를 통해 그 자그마한 키에 머리가 조금 벗겨진 자가 바로 풍차이임을 깨달았다.

에스더는 내가 온 것을 눈치 채자 급하게 내 곁으로 다가가서 귓속말로 내게 속삭였다.

"사라가 와 있어. 어느 여자랑 같이 왔더라."

"뭐?!"

난 롱헤어의 러블리펌에 자주색의 머메이드 드레스를 입은 그녀의 아름다운 모습을 칭찬하려다가 그 소리를 듣고, 깜짝 놀랐다.

그러나 사람들을 살펴보았지만 사라는 찾을 수 없었고, 연분홍의 엠파이어 원피스를 입은 여왕 머리를 한 세라를 볼 수 있었다.

그녀는 거의 삼십년 전이나 지금이나 변함없는 모습을 하고 있다. 나나 에스더는 그 어렸던 모습에서 탈피해 이제 40대 중반의 성숙한 모습을 하고 있는데 이 즉흥시의 여제(女帝)는 과거나 지금이나 똑같은 모습을 하고 있다.

세라는 자신을 쳐다보고 있는 나를 곧바로 못 알아보고는 곧 공연의 시작 종소리와 함께 퐁차이가 마련한 빨간 카펫이 깔린 무대에 올라왔다.

그리고는 그 무대에 내가 봐도 놀라운 얼굴이 그녀와 나란히 같이 섰다.

거의 삼십년이 흘러 그 얼굴은 성숙해지고, 아기 같던 모습은 사라졌으나 그 얼굴의 윤곽만은 기억난다.

바로 사라였다.

사라는 검은 보브컷트 단발을 하고 있었고, 검은 쇼트 가디건에 검은 자주색의 짧은 숏팬츠 차림이었다.

그래서인지 그녀는 가슴만 가린 채 자신의 배와 배꼽을 모두 내놓은 차림을 하고 있었다.

비로 이게 사라다. 나는 이게 무척 사라다운 옷차림이라고 생각했다. 그러나 그런 것들보다 그녀가 삼 십년동안 무엇을 하고서 이제야 이곳에 나타났는지 너무나 궁금해졌다.

자신과 싸운 아버지인 가드먼 아저씨나 에스더는 몰라도 왜 삼십년이나 나에게 연락이 없었을까?

난 그 의문점에 그녀와 세라가 서로 즉흥시 대결하는 것을 난처한 표정으로 쳐다보았다.

그리고 또 왜 사라는 세라와 즉흥시를 하는지 나는 혼자서 술을 마시고 있던 퐁차이에게 물어보았다.

"아. 트리스탄씨. 소문 못 들었습니까? 레이첼 휴스턴이 새로 사귄 애인이 저 아가씨라는 소문요."

"레이첼 휴스턴이요?"

사라는 비록 모습이 좀 변했지만 그녀가 누군지 잘 알고 있던 터라 그 레이첼 휴스턴이라는 사람에 대해 물어보았다.

"레이첼 휴스턴. 휴스턴 의류 복합 업체의 여자 CEO로 그 아버지인 라반의 기업을 물러 받은 여자죠.

 개인적 신념에 의해 과학교도가 된 여자지만 놀라운 건 그 일 때문이 아닙니다."

"그럼 뭐죠?"

"당신도 과학교도의 간부가 되기 위해서는 일정한 수술이 필요하고, 수술의 단계가 높을수록 과학교의 간부로 갈 확률이 높다는 걸 알고 있을 겁니다."

"알고 있습니다."

 난 가드먼 아저씨가 해준 그 수술 이야기를 기억하고 있어 그에게 아는 척을 했다. 그러자 그는 놀라운 표정을 지으며 대답했다,

"그 레이첼이라는 여성은 겨우 2단계 수술을 했음에도 불구하고, 과학교도의 중간 간부 자리를 차지했죠.

 보통은 3단계 이상을 해야 올라갈 수 있는데 2단계 수술을 했는데도 올라갔다는 것에 사람들이 놀라는 것이죠."

"자세한 사정은 저도 모르죠. 과학교도내서에도 어떠한 룰이 있나 봅니다."

"어떠한 룰일까요?"

 가드먼 아저씨에 의해 신교에 대해서는 어느 정도 알고 있었으나 과학교도에 대해서는 간부로 가기 위한 수술과 그 사상에 대해서만 들었기 때문에 자세한 교리나 내막은 잘 모르고 있었다.

"레이첼 휴스턴은 양성자애자로 유명합니다. 공개적으로 어느 남성과 자신이 섹스하는 영상을 메타버스에 유포할 때 메타버스 안에서 또 다른 자신이 나와 그 상황을 자랑스럽게 설명하는 걸로 유명하죠.

 상상해 보세요. 한 쪽은 침대에서 남녀가 실오라기 하나 걸치지 않은 채 서로 몸을 탐하며 교미하고 있는데 또 한 쪽에서는 교미하고 있는 여성이 또 실오라기 하나 걸치지 않은 채 나와 관찰자

인 당신에게 그 상황을 아주 애교 섞인 말투로 적나라하게 설명하고 있는 것을."

"당신도 경험했군요?"

"그 여자와 섹스는 한 적은 없지만 그 메타버스 안에서 그녀의 설명을 들은 적이 있죠."

"그걸 공개한다고요?"

"물론이죠. 당장 VR 장비만 갖추어진다면 성인 인증을 통해 지금도 경험할 수 있죠."

"아. 성인. 하지만."

메타버스가 무조건 아이들 노는 공간이 아니라서 저렇게 성적인 컨텐츠가 있을 줄 알았지만 그렇다고 자신의 섹스 영상을 메타버스 안에 업로드 시키는 사람이 있을 줄은 몰랐다.

물론 21세기에 포르노 사업이 유행했고, 지금도 그 산업이 유행하고 있다는 것은 인간의 본성이 원래 그런 것이라는 것을 말해주고 있다.

인류세 대멸종 기간에는 어땠는지 몰라도 27세기인 지금까지도 남자가 성욕을 풀고 싶은 욕망은 변함이 없다.

도서관에서 인간의 역사를 배우며 인간이 얼마나 성을 산업화했고, 또 그것을 얼마나 즐겼는지 나는 책으로 알고 있었다.

"많아요. 자신의 섹스 영상뿐만 아니라 타인의 것도 촬영 편집 한 것도 많죠. 그렇다고 레이첼처럼 자랑스럽게 설명하지는 않지만."

"......."

난 자신의 알몸과 성기를 남에게 적나라하게 보이는 것에 부끄러워하지 않느냐고 물어보려고 하다가 그 질문을 그만두었다.

어차피 자신의 성행위를 적나라하게 설명하는 여자한테 그런 것은 부차 한 문제일게 뻔 하기 때문이다.

"레이첼이 양성애자라고 했죠? 남자뿐만 아니라 여자하고도 섹스

하는 영상을 꽤 많이 메타버스에 올렸죠."

"그렇다면 저 사라라는 여자도."

"맞아요. 근 오 년간 저 사라하고 동거하고, 사귀는 거 같다고요. 지금 메타버스에 남은 레이첼의 섹스 동영상 육 할이 지금 저 여자하고 하는 영상입니다."

이럴 수가. 등잔 밑이 어둡다더니. 난 메타버스에서 가공되거나 만들어진 포르노 사이트만 들락거려서 저런 정보에 대해 너무나 어두웠다.

물론 나도 남자고, 성욕이 있는 자로 자위기구의 힘을 빌려 성욕을 해소 하지만 실제 사람들이 공개하는 VR 섹스 동영상은 잘 본 적이 없어 그쪽에는 무지한 감이 있었다.

만약 알았더라면 그리고 레이첼의 영상을 보았다면 난 사라를 알아봤을까? 그렇다면 왜 세라하고 사라는 지금 즉흥시로 대결을 하는 것이며 그 레이첼이라는 여자는 2단계 수술만으로도 과학교도의 중간 간부가 될 수 있는 것인지 너무나 궁금해졌다.

"왜 사라하고 세라가 지금 대결하는 거죠?"

"그러니까 비공식 대결이라는 겁니다. 일반인 도전자라고 해서. 세라는 공식적으로 치열하게 경쟁을 통해 자신에게 매년 도전하는 그런 대결 말고도 즉흥적으로 아무 일반인에게 그런 절차 없이 도전 하는 것을 허락했죠.

비공식적이라고 하지만 그런 도전에서 세라를 이긴다면 전 태양계에 소문은 삽시간에 날 걸요.

공식적인 대결만이 가치가 있지만요."

즉흥시인의 세계에 대해서는 내가 한 때 즉흥시인에 관심이 있어 조사를 한 바 있다. 각 행성과 위성별로 그 안에 최고의 즉흥시인을 가린 다음 행성별 위성별 대결을 통해 최고의 승자만이 전 년도 챔피언에게 도전할 수 있다.

그런 면에서 세라는 거의 팔 십 년 가까이 챔피언이다.

뭐. 원래는 원칙상 그래야 하지만 각기 다른 사정으로 행성의 챔피언이 없거나 대결이 성사되지 않아 각 행성과 위성의 도전자가 세라에게 도전해오는 경우도 있다.

이때는 정석적인 대결이 아니기 때문에 지구외의 행성이나 위성 혹은 소행성 콜로니에서 대결을 벌이지만 공식적으로 각 행성과 위성의 도전자를 꺾은 최종 승자인 위대한 도전자와 전년도 챔피언이 대결을 벌일 때면 상례적으로 현 태양계 연합체의 출발점인 지구에서 하는 것을 최대 이벤트로 본다. 물론 예외도 있다.

그 외의 행성과 위성에서의 대결은 지구에서 펼쳐지는 그랜드 매치와는 다른 성격의 매치로써 너무나 뻔 한 결과나 승부를 예측할 수 있을 땐 다른 위성과 행성에서 챔피언과 도전자가 대결을 한다. 아무튼 지구에서 챔피언이 매치를 벌인다는 것은 아주 중요한 이벤트라는 거다.

과거 삼십 년 전의 대결이었던 페트리샤와 세라의 대결도 정석적이지 않기 때문에 이곳 프로메테우스시에서 대결이 펼쳐진 것이며 그 다음해 역시 에우로파에서의 대결 또한 그 여파가 있다고 한다.

그 후. 도서관에서 조사해보기로는 올해 까지 삼십 년간 지구에서 세라와 위대한 도전자가 벌인 그랜드 매치 대결은 딱 세 번 밖에 없다는 거다.

지구의 현재 태양계 연합 정부에서의 위상과는 어울리지 않게 왜 즉흥시 대결만은 그런 위치에 있는지 그건 지구 출신의 한 시인 때문이라고 하는데 난 이때까지 그 점을 모르고 있었다.

그리고 퐁차이가 말하길 이번 대결은 사라가 세라에게 그 비공식적인 대결을 요구했고, 세라는 그녀의 도전에 응했다는 거다.

그리고 그 대결 장소로 오늘 퐁차이의 저택에서 대결을 벌이게 된 것이다.

나는 어려서부터 가드먼 아저씨의 저택에서 커왔기 때문에 사라의 매력에 대해 잘 알고 있었고, 사라가 과연 세라와의 즉흥시 대결에서 그 역량이 어쩔는지에 대해서도 잘 알고 있다.

어떤 이유에서든 사라가 세라와 즉흥시 대결을 벌인 이유는 레이첼이라는 여자 때문이라고 생각했는데 그 이유는 퐁차이의 말로 미루어보아 레이첼과 사라는 서로 여자끼리 사랑을 나누는 사이이니 사라의 성격을 잘 아는 내가 아마 사라가 이렇게 나서는 것은 분명 레이첼 때문이라는 합리적인 의심이 들었다.

아무튼 나도 그렇게 고지식한 놈은 아니기에 여성들끼리의 레즈비언 관계에 대해 보수적인 눈으로 바라보지는 않는다.

아마. 그녀의 아버지인 가드먼 아저씨는 신교이고, 보수적인 분이니 자신의 딸인 사라가 여성이랑 사랑을 나누는 관계라고 하면 실망할지 몰라도 난 그렇지를 않다.

단지. 왜 그동안 나한테 연락이 없었는지 그 이유에서 서운해 할 뿐이다. 마리아 아주머니가 돌아가신 직후 마리아 아주머니의 선택에 대해 납득할 수 없었던 사라가 신교도인 그녀의 아버지와 자매인 에스더와 다투어서 가출을 한 건 안다.

단순히 가출을 한 게 아니라 완전히 이 십년도 더 넘게 연락도 끊어 버렸다니. 그렇다면 아예 내 앞에 나타나지 말았어야지 왜 또 이 자리에 나타났는지 나는 머리만 혼란스러울 따름이다.

내가 여자로써 사랑했던 사람은 에스더였고, 에스더는 나를 친오빠 혹은 친 남동생으로 생각한다는 것을 그 날 밤 지독하게 느꼈다.

자신이 알몸의 상태로 물기까지 머금은 그런 모습으로도 내 앞에서 자신의 실오라기 하나 걸치지 않은 나체를 보이고도 여자로써 부끄러워하는 기색이 없는 것은 내게 성적인 수치심이나 부끄러움을 느끼지 않다는 것이고, 내가 그녀를 껴안았을 때 자신의 젖은 육체 때문에 내가 감기 걸릴까봐 날 걱정하는 것은 날 가족으로 생각해서 그런 말을 한 것이다.

그 기분을 알게 된 이후에는 나도 에스더를 더 이상 욕망의 대상이나 사랑의 대상으로 생각하지 않았다.

단지. 여자로써 보긴 보지만 여자 형제 그 이상도 그 이하로 보지 않았다. 아니. 거짓말이다.

그녀에게 욕정을 느끼고, 그녀의 육체를 탐하고 싶었지만 그런 에스더를 위해 난 그녀가 기약한 삼 년이 끝나자마자 집을 얻어 나간 것인지 모른다.

그렇다면 사라는 어떤가? 사라야 말로 여성으로서 끌린 에스더와 달리 정말 내 여동생 같다는 생각이 든다.

마리아 아주머니가 살아계셨을 때 제대로 그녀에게 얘기해주지 못했지만 지금은 말해줄 수 있다. 사라. 너야 말로 내 진짜 여동생 같은 여자라고.

이렇게 사라에 대한 생각으로 상념에 빠져 있을 때 드디어 BMAU 38 다섯 대가 공중으로 날아오르더니 본격 적인 즉흥시의 대결을 알리고 있었다.

퐁차이 저택의 무대는 연회석 중간에 여러 대의 조명 드론들이 날아다니는 곳이었다. 조명드론과 BMAU 38은 아주 그럴듯한 분위기를 무대에 만들어주었다.

대리석 바닥에 자주색의 카펫이 깔린 약 10평 남짓의 무대이긴 하지만 조명드론들이 발사하는 홀로그램 배경영상들은 이런 초라한 무대를 아주 화려하게 보이도록 만들었다.

세라가 여신 같은 하얀색 실크 엠파이어 드레스를 입고 나온 반면 사라는 역시 자신의 성격대로 아까와 같은 가디건과 숏팬츠 차림으로 대결을 임했다.

일단 도전자인 사라의 노래가 울러 퍼졌다.

기교적인 고음에 메조소프라노 음역대의 목소리였는데 노래를 들어보면 막상 그렇게 나쁜 것은 아니다.

　하지만 도서관에서 증강현실로 프로 즉흥시인과 성악가의 공연을 자주 보던 나는 사라가 프로 즉흥시인의 노래실력에는 미치지 못한다고 느꼈다.

　그래도 일반인 치고는 꽤 노래를 잘하는 편이며 메조소프라노의 음역 대까지 목소리가 올라가는 것을 보면 어느 정도 노래에는 소질이 있다고 생각했다.

　사라는 자신이 도전으로 낼 과제를 불렀는데 바로 인공자궁과 출산에 대한 노래였다.

　그녀는 어머니가 된다는 것은 무의미한 것이며 남자와 여자는 잉태의 고통 없이 서로 교미의 쾌락을 즐겨야 한다고 노래를 불렀다.

　그렇다고 인공자궁이 인류의 문제를 해결 하는 것은 아니고, 그것은 그냥 임시적인 방편일 뿐 궁극적인 해결은 인간과 기계의 결합으로 영생을 갈구해야 한다는 과학적 낙관론을 노래했다.

　이렇게 사라가 도발적으로 인공자궁과 출산에 대한 시를 노래하자 이번에는 세라가 곧바로 미소를 지으며 그녀의 시에 반격하는 노래를 불렀다.

　세라는 예전이나 지금이나 그 청아하고, 맑은 고음인 소프라노 톤으로 우선 인간 여성의 가랑이에서 아기가 힘들게 태어나는 과정을 아름답게 묘사를 하였다.

　그리고 그 아기가 커서 다시 어머니가 되어 또 다시 아기를 임신하고, 낳는 과정을 노래했다.

　이렇게 반복되는 삶이 인간의 한계이며 아무리 인간이 초월을 위해서 기계와 결합한다고 해도 결국 인간 내면의 깊은 본능에는 이기지 못한다고 노래했다.

　인공자궁은 인간에게 기회이자 위기이며 인간 중심의 과학적 낙관론에 너무나 인류의 미래를 걸지 않는 게 좋다고 노래했다.

오히려 그런 면에서 인공지능이 인간보다 더욱 낫다고 노래했다.

그 노래를 부르면서 마지막 구절에는 인류세 대멸종과 지금 지구의 운명이 어떤지 한번 되짚어 보라는 충고로 마무리했다.

강 인공지능인 세라의 즉흥시에 몇 몇의 사람들은 얼굴을 붉히며 부끄러워했고, 사라는 결국 고개를 숙이며 자신의 패배를 인정하지 않을 수밖에 없었다.

원래라면 사라가 그녀의 시에 또 맞받아 반격해야 하지만 그녀는 전혀 그러지를 못했다.

이런 즉흥시인들끼리의 대결은 냉정하고, 객관적인 인공지능 컴퓨터가 이 방송을 보고 있는 시청자들의 감정, 무대 관객의 감정과 호불호를 다 계산해 판정을 내리는데 이건 압도적으로 세라가 사라의 실력을 압도했기 때문에 단숨에 승부가 난 것이다.

나 역시 세라가 이길 줄 알았지만 그 다음 라운드 대결도 없이 이렇게 압도적으로 세라가 사라를 이길지 몰랐던 거다.

자신의 패배에 자존감이 떨어졌는지 아니면 세라의 그 냉엄하고, 아름다운 즉흥시에 감동했는지 사라는 그 자리에 양반 다리로 주저앉아 땅바닥만 하염없이 넋 놓고, 쳐다보았다.

애초부터 과학으로 모든 문제를 해결 할 수 있다는 과학교도다운 사라의 그 즉흥시가 많은 사람들에게 공감을 얻지 못했을 뿐더러 과학교에 호의적 일줄 알았던 세라가 오히려 과학에 대해 비판하고, 인류세 대멸종을 들먹일 줄은 몰랐다.

약 삼사백년 전의 인류세 대멸종을 이 사람들은 어렸을 때부터 사실대로 배워왔던지라 그 누구도 감히 세라에게 반격을 할 수 없었다.

세라는 주위 사람들을 마치 "너희는 그저 그런 존재다."라는 오만한 표정을 지으며 자리에 주저앉은 사라를 위로하기 시작했다.

"그래도 사람들이 제일 좋았다고 했을 시절인 21세기 보다 더 이전인 20세기를 더 자세히 공부했다면 사라님도 절 이겼을지도 몰라요."

꾀꼬리 같은 아름답고, 상냥한 목소리로 말하는 세라의 그 가증한 음성엔 자신의 즉흥시를 이길 힌트를 사라에게 넌지시 알려주었다.

난 도서관에서 수많은 책을 읽었고, 특히 역사와 철학을 중점적으로 공부했기 때문에 직관적으로 세라가 얘기한 힌트를 이해 할 수 있었다.

그러나 사라는 아직도 어안이 벙벙한 듯 눈만 껌벅이며 패배의 충격인지 아님 다른 어떤 이유에서인지 그녀의 말에 대꾸도 하지 못했다.

그러자 세라는 그녀의 오른팔을 자신의 오른손으로 붙잡더니 우리들에게 어떤 주문 같은 것을 말하기 시작했다.

"제가 한 말을 이해하신 분. 한 번 이 아가씨에게 시로 지어서 위로를 해보세요. 당신들 인간들은 위대한 지성 체잖아요. 제 인공지능을 만든 창조주라면 제가 얘기 한 게 뭔지 아실 것이고, 저 아가씨를 위로할 시를 지을 줄 알겠죠."

세라는 오만하게도 자신의 대결에 패배한 사라뿐만 아니라 이 저택 안에 있던 우리 인간들한테도 아주 도발적인 제안을 했다.

퐁차이는 그렇게 말하는 세라를 무대에서 퇴장시키려고 했지만 그녀의 매니저인 듯 보이는 상체부터 하체까지 긴 검은 원피스를 입고, 금발의 슬릭펌 단발머리를 한 검은 선글라스를 낀 여성이 제지했다.

"여기서 세라를 인간의 자존심 때문에 제지한다면 정말 인간은 볼품이 없는 존재가 되는 거예요."

그녀의 말 때문인지 퐁차이는 안절부절 하지 못하고, 무대에 계속 서서 우리를 벌레 쳐다보듯 하고 있는 세라를 어쩌지 못하고 있었다.

　다른 사람들이 세라가 말하는 실마리를 이해하지 못한 채 그녀의 조소에 다들 전전긍긍하고 있을 때 나는 무대 바닥에 주저앉아 울고 있는 사라를 지켜보고 있었다.

　솔직히 말하자면 세라가 인간을 비웃건 어쩌건 아무런 감정이 들지 않는다. 그건 그녀의 말이 절대적으로 옳기 때문이다.

　인류세 대멸종은 전적으로 인간의 잘못으로 일어난 일이고, 수많은 동식물이 사라지고, 지구가 그 꼬락서니가 되어서야 겨우 정신을 차리고, 문제 수습에 나섰다.

　지금 이곳에 있는 이 태양계 연합의 시민들 그 조상들은 이미 망가진 지구에 책임감과 슬픔을 느끼고, 다른 행성이나 위성에 정착해 사는 사람들이다.

　그러나 수많은 세월이 지나 항성계를 벗어나서 항성 간을 넘은 탐험에 지구 같은 행성을 발견하면 몰라도 지금은 그 어떤 행성이나 항성도 지구 같은 행성을 발견 할 수 없다.

　그렇게 약 십 분간이라는 시간이 흘렀음에도 세라는 자신이 요구하는 주문을 들어줄 사람이 나오지 않자 실망하는 표정을 지으며 스스로 무대에 내려오려고 하는 순간 나는 이미 울고 울어서 눈이 부어 있는 사라의 초췌한 얼굴을 보고, 무슨 마음이 들었는지 그녀를 향해 무대로 걸음을 옮겼다.

　내 옆에서 에스더와 리치포드가 내가 즉흥시를 부르는 것을 알고, 말리려고 했지만 퐁차이와 그리고 그 검은 원피스의 여성이 그들이 하려는 짓을 못하게 했다.

　아마도 이것 역시 돌발적인 이벤트라 굳이 말리려 하는 것을 제지하는 거 같다.

　어차피 사라가 제대로 반격도 못해보고 세라에게 주도권이 넘어간 마당에 나한테는 별 다른 기대는 하지 않는 거다.

나는 이윽고, 무대에 나와 오만하게 미소 짓고 있는 세라를 무표
정하게 쳐다보았다.

"어머. 당신은 그때 내 젖가슴을 유심히 보았던,......."

그 초 인공지능은 거의 삼 십 여년이라는 시간이 지났음에도 나
의 얼굴윤곽과 컴퓨터다운 기억력으로 내가 누군지 단번에 알아보
았다.

물론 십대 당시의 내 모습과 그렇게 크게 달라진 건 없지만 보통
의 사람이라면 수십 년 전에 잠시 만났다가 수십 년 후에 다시 본
다면 쉽게 못 알아보겠지만 그녀는 달랐다.

나는 비록 세라가 인공지능 안드로이드지만 그녀에게 목례를 했
다. 그러자 그녀 역시 정중하게 내게 고개를 숙이며 실크 엠파이어
드레스 가슴께로 드러난 자신의 유방을 내게 보여주려고 했다. 아
마도 또 다시 그때처럼 자신의 육체로 나를 곤란하게 하려는 수단
인거 같다.

하지만 이제는 그런 저급한 성적 호기심은 나를 지배하지 않는다.

난 냉정하게 그녀의 얼굴을 쳐다보며 그녀가 원한대로 세라를 위
로할 즉흥시를 노래하기 시작했다.

20세기 초. 과학이 모든 문제를 해결해 줄 거라는 20세기 초 사
람들의 믿음에 대해 나는 이미 잊힌 종교의 경전. 성경에 나오는
에덴동산을 비유로 들며 노래했다.

그리고 그런 믿음이 20세기 중반. 두 번의 세계대전과 핵무기로
인해 깨졌다는 것도 노래했다.

그 노래 뒤에 나는 세라가 아름답게 묘사했던 엄마가 아이를 출
산하는 과정에 대해 그 옛날 한 구석기시대 한 부족여인의 출산과
정을 다시 노래하면서 그 부족 여인이 잘못되어 엄마와 아기가 출
산도중에 죽는 레퀴엠을 노래했다.

그리고 나서 장엄하면서 밝은 테너의 톤으로 인공자궁이 인간의

본래 모습을 헤치지 않는다면 의학적 치료용으로 쓰여도 좋다고 노래했다.

하지만 20세기 두 전쟁의 교훈으로 무조건적인 과학적 낭만주의는 피해야 한다고 나는 고개를 숙이고 있는 사라를 쳐다보며 노래했다.

내 노래가 끝나자 주위에서 박수소리가 흘러나왔고, 세라의 표정은 어딘가 기분 나쁘게 일그러져 있었다.

"당신 때문에 우리 인간들이 저 안드로이드에게 면목이 섰어."

퐁차이는 내게 다가가 나의 귓가에 그렇게 귀띔해 주었다. 물론 인공지능의 판정은 세라의 승리였다.

하지만 나의 이 노래는 승리와 상관없이 사라를 위로해주면서도 사라의 무조건적인 과학적 낙관론에 대한 오만함을 채찍질 하는 노래였고, 세라에게는 자신이 초인공지능으로써 인간을 아득히 뛰어넘을 수 있는 경지를 보여주려고 했는데 나 때문에 어딘가 어긋났다는 걸 일깨워주었다.

그녀는 자신의 논리와 감성에 어딘가 반격할 요소가 있다는 것을 사람들에게 힌트도 주지 않았지만 난 직관적으로 그 반격할 요소를 눈치 챘으며 그 요소로 사라의 완벽한 즉흥시를 불완전하게 만들었다.

사라는 나에게 이겼지만 완전하게 이긴 셈이 아니다. 이 오만한 강인공지능은 자신의 즉흥시에 이렇게까지 도전할 수 있는 인간이 나타나리라고는 생각하지 않았으나 오늘에야 나의 즉흥시를 듣고, 그 존재가 나타남을 깨달았다.

그러나 난 아직까지 거기까지는 생각하지 못했다.

단지 대결해서 패배해 망연자실 축 늘어져있는 사라를 생각해 세라의 말대로 그녀를 난 위로 할뿐이다.

그래도 내 노래가 뛰어난 건지 아니면 사라에게 인간의 마지막 자존심을 보인 탓인지 대결해서 승리한 세라보다는 사라를 위로한 나에게 사람들이 더욱 열광을 보내는 거 같다.

그리고 그 열광의 도가니에서 몇 사람이 나를 흥미 있는 표정으로 노려보았는데 그 중에는 생전 처음 보는 흰 머리에 머리 중앙이 벗겨진 노인도 있었고, 또한 사라의 애인인 레이첼도 있었다.

난 이미 퐁차이의 소개로 레이첼에 대해 알고 있었기 때문에 나는 일면 안면식도 없는 그 남자 노인에 대해 퐁차이에게 물어보았다.

그는 내가 설명하는 생김새를 듣더니 홀로그램 브로슈어를 품에서 꺼내 내게 보여주었다. 난 조금은 젊었지만 그와 생김새가 똑같은 사내의 얼굴을 보고 그가 맞다고 가리켰다.

퐁차이는 내 말을 듣고, 고개를 끄덕이며 그가 누군지 내게 가르쳐 주었다.

"아마도 윌리엄 티베리우스 송하트 경 같은데요."

"경(Lord)이요?"

"그 옛날 영연방이라는 문화적 영향력이 남아있어. 영국의 귀족들은 지구의 나라들이 사라진 가운데서도 자신의 혈통을 중요시 여겨 귀족 가문은 계속 경이라는 호칭을 붙이죠."

"위성 정부의 혜택은 없나요?"

"아뇨. 단지 시민이냐 영주권자인가 그렇게 나누지요."

"경이라."

"인간 즉흥시인의 스승이라고 해야 할지. 세라하고 제일 많이 부딪친 인간 라이벌이지요."

"세라하고요?"

"네에. 한 오 십 년 전까지 도요."

"그렇다면 지금 나이는?"

"120살 정도 됐을 겁니다."

"120세요?"

"프로메테우스시 A지구에 사시는 걸로 알고 있어요."

"그렇다면 완전 상류층이잖아요. 여기에 오는 사람은 B지구의 사람들일 줄 알았는데."

나는 퐁차이가 여는 파티에 B지구의 인원들만 참석한다고 당연시 생각하고 있었다. 내 질문에 그는 고개를 저으며 대답했다.

"세라가 왔으니까요. 당연 즉흥시의 세계에 흥미 있는 A지구 상류층도 이곳에 오겠죠."

"그런데 왜 저분은 나를,……"

윌리엄 티베리우스 송하트 경이라. 분명 난 윌리엄이라는 이름을 어디서 들은 적이 있다. 그것도 한 수십 년 전에 잠깐 들은 적이 있다.

즉흥시의 세계엔 아는 것은 알고, 모르는 것은 몰랐기 때문에 지금 현역인 인물을 제외하고는 은퇴한 인물에 대해 내가 아는 것은 별로 없었다.

퐁차이가 말하기를 오십 년 전까지 현역이었다면 내가 태어나기 전의 얘기이며 저 영감님이 120살이 맞는다면 70세 중반까지 현역으로 활동했다는 소리가 된다.

70세까지 활동하고, 은퇴한 사람이라 내가 잘 모를 수 있다고 얘기했다. 그것보다는 그 전에 세라가 챔피언을 차지하기 전 아주 오랫동안 즉흥시인의 왕자를 차지한 남성이 있었는데 그는 인간이었다고 한다.

오 십 여 년간 세라에게 패배하기 전 그는 즉흥시인의 왕자였으며 그가 패배한 나이는 112살이라고 했다.

어느 새 윌리엄에서 그 오십 년간 세라 이전의 챔피언에게 나는 관심이 있어 그에 대해 퐁차이에게 더 물어보았다. 그리고 퐁차이가 은퇴한 즉흥시인들의 이야기와 역사에 대해 나보다 더 잘 알고 있다는 것에 주눅이 들었다. 도대체 리치포드와는 어떤 관계이기에 이렇게 즉흥시인의 역사와 세계에 대해 자세히 알고 있는지 궁금했다.

나 역시 즉흥시인의 세계에 대해 자세히 안다고 자부하지만 이렇게 자세히 까지 알고 있지는 않다.

"리치포드와는 친구요, 동지입니다. 물론 그는 신교도지만 신교이전에 우리는 음악과 예술 공연에 미쳐있던 불알친구죠."

"그렇다고 과학교도는 아니시고."

"네에. 저 사라라고 하는 아가씨처럼 무조건 적인 과학을 숭배하는 과학교도는 아닙니다. 신을 믿긴 믿지만 종교는 딱히 가지고 있지 않다고 할까?"

"그렇다면!"

"맞아요."

그가 사업을 한다면 아마도 신교도뿐만 아니라 과학교도도 상대해야 하기 때문에 대놓고 자신이 신교라고 말할 수 없는 사람도 있다.

스스로 중립이라고 말하기는 하지만 걔 중엔 과학이 무조건 진리라고 하는 믿음을 불신하는 자들도 있긴 마련이다.

그렇다고 그 옛날 광신도처럼 특정 종교에 미쳐있지는 않는. 영혼이나 신의 존재는 믿지만 종교를 가지지 않는 집단도 존재한다.

아마도 퐁차이는 그 부류가 아닐까 한다. 그래서 리치포드도 어릴 적 친구이고, 신교이지만 퐁차이에게 신교를 믿으라고 하는 거 같지는 않다.

그 옛날 기독교나 이슬람과 달리 신교는 억지로 사람을 전도하지 않는다. 그게 신교도의 전도 방침이다.

이야기를 돌려서 세라가 팔 십 년 넘게 챔피언을 유지하기 전 오십 년간 챔피언이었던 사람에 대해 퐁차이에게 물어보았다.

"윌리엄경에 대해 얘기를 하다 보니 이런 소리까지 나오게 됐지만 세라라는 강인공지능이 세 번에 걸친 도전 끝에 겨우 이긴 남자가 있었죠.

아마도 마지막에는 나이 때문에 진 거 같아요. 노화가 일어나 죽음에 이르는 인간과는 달리 생체 안드로이드는 장기만 갈면 언제든지 새 신체를 가지게 되니까요. 특히나 세라의 경우 클론을 만들어서 전자두뇌를 다음 세대로 이식하는 방법을 썼다고 생각해요."

"그게 무슨 뜻이죠?"

나는 그가 말하는 내용을 몰라 다시 한 번 자세히 물어보았다. 그가 어떻게 세라의 육체에 대해서 자세히 알고 있는지 몰라도 그는 우선 오십년 동안 태양계 챔피언이었던 남자를 소개함에 있어 세라에 대해 내게 얘기해 주었다.

"생체 안드로이드가 원본의 클론으로써 최초의 원본은 누군지 역사에 기록되어 있지는 않습니다.

자세히 말하자면 지금 사용하고 있는 생체 안드로이드가 구조적으로 인간과 비슷한 것은 인간의 유전자를 기초로 해서 그걸 복사해 클론화 한 것이죠.

물론 원본과는 생김새나 여러 가지 외모적인 부분에 차이가 있죠. 하지만 인간이라는 점은 같습니다. 클론이니 원래의 인간 보다 무엇인가 더 독립적이고, 개성적이지 못하게 유전자 조작을 했지만 기본은 인간을 기본으로 한 겁니다."

"어떻게 그럴 수 있죠? 학교에서는."

"실제로 생체 안드로이드의 유전자 설계를 담당하지 않는다면 이런 역사적 사실을 모를 겁니다. 정부는 막연하게 인간과 생체 안드로이드가 전혀 별개의 존재라고 가르치고 있지만요."

퐁차이는 생체 안드로이드가 자신의 분야라서 신이 난 듯 그 얘기를 더 자세히 해주었다.

"그러니까 인간의 유전자 조작에 대해 22세기에는 무척이나 호의적이어서 아무 인간이라도 유전자 조작을 할 수 있었지요.

그때는 잘 알다시피 과학적 사고방식이 세상을 지배했고, 관념론 같은 정신을 옹호하던 파벌의 철학은 무시당했죠.

그렇기에 과학을 위해서라면 인간이라도 유전자 조작을 당연하게 여겼고, 생명이나 인격에 대한 존중은 과학 앞에서라면 언제든지 무시당하던 시대였죠.

하지만 과학자들의 예상과는 다르게 23세기가 넘어서도 인간이 영생을 누린다는 미래시가 좀처럼 부정되었고, 아무런 윤리도 인간성도 없이 유전자 조작을 했던 부작용들이 서서히 드러났죠.

환경 파괴와 알 수 없는 전염병, 갑작스러운 인구의 감소로 인류세 대멸종이 시작되었죠.

생체 안드로이드는 인간 중에 유전자 조작을 하고, 복제를 한 인간과 유사한 존재로써 영생을 위한 프로젝트 중에 하나가 안드로이드의 신체에 인공두뇌를 삽입하여 영생을 꿈꾸는 실험도 있었습니다."

"인간과 얼마나 닮은 겁니까?"

"99%가 넘습니다. 제 아버지가 생체 안드로이드를 유전자 디자인하는 일을 하셨거든요."

"그렇다면 세라는 보통의 생체 안드로이드 몸에 인공두뇌를 결합시킨 존재란 말이군요."

"아예 인공두뇌를 만들고, 뇌를 제외한 신체는 하나의 난자를 체세포 분열 시켜 클론을 만든 겁니다. 이 클론에 인공두뇌를 결합시키는 식이죠. 이 방법이 영생을 꿈꾸는 제 2안으로 인공두뇌가 파괴되지 않는 한 영생을 누릴 수 있거든요."

인공자궁. 원래는 인간 여성을 위한 발명품이었지만 지금은 신교에 의해 순전히 생체 안드로이드를 길러내고, 태어나게 만드는 도구로 전락했다.

물론 어머니의 자궁에서 다 크지 못한 미숙아들을 다 성장시킬 때까지 이 인공자궁에 키우는 것은 치료의 일환으로 합법이지만 아예 수정란 자체를 태아로, 태아를 출산 때까지 인공자궁으로 키울 수는 없다.

아이러니하게도 인간 여성을 편리하게 만들 줄 알았던 이 기술이 오히려 생체 안드로이드라는 새로운 산업을 만들어 낼 줄 몰랐다.

그리고 인간 여성은 지금도 아이를 가랑이 사이로 낳고 있다. 무통 분만이니 뭐니 고통을 덜어주는 수술이 있다고 해도 어떻게 된 일인지 자연분만으로 아이를 낳는 여성이 이 태양계 인구 중 절반이 넘는다.

인류세 대멸종으로 출산과 육아를 부정하는 페미니즘이 사라졌지만 아직도 전 태양계에는 과거의 페미니즘 잔재들이 남아 있긴 있다.

사실 인류세 대멸종이 아니었으면 우리 인간이 먼저 사라졌을지 모른다. 인류세 대멸종으로 수많은 동식물이 사라진 것을 보고, 인류는 공포에 질러 출산과 육아를 부정하는 사상을 배척했을지도 모른다.

그래서 지금 사회는 과거 21세기 보다 성의식에 대해서는 자유로운 면도 있지만 또 다른 점은 더 보수적인 면이 있다.

일단 거기까지 생각하고, 곧 본론에 들어가 세라가 초인공지능이라고 짐작은 했지만 인공두뇌와 이런 클론의 결합이라고는 생각하지 못했다.

그래서 세라의 인공두뇌에 대해 더 자세히 물어보았다.

"인공두뇌라면 언제까지 제 기능을 하죠?"

"육체는 백 오십 년까지 살겠지만 순수 인공전자두뇌는 앞으로 삼백년이요."

“그렇다면 세라의 인공두뇌는 누가 만든 거죠?”

“과학교도의 전 수장. 대과학자 세바스찬 뉴턴이요.”

“세바스찬 뉴턴!”

나는 그 이름을 듣고, 온 몸에 전율이 흘렀다. 왜냐면 학교에서 그에 대해 배우기 때문이다.

그는 철저한 유물론자이자 실용주의자로 인간 도구주의이자 물질 만능주의를 주장한 인물이다.

특히나 인공자궁에 대해서도 인간의 해방이라면서 모든 인공자궁에서 태어나야 한다고 선동했다.

그는 내가 태어나기 전에 죽었는데 과학교도의 교주이자 대과학자로써 암흑물질과 중력에 대한 연구로 명성이 높았지만 인간의 정신에 대해서는 한사코 부정했다.

원래 역사적으로 유명한 17세기의 과학자 아이작 뉴턴과 같은 성을 쓰지만 뉴턴 가문은 아니고, 아마 인류세 대멸종에서 살아남은 과학자 가문에서 아이작 뉴턴을 존경한 사람이 같은 성씨를 쓰는 거 같다.

하지만 아이작 뉴턴은 분명 기독교인은 아니지만 불가지론자였고, 그것도 유신론적 불가지론자였다. 그런 사람의 성을 쓰는 사람이 철저한 무신론자에 유물론자, 그리고 과학만능주의자라는 것이 아이러니할 따름이었다.

“제 아버지도 세바스찬 뉴턴 아래에서 세라의 인공두뇌를 만든 분 중의 하나거든요. 유전자 디자이너이시니 뉴런을 복제하는 일을 하였겠군요.”

“왜 그는 세라를 만들었죠?”

“오십 년간 즉흥시인의 왕이었던 그 사람을 이기기 위해서요. 두 번의 도전에는 실패했지만 마지막 도전 때 성공해서 지금까지 세라는 여제로써 그 자리를 지키고 있죠.”

"그렇다면 당신 아버지가!"

"세바스찬 뉴턴 밑에서 일했던 자이니 세라와 즉흥시인에 대해서 잘 알 수밖에 없죠."

"그렇다면 세바스찬 뉴턴은 누굴 이기기 위해서 세라를 만든 거죠?"

"세라 이전 오십 년간 즉흥시인의 황제라고 불렸던 인물은 바로 리암 안데르센입니다."

즉흥시인 안데르센에 대해서는 어딘가 들어본 적이 있었다. 어느 칼럼 책에서 잠깐 언급 된 걸 기억했는데 그가 자신의 성을 안데르센이라고 개명 한 것은 19세기 동화작가 안데르센을 존경해서라고.

원래 성은 기억이 잘 안 난다. 그 칼럼을 무심코 관심 없게 읽어서 그의 본래 성이 기억이 나지 않는가 보다.

난 그가 그냥 유명한 인물인 줄 알았는데 그가 세라 이전 최고의 즉흥시인인줄은 꿈에도 몰랐다.

"세바스찬 뉴턴은 리암 안데르센을 이기기 위해 세라를 만든 거죠? 그 이유를 아시나요?"

풍차이는 그 이유를 알면서도 내가 알고 있나 모르고 있나 그걸 알기 위해 한 번 물어보았다.

그러나 나는 과학교도인 세바스찬 뉴턴의 마음을 알거 같아 직관적이지만 핵심에 가까운 대답을 했다.

"인간은 과학 앞에 보잘 것 없는 존재라는 걸 보이기 위해서겠죠. 과학과 유전자 조작으로 탄생한 것이야말로 인간의 모든 것을 능가한다는 그런 자신의 믿음을 보여주기 위해."

"맞아요. 세바스찬 뉴턴은 그런 믿음과 신념으로 세라의 인공두뇌를 만들었고, 세라의 육체를 복제했죠.

세라의 육체는,...... 22세기의 어떤 유명한 여배우라는 설이 있어요. 물론 원본하고는 틀리겠지만. 그 원본에 유전자 조작을 해서 만들었겠죠."

풍차이는 그렇게 세라와 세바스찬 뉴턴, 리암 안데르센에 대해 말하고서는 윌리엄 티베리우스 송하트란 노인에 대해 말해주었다.

"그러면 윌리엄 티베리우스 송하트 경이 누군지는 뻔 하겠죠?"

그의 반문 같은 질문에 나는 그가 말 한 정보를 추리해 진짜 뻔한 대답을 했다.

"송하트 경은 리암 안데르센의 제자라는 뜻입니까?"

"맞아요. 리암 안데르센 선생님은 죽기 전에 네 명의 제자를 두었는데 그 중에 지금까지 살아남은 유일한 생존자가 바로 윌리엄 송하트 경입니다."

"그럴 수가."

풍차이가 말한 얘기는 사실이다. 역사 시간에 배운 리암 안데르센과 세바스찬 뉴턴에 관한 이야기는 풍차이가 절대로 지어낼 수 있는 수준의 이야기가 아니니까. 물론 과거 유명인에 대해 이런저런 소문들이 있겠지만 그의 눈빛을 볼 때 그의 아버지의 명예를 걸고, 내게 거짓말을 하고 있지는 않은 거 같다.

물론 세바스찬 뉴턴이 교과서에 실린 위인이고, 리암 안데르센은 그에 비해 덜 유명하지만 분명 이 일화는 세바스찬 뉴턴의 일화이자 리암 안데르센의 일화임에는 분명하다.

그렇다면 세바스찬 뉴턴은 과연 성공한 것일까? 자신의 신념인 인간은 과학 앞에서 보잘 것 없는 존재라는 것을 증명했을까?

그래서 신교도들은 어떻게든 그 명제를 뒤집기 위해 그렇게 세라를 이기고 싶어 하는 걸까?

어느 세인가 난 세라의 모습을 찾으려 했지만 그녀는 이제 이곳에 없는 듯 매니저인 듯 한 검은 원피스를 입은 여자와 세라의 모습은 내 눈에 띄지 않았다.

내가 그렇게 퐁차이와 리암 안데르센에 대해 얘기하고 있을 때 레이첼 휴스턴이 내게 다가왔다.

그녀는 숏팬츠 차림의 사라와는 다르게 사라와 같은 짙은 보라색의 엠파이어 드레스를 걸치고, 머리는 허리까지 오는 긴 김발머리로 아름답게 빛나는 보석 머리띠를 하고 있었다.

깊고 푸른 눈에 피부는 핏기가 없이 하얀 피부였는데 우유 같이 하얗다못해 푸르스름한 빛이 감돌고 있었다.

나는 잠시 그녀의 외모를 감상하다 사라의 노출된 피부역시 그녀와 비슷하다는 것을 깨달았다.

레이첼은 내가 자신을 뻔히 쳐다보는 것을 깨닫고는 천천히 내 곁에 오면서 자신의 모습을 적나라하게 감상하게 했다.

2단계 수술을 받았으니 결혼도 할 수 없고, 아이도 낳지 못하는 몸이지만 겉으로 봤을 때는 평범한 여자랑 똑같을 거다. 외모성형사들 때문에 그녀의 외모가 아름답다고 하지만 그것은 인형을 꾸미는 아름다움에 불과하다.

생명을 낳지 못하는 인형의 아름다움이다.

나는 과학교도의 2단계 수술을 알고 있기에 그녀의 외모에 넘어가지 않으려고 했지만 그 옛날 세라의 그 색기 어린 분위기에 압도되는 것처럼 레이첼의 색기에 압도되고 있었다.

"당신이 세라를 완전히 이기지 못하게 하신 분이군요. 이름이?"

"정호 트리스탄."

"혹시 부교주님의 아들이세요?"

"어떻게 알죠?"

아마도 내가 트리스탄의 아들이라는 것은 웬만한 사람들은 다 아는 거 같다. 하기야 나한테 시민권이 나왔다는 것을 봤을 때도 아버지는 나를 자신의 친자로 인정은 했으니까. 그 주위 측근이 모를 리는 없다.

대신 평생 나를 보려고 찾지 않았지만.

"공공연한 소문이죠."

"그런데 부교주님이라니요?"

난 아버지의 얘기에 관심이 생겨 그녀에게 물었다. 아무리 나를 평생 찾지 않는 아버지라지만 그래도 핏줄의 끌림과 그리움은 어쩔 수 없나보다.

그녀는 내 얘기에 심각한 표정을 지으며 대답했다.

"그 분은 대장로에서 얼마 안 있어 부교주님이 되셨죠. 부교주님이 되신 후 얼마간의 시간이 흘렀지만. 아. 확실히 이 도시 미디어에선 아직 대장로로 직함이 표시 되겠군요.

이제 곧 교주님이 되실 거고, 교주직을 하실 동안 승천의 길로 들어서게 되실 건데요. 아참 우리는 종교가 아니기 때문에 대과학자라고 해야 하나."

나는 승천의 길이라는 소리에 불안감이 들어 더 자세히 물어보았다.

"아무리 과학교도라도 각자 개성이라는 것이 있고, 선뜻 모든 것이 물질이라는 세계관을 아주 쉽게 받아들이지는 못하죠.

하지만 트리스탄님이 워낙에 특이하신 분이시라 그 분은 유물론자 중의 유물론자고, 무신론자 중의 무신론자라서 생체적인 삶에서의 욕망이라든가 쾌락에 별 의미를 두지 못하죠.

그 뛰어난 두뇌로 그 분은 오직 초인공지능과의 합일을 바라시는 분입니다."

"그렇다면 과학교도가 말하는 승천의 길이란 육신의 죽음을 의미합니까?"

"글쎄요. 이미 4단계 수술에서 뇌를 빼고는 전부 인공육체이기 때문에 뇌가 죽는 다는 것이 무슨 의미일까요?

뇌가 죽기보다는 전자화 된다는 표정이 옳겠죠. 이 도시의 중앙컴퓨터와 같은 전자두뇌화 말이 예요."

"이 도시를 움직이는 양자컴퓨터와의 합일을 우리는 승천의 길이라고 부르죠, 신교도의 입장에서는 사망이라고 표현은 하지만.

합일을 하면 해마의 모든 기억들을 전자두뇌에 복사하고, 뇌의 데이터도 모두 전자두뇌에 복사해둬요.

그 이후에 그 전자두뇌와 이 도시를 움직이는 중앙 양자컴퓨터와 연결해 네트워크를 만들죠.

그렇게 이 도시를 움직이는 양자컴퓨터는 무한히 자신의 성능을 확장시켜 나가고, 전자두뇌로 전이된 사람은 영생을 얻는 거죠.

개성이라던가. 자아라던가. 그런 게 존재 할지는 모르겠네요. 전자두뇌로 뇌의 모든 전기적 신호나 데이터베이스 같은 것을 하나도 빠짐없이 복사를 하지만."

"그렇다면 생체 뇌는?"

"당사자의 선택에 따라 결정 되요. 어떤 사람은 혹시 모르니 백업을 위해 복사한 생체 뇌를 그냥 놔두지만 어떤 과학교도는 그런 것도 부질없어 뇌사(腦死)를 시키죠.

완전히 생체적인 부분을 다 죽이겠다는 의지죠. 또 어떤 사람은 생체 뇌를 냉동시켜서 만약의 사태를 기약하는 경우도 있어요.

물론 승천의 길은 대부분 120살이 넘어 뇌의 죽음에 가까워지면 하는 거지만 트리스탄님은 아마 백 살 이전에 하실 거 같아요."

"그렇다면 아버지의 선택은 뭐죠?"

그녀는 내 질문에 잠시 당황하다 고개를 저으며 대답했다.

"몰라요. 부대과학자님은 승천의 의지를 밝혔지만 구체적으로 언제인지 또 어떻게 생체 뇌를 처리 할 것인지 아직 밝히지는 않았지요."

"그럴 수가."

평생 어머니를 버린 아버지를 원망하며 살 수 있을 거라 생각했지만 아버지가 이름만 좋은 승천의 길을 택하겠다고 하니 난 절망에 빠질 수밖에 없었다.

"트리스탄님은 이 도시에서 아니 타이탄에서 세 손가락 안에 드는 부와 명예를 가지신 분이죠.

그 분이 승천의 길로 들어서신다면 그 분의 재산과 명예는 당신에게 갈 수도 있겠지만 그러기 위해서는 아버지를 만나 봐야 해요."

"아버지를요? 단지. 돈을 위해서요?"

아버지의 재산이 얼마 있는지 또 얼마나 권력이 있는지 그런 건 상관없다. 하지만 내 마음 깊은 곳에서 만약 아버지가 그 놈의 승천의 길에 들어선다면 영영 만나지도 못한다는 것을 알고 있다. 물론 아버지의 얼굴은 알고 있다. 워낙에 유명하신 분이라 홀로그램 잡지, TV등에서 많이 봐왔지만 자식으로써,........ 자식으로써 아버지를 직접 대면한 적은 없다.

내 마음속에 아버지를 찾아봐야 하겠다는 간절함은 이제까지 없었지만 아버지가 승천의 길에 들어서 죽음과 같은 상태를 맞이한다고 하니 갑자기 내 마음속에는 친아버지를 보고 싶은 그리움과 간절함이 생겨나기 시작했다.

"돈 따위를 위해서가 아니에요. 난 단지 아버지가 보고 싶을 뿐이예요. 어머니를 버렸던 그 아버지를요.

하지만 난 아버지가 왜 어머니를 책임 질 수 없었는지 이성적으로는 이해하고 있어요."

"당신 어머니가 당신을 낳은 직후에 아마 트리스탄 부대학자님은 2차 수술을 받았겠죠. 2차 수술을 받았다는 것은."

"알아요. 결혼을 포기하는 행위죠."

"결혼을 포기 했다 해도 같이 동거 할 수 있을 텐데. 원망하지 않으세요?"

"과학교도가 어떤 생각을 가지고 있는지 자세히 알 수는 없지만 아버지는 동거도 원하지 않았을 거라 생각해요.

어머니를 사랑한 건지 단지 성욕해소의 대상으로 삼은건지는 모르겠어요.

제가 생각하기엔 아버지에게 어머니는 2차 수술을 받기 전 마지막 성욕 해소의 대상인거 같아요.

그래도 아버지는 제가 태어난 후 절 자신의 친자로 인정하고, 시민권자로 등록해주었죠.

제 존재를 인정한 것만으로도 아버지의 의무를 다한 거라 보지만,...... 함께 지내며 사랑도 하고, 미워도 하는 존재가 아닌 건 원망스러워요."

"그래요. 그 마음을 조금은 이해해요. 트리스탄님을. 아버지를 보고 싶다면 그 만한 업적을 쌓아야하죠."

레이첼의 말에 난 내가 지금 내세울 수 있는 자질이나 능력이 있는지 곰곰이 생각해보았다.

확실히 난 과학자로써의 자질은 없는 거 같다.

"하하. 그건 저도 마찬가지예요. 세바스찬 뉴턴님 같은 위대한 과학자는 되지 못하겠죠. 전 한낱 아버지 유산으로 호화롭게 살아가는 인생이라 서요.

하지만 정호씨는 장점이 있잖아요. 즉흥시인으로써의 자질이요. 오늘 세라한테 그걸 보여주었어요.

인간이 초 인공지능한테 완전히 지는 꼴을 보여주지 않았다고요."

"그건,......"

그녀의 말에 뭐라고 반박하고 싶었으나 그녀의 말이 맞다. 내가 사라를 위로하는 즉흥시를 노래하지 않았다면 아마 세라의 그 오만한 요구를 인간 그 어느 누구도 들어주지 못했을 거다.

그렇지만 난 그 의미를 하나도 이해하지 못했다. 내가 세상살이에 경험은 많아도 인간관계에서는 에스더 말고는 서투르기 때문이리라.

사교계에 대해서 잘 모르는 날 대신해 레이첼 그 의미에 대해 설명해 주었다.

"저도 세라에 대해들은 적이 있어요. 세바스찬 뉴턴 대과학자님이 세라를 만들었다고 해야 하나 조작해야 했다고 해야 하나 아무튼 세라의 탄생에 직접적인 원인이 되신 분이고, 그 원인이 바로 무신론과 유물론의 우월함을 누구에게 증명하기 위해 세라가 탄생했다고 해요.

인간의 불안정성을 증명해서 인공지능이 더 우월함을 보여준다면 신교도들의 콧대를 납작하게 만들 수 있다고 생각했죠.

뭐. 그때는 한창 과학교도들과 신교도들이 싸울 때니까요. 외적으로나 내적으로나.

과학교도 몇 몇 사람들은 무신론과 유물론이 옳다고 생각하지만 인간은 결코 인공지능 보다 하등한 존재가 아니라고 하는 믿음을 가진 자들이 있어요.

인공지능과의 합일을 통해 더 한 차원 높아진 지성체가 되는 게 아니라 속박당한다고 생각하는 사람들이죠.

사실 그렇게 생각하는 과학교도들이 점점 생겨나고 있어요.

종교가 여러 분파로 분열 되는 것처럼 과학교도 여러 분파로 분열되고 있는 형국이죠."

나는 레이첼의 말을 듣고, 갑자기 흥미가 생겨서 고개를 끄덕거렸다.

보이지 않는 신을 믿는 자가 아니라 보이는 것만이 진리요, 과학만이 진리라고 떠드는 자들도 분열 할 수 있다는 것이 난 흥미로 웠다.

그녀는 내 표정을 읽더니 더 자세히 그 사실을 말해주었다.

"과학자체를 절대적 진리이자 신으로 모신다는 것이 잘못되었다고 얘기 하는 사람들이 생기기 시작했죠.

과학교 자체가 과거 종교인 기독교, 이슬람교, 불교등의 종교자체에 반발하고, 그 패해 때문에 생긴 건데 과학자체의 의미가 퇴색된 채 새롭게 종교의 자리에 과학을 숭배한다고요.

과학이라는 게 원래는 자기 스스로도 의심해야 하는데 그걸 안하고, 무조건 옳다고 믿으면 종교와 다를 게 없다고요."

"흥미롭군요."

"그런 면에서 세라는 인간을 벗어난 과학의 화신이고, 초 인공지능이자 강인공지능입니다.

인간지성이 그녀에게 조롱당한다는 것은 인공지능을 만든 창조주인 우리가 피조물인 그녀에게 모욕당한거와 똑같죠."

"그렇다면 세바스찬 뉴턴은?!"

"어쩌면 그 선생님은 그걸 노렸을 수 있어요."

"무슨 말이죠?"

위대한 과학자라면서 인간의 지성을 농락하는 생체 안드로이드를 만든 세바스찬 뉴턴에 대해 레이첼은 다음과 같은 자신의 의견을 내놓았다.

"뉴턴 선생님은 세라가 우리 인간의 지성을 조롱하고, 비웃는 것을 사람들에게 일깨워 새로운 합일을 이끌어 내려고 하는 거 같아요.

인공지능과의 합일이 속박당한다고 두려워하는 사람들을 어리석다고 말하는 거지요."

"뭐요? 그게 좋다는 겁니까? 그 승천의 길 같은 거요? 아이도 못 낳고, 그냥 기계 안에 사는 삶이 행복하다고 생각하는 거요?"

"뉴턴 선생님은 그렇게 보는 거 같더군요."

"그렇다면 아버지는?"

"트리스탄 부대과학자님 역시 인간의 육체라는 것이 의미 없다고 생각하는 거 같아요. 그래서 대과학자의 지위에 오르면 조만간 승천의 길로 가려고 하는 거 같고요."

"정확히 아버지는 언제 교주에 오르십니까?"

"그건 모르죠. 교주 그러니까 대과학자의 지위에 오른다 해도 곧바로 승천의 길로 들어설 수는 없어요.

대과학자로써 이 도시와 과학교에서 부여된 의무를 수행하고, 미션을 다 수행해야 그 분이 원하시는 길을 걸을 수 있어요."

"아버지는 어떻게 그렇게 쉽게 생체 뇌를 포기할 생각을 하시는지,...... 인공두뇌에 기억을 옮긴다고 해도 그게,......"

내 불안에 레이첼은 고개를 숙이며 차분하게 대답을 했다. 마치 내 불안을 더 부추기듯이.

"여태까지 그렇게 승천의 길로 들어서서 도시의 중앙인공지능과 결합된 그 인공두뇌가 자유의지가 있는지 의식이라는 게 존재하는지 확인 된 건 없어요."

"그렇다면 승천의 길을 걸은 사람은 몇 명이죠?"

처음 내 질문에 여러 가지의 경우를 들어 생체 뇌의 처분을 말한지라 꽤 많을 줄 알았는데 그녀의 대답은 의외였다.

"이 도시가 세워지고 난 뒤에 딱 세 명이예요."

몇 백 년의 프로메테우스시의 역사치고 승천의 길이라고 불리는 의식을 행한 사람이 겨우 세 명이라는 말에 나는 의아함과 동시에 놀라고 말았다.

내가 놀라는 표정을 짓자 그녀는 왜 이렇게 승천의 길에 들어선 사람이 적은지 그 이유를 말해주었다.

"세 분 다 120살 넘어 승천의 길로 들어섰는데 본래 목적은 영생이라고 전 생각해요.

과학교도의 제 4단계 수술을 받으면 뇌를 제외한 모든 신체기관은 인공신체로 대체 되죠."

"알아요."

가드먼 아저씨에게 그 얘기는 골백번 들어서 알고 있었다.

"그러면 생체 두뇌만이 나이를 먹는데 두뇌는 보통 140살에서 160살까지 정상적으로 살 수 있다고 봐요. 줄기세포를 뇌에 주입시키고, 재생 유전자로 별 지랄을 다해도요.

과학의 한계 때문에 아무리 뇌를 제외한 신체를 인공신체로 바꿔도 결국 뇌는 죽기 때문에 수명이 유한하다는 거죠. 승천의 길은 모든 위험을 감수하고, 영생을 얻는 방법 중 하나입니다."

"뭐. 고귀한 희생이나 초월의 길처럼 말하더니 결국 오래 살기 위한 인간의 욕심일 뿐이군요. 그렇게 육체에는 큰 의미를 부여하지 않는다더니."

그녀는 내 비판에 고개를 끄덕이며 말했다.

"그건 신교이전 종교도 마찬가지 아닌가요? 종교 역시 지배층이 피지배층을 지배하기 위해 만든 거잖아요.

어차피 서로 같은 거예요. 인간의 영생에 대한 야망이란 고금동서 막론하고 똑같죠.

전 지금 상태로 만족하고, 성욕하고, 식욕을 포기 할 순 없으니 아이는 못 낳더라도 2단계에 머물고 싶군요.

대신 전 승천의 길 없이 죽는 쪽을 택하고 싶어요. 제 기억을 인공두뇌로 옮기고, 그 인공두뇌를 또 도시의 양자컴퓨터와 동기화시킨다니. 생체 뇌에 제 의식이 남아있다면 끔찍하잖아요.

하지만 트리스탄님은 그런 영생의 욕심보다는 정말 초인공지능과의 합일을 원하시는 분 같아요. 그게 어떤 대가를 불러오는지 안다고 해도. 그 분은 유기체의 삶이란 의미 없다고 말하시는 분이니까요."

".......!"

난 아버지가 영생에 대한 욕심이 없다는 말을 듣고, 두 손으로 머리를 부여잡았다. 정말 아버지는 골수 유물론자에 무신론자라는 생각이 들어서였다.

 그녀는 내가 고민하는 것을 보고, 약간 미소를 지으며 말했다.

 "아직 시간이 남았지만 트리스탄님이 승천의 길로 들어서면 다시는 만날 수 없을 거예요. 당신이 죽을 때까지 다시는 만날 수 없다고요."

 "알아요."

 "아버지를 만나기 위해선 그만큼 유명해지고, 어떤 업적을 쌓아야 해요. 아까도 말했지만 세라를 즉흥시로 이긴다면 분명 당신 아버지도 당신을 만나 주실 거예요."

 "……."

 나는 그녀의 얘기에 아무 말도 하지 못했다. 내 감정이 불안해서였다. 아버지를 미워하는 마음과 동시에 아버지를 그리워하는 마음이 강했기에 아버지를 만나고 싶다는 생각이 불현 듯 불쑥 들었기 때문이다.

 이제 그녀는 나에게 볼일을 다 보았는지 레이첼은 내게서 떠나기 전 사라에 대해 노골적인 얘기를 했다.

 "여자의 직감이지만 사라하고는 아는 사이죠? 아마. 그 아이하고 같이 자보면 알겠지만 그 아이의 벗은 몸을 보면 아주 놀라 실거예요.

 이제 그 아이 말고, 남자하고 사귀어 보려고요. 잘생긴 당신이 딱 이긴 한데.

 전 글러먹은 연놈들을 좋아하거든요. 당신같이 유망한 사람하고는 안 맞아요."

 "무슨 말이죠?"

 "사라하고는 관계를 청산하겠다는 뜻 이예요. 어차피 그 아이 2.5

단계 수술을 받아서 불임이기도 하고, 여자끼리는 아이가 생기지 않으니 그 아이가 남자하고 사귀어도 별 문제가 없다는 거죠. 원래 그 아이는 3단계까지 가려고 했지만."

3단계라면 식욕과 수면욕밖에 안 남는 과학교도 수술이 아닌가? 진짜로 사라가 그 수술을 원했는지 왜 받으려 했는지 난 궁금해서 그녀에게 물어보았다.

"사라. 그 아이 완전한 무신론과 유물론의 신념이 있는 과학교도가 아니에요. 물론 신을 저주하고, 신을 모독하는 마음을 가지고 있지만 과학철학적인 신념이 없다고 할까?

그냥 종교와 신 자체를 미워하고 있을 뿐이죠. 그것 때문에 쉽사리 과학교도가 된 거 같은데.

일단 1단계 수술은 당신이 알다시피 그냥 공짜로 원하는 사람은 해줘요. 사지를 인공사지로 교체 하는 수술이니까.

2단계는 아이를 못 낳는 수술이니 그때부터는 일정기간 정신과 상담을 받고, 장로들의 평가도 받아야 받을 수 있는 수술이죠.

그 문제에 대해서 지역 장로들은 사라가 아이를 가지고, 키울 의지가 없다는 것을 확고하게 느꼈어요. 물론 다른 육체적 문제도 발견 됐지만 그게 제일 확고했죠."

"확고하게?"

"네에. 확고하게. 사라는 분명 자식을 낳고, 키울 여자는 아니에요. 모성애가 없다는 것보다는 아이를 키울 그릇이 못된다고 할까?

정신적으로나 육체적으로나 사라는 아이를 가질 그릇이 못된다고 결론을 내렸죠. 뭐. 과학교도라면 거의 다가 불임 수술을 받는데 거부감이 없으니까요.

그래서 2단계까지는 쉽게 수술이 가능한데 3단계부터는 정말 수 없는 검증이 필요하거든요. 3단계 수술 자체가 인간에게는 거의 절반의 쾌락을 지우는 거라. 아이 못 낳는 건 상관없지만."

"아아. 그래요. 3단계는 성관계도 못하고, 성욕도 없어지는 수술이죠?"

"맞아요. 무성애자가 되는 건데요. 사라는 테스트를 통과하지 못했죠."

"테스트라고 함은? 그렇다면?!"

나는 레이첼이 사라에게 어떤 의미인 사람인지 그제야 깨달았다. 그녀의 멘토면서도 섹스파트너이자 또한 테스터이기도 하다.

"원래는 다른 이성인 남성이 그녀의 테스터여야 하지만 사라의 성격상 남성이 그렇게 좋아하는 여성은 되지 못하거든요."

난 그 말을 듣고, 사라와 어렸을 때부터 같이 살아와서 인지 피식 웃으며 그녀의 말을 이해했다.

"잠시만. 그렇다면 아버지는? 단기간에 그 테스트를 다 통과하신 건가요?"

"맞아요. 트리스탄님은 단시간에 테스트를 다 통과하셨다고 들었어요."

"그렇다면 어머니하고 사랑을 나누신 거는."

"그건. 저도 모르겠네요."

그녀는 내 질문에 곤란한 표정을 지었지만 난 어렴풋이 이런 생각이 들었다.

다시 아버지의 얘기로 돌아와서 정말 아버지는 어머니를 단지 성욕해소용으로써 안으신 것일까?

아니면 자신의 성욕을 테스트하기 위해? 그것도 아니면 성욕이 무엇인가 성욕을 없애기 전에 성욕이 뭔지 알기 위해 안으신 것일까?

그 목적이 어찌 됐든 아버지와 어머니의 성행위로 통해 내가 생겨난 건 사실이다.

난 아버지를 다시 만나게 된다면 어머니를 정말 사랑했는지. 아니면 단지 성욕해소용이었는지 묻고 싶었다.

그러나 대답이 성욕해소용이라고 해도 그렇게 실망하지는 않을 것이다. 아버지는 무척 냉정하고, 유물론적인 그런 분이니까.

단시간 내에 4단계까지 수술 허가가 날 정도면 아버지의 무신론적이고, 유물론적인 신념이 얼마나 대단한지 나로서는 도저히 짐작을 할 수 없었다.

"사라하고 저하고 서로 섹스하는 메타버스 영상을 본 적이 있나요?"

"아뇨."

"제가 당신 홀로그램 컴퓨터에 데이터를 보내드리죠. 메타버스에 접속해서 VR로 보시면 돼요."

"감각 전달은?"

"뇌 전달만 가능하니 아마 시각, 음성, 후각과 대표 통각만 자극할거예요."

뇌 전달이라고 하면 태양계 미디어에 보편적으로 쓰이는 뇌의 시상하부와 대뇌피질을 전기적으로 자극하는 감각 데이터이다.

미세하게 실제적으로 느낄 수 없지만 뇌의 자극을 최대한 주기 때문에 적어도 이게 그때 영상을 찍을 당시의 느낌과 감각을 약 20~30% 정도 느낄 수 있다.

거의99%를 느끼려면 좀 더 정밀한 장치가 필요한데 그 기계는 무척 비쌌다.

하지만 확실한 건 시각에 한에서라면 정말 현실에 보는 거와 같은 착각을 불러일으킬 정도로 감각을 뇌에 전달한다는 거다.

"알았어요. 시간이 나면 한 번 보죠."

"그래요. 보시면 알겠지만 사라는 섹스를 무척 좋아하는 아이라는 걸 알게 될 거예요. 그러니 3단계 수술을 장로들이 허락할까요?"

"과학교의 필요에 의해서 강요하는 건 아니고요?"

"설마. 그럴 리가요. 과학교가 필요하다고 해도 제일 중요한 건 그 사람의 의사고, 적합도예요. 제가 2단계 수술을 받았어도 과학교 간부가 될 수 있었던 건 아버지에게 물려받은 재산과 권력도 있지만 제 적성과 의지가 과학교에 부합되기 때문이죠."

"그렇다면 아버지는 과학교에 어울리는 그야말로 과학교의 화신(化身)같은 인물이겠군요. 사라는 어떤가요?"

"트리스탄님이야 그렇죠. 하지만 사라는,......"

레이첼은 내 질문에 말끝을 흐리며 자신의 손가락을 입술에 가져다대며 냉랭한 말투로 대답했다.

"사라가 신과 종교를 싫어하는 건 사실이에요. 그렇다고 과학교도로써 과학을 숭상하는 건 아니에요.

과학교도로써 무신론과 유물론에 대한 신념이 부족한 건 사실이죠.

뭐랄까? 유신론과 유심론을 부정하는 생각은 확고한데 무신론과 유물론에 대한 확고한 신념도 부족하죠.

머리도 똑똑하고, 재치가 있어서 비록 과학자나 수학자는 되지 못하더라도 교의 간부 정도는 될 수 있는 재능이 있는데 참 안타깝죠."

"과학자나 수학자가 아니더라도 과학교의 간부가 될 수 있다고요?"

"네에. 과학교가 과학자 집단인줄 아시는데 그건 아니고요. 확실히 교주나 부교주인 대과학자 클래스는 순수과학자나 순수수학자가 되지만 대장로급은 과학에 대한 신념을 가진 아무나 될 수 있어요. 저도 장로 밑의 직분을 맡긴 걸 보면 꼭 과학자민 과학교 간부가 되라는 법은 없잖아요."

"그렇군요."

확실히 레이첼이 과학자라던가 아니면 수학자라는 인상은 없었다.

오히려 배우나 여자사업가, 아니면 메타버스 뚜쟁이 같은 느낌을 받았다.

그러나 직업의 귀천이 없다는 말처럼 그녀가 천하다거나 수준이 낮다고 생각하지 않는다. 그녀는 단지 성적인 접촉을 좋아하고, 자신의 벗은 모습을 남들에게 자랑하고 다니는 사람일 뿐이지 나쁜 사람은 절대 아니다.

비즈니스맨인 퐁차이의 성격으로 봤을 때 이런 파티에 초대될 정도면 그녀가 남들에게 해가 될 만한 짓은 하지 않는다고 나는 직감적으로 추리 할 수 있었다.

그렇지만 내가 놀란 건 어째서 에스더까지도 레이첼과 사라가 서로 사귀는 사이 인걸 몰랐고, 사라의 근황을 몇 십년동안 모를 수 있냐는 점이다.

어쩌면 얼핏 알고 있는데도 무시 할 수도 있겠다.

레이첼과 얘기가 끝나고, 나는 에스더와 리치포드가 있는 곳으로 갔다. 에스더는 나를 보자마자 나를 끌어안더니 내 볼에 키스하며 세라 앞에 나선 일에 대해 기뻐했다.

그러나 자신의 자매인 사라에 대해서는 일절 단 한마디의 언급도 없었다. 리치포드는 에스더의 눈치를 보며 사라에 대해 묻고 싶었으나 그럴 분위기가 아니라는 걸 눈치 챘는지 아무런 말도 하고 있지 않았다.

"정호야! 잘했어! 세라 앞에 나선 거."

"그 여자 말대로 그냥 사라를 위로해준 거뿐인데."

"넌 모를 거야. 세라가 내 노래가 끝난 뒤에 똥 씹은 표정을 짓는 걸."

"그런가? 하지만 사라는,......"

"뭐?!"

내가 사라 얘기를 꺼내려하자 그녀는 일부러 사라에 대해서는 무시하려는 듯 나에게 다시 한 번 반문하며 물었다.

그러자 나는 더 이상 사라에 대해서는 더 이상 그녀에게 말을 꺼내지 못했다.

거의 20년의 세월이 지났는데도 에스더는 사라와 화해하고, 만날 마음이 없는 거 같다. 나는 그런 에스더의 마음에 실망하며 에스더와 리치포드와는 적당하게 어울리며 파티를 즐기다 집에 들어왔다.

그리고는 내 아파트에 있는 VR 홀로그램 컴퓨터로 레이첼이 준 데이터를 한 번 실행시켜 보았다.

7

감각이 많이 차단된 상태에서 시각만은 아주 정확하게 사물을 인지하고 있다. 보이는 시각만으로는 이곳이 메타버스의 가상현실이라는 생각을 하지 않으면 진짜 현실과 구분이 어렵다.

다만 코로 맡는 후각이나 내 살결에 느껴지는 촉각, 그리고 혀로 느끼는 미각은 현실보다 아주 둔하게 느껴지기 때문에 이곳이 현실이 아닌 메타버스의 가상현실이라는 것을 알 수 있다.

희미한 달빛 같은 조명 안에서 내 앞 십 미터 떨어진 곳 침대 안에 하얀 살결의 물결이 겹쳐 있는 것을 나는 본다.

천천히 걸음을 옮겨 그 살결들의 정체를 파악하려고 한다.

곧 구체적으로 푸르스름한 하얀 피부를 가진 두 여성이 발가벗은 채 서로 몸을 포개며 사랑을 나누고 있다.

한 명은 바로 레이첼 휴스턴이었고, 또 한 명은 바로 사라였다.

남에게 보이기 위한 동영상이라 얼굴뿐만 아니라 몸 전체에 화장을 하고, 꾸몄지만 분명 그녀는 사라다.

나는 상업용 메타버스로 레즈비언 동영상을 본 적이 있기에 여자들끼리 어떻게 사랑을 나누는지 어렴풋이 알고 있다.

서로 애무를 하며 서로의 유방을 빨고, 서로의 성기를 빠는 것부터 가위질이라고 불리는 서로의 성기를 비비는 것까지.

그녀들은 그 성인용 동영상에 나오는 행위 그대로 보여주고 있었다.

　이건 VR촬영 드론으로 촬영한 영상이기 때문에 내가 가까이 가서 그녀들을 만져도 그녀들과 커뮤니케이션 하는 건 불가능하다.

　단지 그녀들의 부드러운 살결과 살내음을 약간이나마 느낄 수 있다. 촬영 드론으로 촬영하면서 촉각, 후각 센서로 어느 정도 그 당시의 상황을 담아냈기 때문이다.

　좀 더 정교한 장비를 썼으면 그녀들이 어떤 느낌을 가지는지 정확히 내게 전달할 수 있지만 그 장비가 엄청 고가의 장비라는 건 나도 안다.

　그리고 레이첼이 부자라고 해도 그 고가의 장비를 사기에는 힘들다는 것을 알고 있다.

　그래도 이 정도 시각이 아닌 타 감각을 느낄 수 있다는 것은 어느 정도 고가의 촬영 인식 드론을 썼다는 것을 말해주고 있다.

　나는 그녀들이 사랑을 나누는 침대 옆에서 사라와 레이첼의 여체를 감상했다.

　처음 보았을 때부터 느끼는 거지만 두 여자다 흰 피부이다 못해 푸르스름한 빛을 띤 피부 빛을 띠고 있다.

　내가 보기엔 천연의 피부가 아닌 인조피부 같은 생각이 든다.

　두 여자다 아직 3단계 수술을 둘 다 하지 않기 때문에 성기 모양은 보통의 여자들과 같았다. 그러나 사라와 레이첼의 육체는 서로 차이가 있었는데 레이첼은 보통의 여자들처럼 유두의 모양과 색깔이 똑같았지만 사라는 유두의 모양은 보통의 여성과 비슷했지만 젖꼭지의 크기는 머스캣 포도 알 만큼 크고, 유륜의 크기도 컸다.

　더욱이 수술을 하지 않는 여성과 차이가 나는 것은 색깔로써 색깔이 젖꼭지와 유륜이 자줏빛계열로 확연히 푸르스름한 인조피부에 더 어울리는 모양을 하고 있었다.

　이것이 인조피부인지 아니면 착색 된 것인지는 당사자에게 물어봐야 하지만 난 2.5단계 수술이라는 말에 그녀가 2단계 수술에서 더 나아갔다는 불안감을 떨쳐 낼 수 없었다.

비록 사라의 가슴이 레이첼이나 다른 보통의 여성과 색깔이 다르다고 하지만 그녀의 가슴에서 난 모성애를 느낄 수 있었다.

남들이 볼 때 특이하고, 섹시하게 보이지만 그 안에서 난 어머니의 사랑과 겉으로는 아이를 거부하지만 또한 원하고 있는 알 수 없는 그녀의 무의식적 바램을 느낄 수 있었다.

그러면서 아이를 영원히 낳을 수 없는 피임 수술을 받았다는 것이 난 믿을 수 없었다.

그렇게 착잡한 마음으로 한참동안 더 그녀 둘이 사랑을 나누는 모습을 관찰한 다음에 프로그램을 종료시켰다.

레이첼이 보여주려고 한 것은 자신의 나체가 아니라 바로 사라의 육체라는 것을 깨달았다.

과감 없는 사라의 나신을 보여줌으로써 그녀가 보통 사람들과는 무엇인가 다르다는 것을 내게 보여주려고 한 것일까?

난 왜 그녀의 유두색이 다른 여성들과 다른지에 대한 의문을 품고, 아버지를 만날 방법을 곰곰이 생각해 보았다.

내가 과학자의 재능과 지식이 없으니 확실히 내가 관심 있어 하고, 재능이 있는 즉흥시로써 아버지를 만날 기회를 잡아야 한다는 것을 깨달았다.

그래서 즉흥시로 이름을 얻기 위해서는 본격적으로 즉흥시를 배워야 하며 내 스승이 될 자를 나는 누군지 알고 있다.

그리고 며칠이 지나지 않아 나는 레이첼의 예감대로 사라를 만나게 되었다.

8

"난 정호가 날 싫어하는 줄 알았어."

사라는 하늘색 블라우스에 하얀색 짧은 주름치마를 입은 간편한 차림으로 날 만나면서 꺼낸 첫마디가 이것이다.

아마도 레이첼은 퐁차이에 의해서인지 아니면 자신의 섹스동영상을 본 사람들의 컴퓨터를 해킹해서인지 어떻게 했는지 내가 사는 아파트의 주소를 알아내었고, 내 연락처를 알아내었다.

그리고 내 컴퓨터로 사라는 나를 다시 만나고 싶다는 연락을 했고, 우리는 퐁차이가 파티 한 날 다음 주 월요일 저녁. B구역에서 제법 이름 난 디저트 식당에서 데이트를 했다.

디저트 식당이라고 하지만 일반 식당처럼 고기 요리 메뉴도 있었고, 갖가지 고급요리들도 있었다.

단지 다른 레스토랑 보다 페이스트리 메뉴들이 많을 뿐이다. 그래서인지 정장을 입고, 음식을 즐기는 사람들 보다는 간편복을 입고, 마치 동네 빵집에서 빵과 고기 요리를 먹는 것처럼 음식을 즐기는 사람들이 많았다.

"그럴 리가 있나. 난 너와 싸우지 않았는걸."

"정호는 언니를 사랑하잖아."

"그랬었지. 하지만 그날 밤 이후로는 아니야."

"그날 밤?"

나와 사라는 서로 화이트 와인과 달콤한 크림 케이크를 먹으며 얘기를 나누었는데 얘기는 그날 밤 얘기까지 나오고 말았다.

　사라는 정말 내 여동생 같은 아이 같아 숨길 거 없이 그날 밤 얘기를 다 해주고 말았다.

　그 얘기를 다 들은 그녀는 눈에 물기를 내뿜고, 기뻐하는 건지 슬퍼하는 건지 약간 우는 표정을 보였다. 그리고는 혼잣말로 작게 이렇게 속삭였다.

　"언니에 대한 배려 때문에 이십여 년 이상이나,...... 하지만 오늘 밤에는."

　나는 그 소리를 듣고, 무슨 말뜻인지 몰라 그냥 어리둥절하게 있었다. 아니. 그냥 그 속삭이는 소리를 못들은 척 침묵을 지켰다.

　그녀는 자신의 속삭임을 내가 못들은 줄 아는지 다시 미소를 지으며 내게 말했다.

　"뭐. 에스터가 그렇지. 엄마를 너무 닮았어."

　"그동안 어떻게 지냈는데? 왜 20년 이상이나 내게 연락이 없던 거지? 또 2.5단계 수술은 뭔데?"

　"차근차근하게 말해줄게. 일단 내가 어떻게 지냈는지에 대해서. 나머지는 나랑 호텔에 가서 얘기해 줄게. 네가 직접 봐야 아니까."

　"레이첼. 그 여자하고는 어떤 사이인데? 진짜 단지 섹스파트너일 뿐이야?"

　"그러니까,......"

　일단 식당에서 나와 사라가 얘기를 나눈 건 사라가 20여년 이상 나랑 다시 만날 때까지 어떻게 지냈나 하는 얘기였다.

　사라는 가출을 한 다음 처음 십 년간은 일도 하지 않고, 정부의 실업급여를 받으며 하루하루 노는 삶을 살았다고 했다.

　구체적으로 무엇을 하며 놀았는지 밝히지 않았지만 직업을 가지지 않았다는 것은 확실하다고 말했다.

"어머니가 꿈에 나타나도 슬퍼하지 않을 시간,....... 그 시간이 걸
릴 동안 나는 아무것도 할 수 없었어.

시민권자라 그래도 정부에서 일정한 주거와 실업급여를 주며 내
삶을 연명하게 했지.

아마. 정호가 B구역에서 살아갈 때. 나는 E구역에서 빈둥빈둥 놀
았을 거야."

"E구역?"

사라에게도 어머니 마리아의 죽음은 너무나 큰 슬픔이었다.

에스더가 그 슬픔을 떨쳐내기까지 3년이라는 세월이 걸렸지만 사
라는 달랐다.

겉으로는 어머니와 함께 있기 싫어했고, 대화를 잘 하지 않던 그
아이가 오히려 어머니를 잃은 슬픔을 떨쳐내기에는 에스더보다 더
오랜 시일이 필요했다.

그렇게 십 년 동안 아무런 의지와 영혼이 없이 폐인으로 지낸 후.
사라는 돌아가신 마리아 아주머니가 꿈에 나타나도 이제 슬퍼하지
않게 되었다고 했다. 그리고 나서야 그녀는 이제 본격적으로 자신
의 인생을 살기로 결심했다.

삼십이 지난 나이에.

아버지인 가드먼이나 언니인 에스더에게 연락 할 수 있었지만 그
녀는 자존심 때문에 가족에게는 연락을 하지 않았다. 그리고 내 생
각도 났지만 내게도 연락할 마음이 없었다고 했다.

그녀는 종교와 신을 싫어했기에 일단 과학교도로 입문하기로 결
심했고, 1단계 수술은 입문 수술이라 아무런 제약 없이 받을 수
있다고 했다.

1단계 수술 후. 2단계 수술은 영구 피임으로써 현대 의학적으로
도 다시 되돌릴 수 있는 일시적인 피임 수술이 아니라고 한다.

그래서 2단계 수술부터는 과학교도로써 확고한 철학과 믿음. 그리

고 아이를 갖지 않아도 후회하지 않을 정신력이 필요하다고 한다.

또한 아이를 향한 모성애가 결핍되어 있거나 아이에 대한 집착이 없어야 한다고 한다.

남자는 2단계 수술을 받을 확률이 첫 일 년 동안 50%가 넘지만 여자는 10%도 넘지 못한다고 한다.

2단계 테스트는 여러 방법이 있지만 남성은 꽤 오래시일이 걸리는 반면 여성은 꽤 빠르게 테스트 할 수 있는데 여성을 테스트 하는 방법으로는 가상임신과 가상출산으로 한 달간 테스터가 지켜보는 방법이 있다. 아주 빠른 테스트가 바로 이 방법이다.

사라는 나에게 이 방법을 설명해주었다.

"25평 되는 가정집 같은 공간이 있는데 그곳에 한 달간 거주해야 돼.

옷을 다 벗고, 실오라기 하나 걸치지 않은 채 미세 자극기를 머리와 유방, 등, 배, 허벅지, 심지어 성기 안까지 일시적으로 피부 안에 삽입한 수술을 거친 다음 아주 정교한 신경전달 기계와 연결된 가상현실 단말기를 시술 받아.

두개골 정수리 부근에 칩 형태로 박는다고 해. 물론 테스트가 끝나면 모든 자극기나 단말기는 제거 되고.

한마디로 그런 수술을 받은 채 가상현실 안에서 한 달 동안 생활해야 해. 25평의 공간에서."

"다 벗고서?"

"응. 가상현실 안에서는 옷을 입은 걸로 인식이 되지만. 아 물론 실제 공간은 살균이 다 된 깨끗한 곳이야."

"밥은?"

"화장실은 실제 공간이야. 용변은 화장실에서 해결하고, 샤워도 욕실에서 해결해. 먹는 것 역시 실제로 주고. 그건 가상현실에서도 현실세계와 똑같이 인식해."

나는 그녀의 말을 듣고, 무슨 변태새끼들도 아니고, 왜 여자를 다 발가벗겨서 한 달 동안 이런 생활을 하게 하는지 변태 같다는 생각을 이해 할 수 없었다.

 "일단 가상의 남자와 내가 사랑한다는 가정을 정해놓고, 첫 날 가상현실에서 가상의 남자와 섹스를 하게 돼.

 아. 물론 실제적으로 남자와 섹스를 하는 것도 아니고, 무슨 로봇이나 기구 같은 걸로 실제 여성의 성기에 삽입 하는 것은 아니야.

 그게 뇌에 어떤 자극을 주는지 몰라도 억지로 강간당한다거나 싫어하는 느낌이 없어. 물론 생전 처음 보는 남자라 순순히 가랑이를 벌릴 정도로 좋아하는 건 아니지만.

 사이버 섹스임에도 불구하고, 입주 첫 날은 가상현실에서 어느 남자와 섹스를 하게 돼.

 그게 자극기에 의한 자극이라고 해도 너무나 느낌이 현실적이야. 남자가 절정 후에 내 안에 정액이 흘러 들어오는 느낌까지. 정말 너무나 현실적이야. 왜 이런 과정이 필요한지 이해 할 수 없었는데 레이첼의 말로는 무의식적으로 우리 뇌에 논리적인 설득이 있어야 한다고 했어.

 그 후 한 달 동안 임신 과정과 출산 과정을 겪은 건데. 실제로는 임신을 하지 않았지만 가상현실에서는 내가 임신을 하게 되지.

 시일이 지날수록 가상현실에서는 아기가 뱃속에 자라는 것처럼 배가 부풀어 오르고, 임신으로 겪는 고통과 불편함을 똑같이 겪게 되지.

 출산 때는 죽지 않게 고통을 조절하지만 거의 출산의 고통을 그래도 느낀다고 해."

 "그리고 태어난 아기까지도? 가짜라는 거야?"

 "그래. 출산의 고통을 겪고, 아기를 낳으면 어떻게 하는지,...... 이 테스트의 진정한 목적이 바로 그거야. 그걸 보기 위해 한 달의 과정이 필요한 거야."

"그래서 결과가 너는 영구 피임을 해도 좋다는 거야?!"

나는 이미 그녀가 2단계 수술을 받은걸 알고 있어서 그렇게 반문하며 물었다. 그러자 사라는 침울한 표정을 지으며 대답했다.

"그게. 내가 모성애는 많은데 아이를 키울 성격도 안 되고, 재능이 없다는 거야. 내가 아이를 키우면 아이가 제대로 이 사회가 필요한 사람이 못된다고. 또 육체적으로도 준비가 안 됐다고 하던데. 자세히 뭔지는 가르쳐 주지 않더라."

"그게 뭔 뜻인데?"

"테스터가 그렇게 말해주니까 나도 무슨 말인지 자세히는 모르는데 대충 내가 아이를 낳아도 좋은 어머니가 될 수 없고, 아이를 제대로 양육할 수 없는 모성 부적응자랬어."

나는 그녀의 대답을 듣고, 레이첼이 해 준 말을 떠올렸다.

'사라는 분명 자식을 낳고, 키울 여자는 아니에요. 모성애가 없다는 것보다는 아이를 키울 그릇이 못된다고 할까?'

모성 부적응자가 무슨 뜻인지 몰라도 그녀가 모성애가 없다는 것은 아니어서 한 번이라도 기회를 주는 게 어떨까 하는 생각을 하게 되었다.

그런데 테스터는 그렇게 쉽게 그녀의 일생을 재단(裁斷)하고 말았다.

"2단계 테스트는 그렇게 통과. 돌이킬 수 없는 피임 수술을 받았지. 나이 삼 십 초반에. 2단계 수술을 받고 나서 과학교는 나에게 일정한 직장을 소개시켜 주더라. 내 적성과 기호에 맞는 직장을. 물론 평민 구역에서 일하는 거였지만."

"직장에 불만은 없어?"

내 질문에 그녀는 고개를 끄덕였다.

"어. 정말. 과학교가 소개해 준 직장은 나에게 딱 알맞은 직장이었어. 직장에 다니면서 여러 남자와 자보기도 하고, 동거도 했는데 전부 헤어졌지. 언니는 남자랑 동거 한 적 없지?"

"그렇지. 에스더는."

에스더가 내 살림을 돌봐주고 그래서 그녀가 어떻게 사는지에 대해서는 잘 안다. 이때까지 남자랑 사귄 적이 없고, 남자랑 사귄 것은 리치포드가 처음이라고 했다.

그리고 아직 그와 성관계도 한 적이 없다고 했다. 난 에스더와 리치포드의 관계에 대해서 사라에게 얘기했는데 그녀는 그럴 줄 알았다는 듯이 고개를 끄덕이고는 다시 자신의 얘기를 해주었다.

"한 6년 전인가? 여러 남자랑 지겹게 섹스파트너로 있다 보니 이젠 섹스가 지겨워져서 3단계 수술을 받으려고 했어.

3단계 수술이 뭔지 알지? 섹스를 못하게 되는 수술이야. 3단계 수술을 한 사람에게 남은 욕망은 식욕과 수면욕 밖에 없다고들 하지.

레이첼은 바로 내가 3단계 수술을 받아도 되는지 안 되는지 붙여준 테스터야."

나는 그 말을 듣고, 이상한 듯 반문을 했다.

"임신의 걱정도 없는데 왜 여성테스터를 붙여주었지?"

"여러 사정이 있어서 그래. 또 내 성적 취향도 양성애자에 가까우니까. 레이첼을 나에게 붙여주어도 상관이 없었어."

결국 그녀가 3단계 수술을 못 받았다는 것은 테스트에 통과를 못한 것이고, 레이첼이 내게 준 섹스 영상 데이터를 통해 봤을 때 사라가 3단계 수술을 받을 수 없다는 것은 자명해보였다.

그렇다면 과학교 본부에서는 레이첼을 통해 사라가 3단계 수술을 받을 수 없다는 것을 논리적으로 설득시키려는 것일까? 내가 알기로는 과학교가 유물론과 무신론을 신앙하는 단체지만 인간의 본능까지 부정하지 않는다고 알고 있다.

"레이첼하고 섹스를 하면서 단지 섹스가 지겨울 따름이었지 섹스가 싫어진 건 아니라는 걸 깨닫게 되었어."

"역시."

그런데 2.5단계 수술이라는 것이 뭔지 나는 궁금해졌고, 그날 밤 나는 그 수술의 의미를 깨닫게 되었다.

운명인지는 모르지만 식당에서 적당하게 술에 취한 우리 둘은 호텔에서 자기로 했고, 난 그녀를 호텔에 재운 뒤 퇴실하려고 했지만 사라가 나를 가만히 두지 않았다.

그녀는 이미 그 날 각오라도 한 듯이 내 앞에 실오라기 하나 걸치지 않는 몸으로 이상야릇한 미소를 지으며 서 있었다.

나도 이렇게 될 줄은 무의식적으로 짐작하고 있었지만 막상 이런 순간이 오자 온 몸을 떤 채 방 한 구석에 있는 의자에 얌전히 앉자 달빛 실루엣에 비춰지는 그녀의 나체를 감상하게 되었다.

"정호가 영상을 봤을 줄 모르지만 내 몸 좀 이상하지? 자세히 봐 줘."

나는 몇 분 간 그녀의 나체를 꿀 먹은 벙어리마냥 감상한 다음 떨리는 목소리로 입을 열었다.

"왜 가슴이?"

내 질문에 그녀는 자신의 가슴을 활짝 피며 물기 섞인 목소리로 대답했지.

"레이첼이나 나나 피부는 인조피부로 성형한건 알거야. 아무리 의학이 발달 되었다곤 하지만 타고난 피부는 나이가 들면 주름이지고, 검버섯이 생겨 늙어 보이지.

과거에는 잘 관리하면 70살부터 늙은 티가 나는데 현대는 백 살부터잖아. 또 타고난 신체기관은 백 살 이후부터 급격하게 노화되어 쉽게 아프고, 병들고 말지.

인공 신체로 교환하면 적어도 급격하게 노화 되서 죽지는 않으니까.

그래서 신교 사람들과 거의 똑같은 수명을 지니지만 죽을 때 차이가 나지. 인공신체로 신체를 바꾸면 죽기 전까지 활기차게 살 수 있어.

그렇다고 쳐도 피부만 인조피부로 대체 하는 거라 유방의 지방 조직이나 근육, 유두나 유륜 같은 것은 그대로 다시 이식하거든.

레이첼이 그래. 레이첼은 과학교도 측에서도 어린 편에 속한대로 거침없이 자신의 피부를 인조 피부로 교체했어. 보통 인조피부로 교체해도 개성적인 측면이 보장되는 것은 전에 있던 생체 조직을 쓰거든. 4단계 수술 전까지는 최대한 성형할 건 성형하고, 남길 건 남겨.

과학교도를 볼 때 겉으로는 다 거기서 거기인거 같지만 벗겨보면 조금씩 개성들이 있어.

아마 4단계 수술 전 마지막 배려겠지.

나 역시 치료목적과 레이첼과 같은 경우로 피부를 인조피부로 교체했어."

"치료목적?"

"그래. 말했지? 난 삼십 대까지 정말 무분별하게 살았어. 그래서 폐와 심장에 염증이 생겼지."

"호흡기에 이상이 있다는 것은?"

"맞아. 연기로 태우는 마약을 많이 했어."

"정확한 이름은 모르고?"

"몰라. 대멸종 이전에 생긴 마약이라고 하는데. 과학교본부에서도 논쟁이 좀 되더라고."

"제일 의심 가는 건,........ 그건가 본데."

21세기 말에서 22세기 초에 개발된 이 마약은 과거 마리화나처럼 태워서 연기를 들이마시는 합성마약으로 담배보다 더 폐와 심장에 좋지 않다고 알려져 있다.

 정확히는 폐와 순환기 혈관, 심장 혈관에 좋지 않는 것이다. 담배보다 호흡기에 더 해로운 이 마약은 자칫 잘못하면 폐가 손상 될 수 없을 정도로 망가지고, 심장의 근육과 혈관까지 전부 괴사되는 무서운 마약이었다.

 그러나 담배보다 백배나 더 효과적인 안정제이며 백배나 더 중독성이 강한 물질로 22세기 이후 사회적인 이슈와 문제가 항상 되어 왔다. 난 그녀의 이 말을 듣고서 2.5단계 수술이 뭔지 이제야 알 거 같았다.

 "그러면 네 심장과 폐, 대동맥은?"

 "맞아. 보통은 3단계에서 내장기관을 인공기관으로 대체할 때 심장과 폐까지 인공기관으로 대체하게 되지만 난 병 때문에 3단계 테스트 없이 호흡계 전체를 인공기관으로 대체했어.

 그래서 유방의 지방 조직만 남긴 채 싹 인공 피부와 유두로 대체되었지. 물론 보통 여성들과 같은 색깔로 해도 되지만 난 내 하얗고, 푸르스름한 피부와 어울리는 자줏빛 색깔로 젖꼭지 색을 골랐어."

 "혹시 그 마약이 네 2단계 수술에 영향을 준 거 아닐까? 물론 모성 부적응자라는 진단도 있었지만."

 "글쎄. 그럴지도 모르지."

 난 그녀의 말을 듣고, 이제야 확신에 차게 되었다. 그렇다면 3단계 수술이라는 것은 그러니까 성욕을 없애고, 식욕과 수면욕만 남기는 수술이라는 것은 단순히 성기만 변형시키는 수술이 아니라는 거다.

 "3단계 수술을 받는 다는 것은 내장기관을 전부 바꾼다는 거잖아. 성욕을 없애기 위해서는 그게 필수구나."

 "맞아. 인간의 성기를 변형시킨다는 것은 인간의 배출기관을 변형

시킨다는 의미가 있어서 내장기관이나 호흡계를 인공물로 대체해야하는 과정이 필수지.

　3단계 수술을 받은 뒤 배설되는 물질이 보통 사람들과는 다르다는 것이 그것이지.

　여러모로 과학교의 수술과정은 참으로 오묘하면서도 합리적이야. 나도 2단계 수술에 대해서는 잘 모르지만 단순히 나팔관을 없앤다거나 자궁을 없앤다거나 그런 게 아니야.

　나팔관이나 자궁 같은 것이 그대로 있는데도 수술대상을 영구불임 시킬 수 있다는 게 신기하지. 심지어 생리까지 하고 그런데도 아무리 사랑을 나누어도 끝내 자식은 볼 수 없어.”

　그 말을 하고 난 뒤에 사라는 내게 다가와 키스를 했다.

　사라가 어떻게 살았고, 왜 이런 몸이 되었는가를 난 그날 밤 그제야 알게 되었다. 그리고 비록 내 마음속에는 그녀가 여동생 같다는 생각을 하게 됐지만 에스더와는 다르게 그녀는 나에게 적극적으로 다가왔고, 나를 남자로 생각하고 있었다.

　같은 자매지만 내가 여자로써 사랑하는 여자는 나를 오빠, 남동생으로 대하고, 내가 여동생으로써 좋아하는 여자는 나를 남자로써 대한다.

　그녀의 몸 안에 내 욕망을 집어넣고, 격렬한 사랑의 행위 끝에 끝내 내 욕망을 그녀의 안에 분출했다. 비록 아이를 가지지 못하는 몸이지만 그녀의 몸을 배려하지 않은 채 그녀에게 내 욕망만을 쏟아내는 게 아닌가 하는 생각이 들었다.

　사라는 내 마음을 아는지 내가 성기를 자신의 안에 빼지 못하게 양다리로 내 엉덩이를 감싸 안더니 나에게 뜻 모를 위로의 말을 해주었다.

　“괜찮아. 괜찮아. 그냥 이렇게 있어도 돼. 어차피 아기는 생기지 않으니까. 난 이런 관계만으로도 만족해.

정호가 정말 아기를 생기게 하고 싶은 여자를 만날 때 까지 이러고만 있어도 돼."

그녀는 내게 사랑한다고 말하지 않았다. 물론 우리 둘은 과거에는 남매처럼 좋아했고, 지금은 연인으로써 사랑을 나누었다.

하지만 그녀는 나에 대해 알고 있었다. 그것은 내가 아이를 바란다는 것과 그렇기에 내가 임신할 수 있는 여자와 결국에는 같이 결혼해서 산다는 사실을.

그럼에도 그녀는 지금 현재에 대해 만족하는 거 같다. 나는 이 말을 듣자 그녀에게 미안한 생각이 들어서 그녀의 유방 사이로 얼굴을 파묻으며 울었다. 정말 아기처럼 울었다.

그러자 사라는 내 목을 자기 두 팔로 상냥하게 감쌌다. 나를 위로해주듯이.

9

　그 날 밤 이후. 사라와 나는 동거를 하게 되었고, 사라의 집들은 내 방에 하나 둘 쌓여가고 있었다.

　나는 이 사실을 에스더에게 전했다. 사라와 성관계를 했고, 사라와 동거를 하게 되었다는 사실을.

　에스더는 화상전화로 내 말을 듣고, 처음에는 놀랬으나 점차 무덤덤해졌다.

　"상관없겠지. 정호가 누구와 자든 우리 사이에는 변하는 게 없으니까."

　"사라가 네 자매인데도?"

　"이젠 남남이야."

　"뭐라고?"

　"그 여자 얘기는 꺼내지마. 정호가 걔랑 어떻게 하던 상관없어. 그건 정호 문제잖아."

　"사라가 어떻게 지냈었는지 정말 알고 싶지 않아?"

　내가 그 말을 꺼내자 화상 전화 속 에스더의 얼굴에는 미묘하게 멈칫 하는 표정이 비추었다. 더욱이 그냥 일반 화면이 비추는 화상 전화가 아니라 홀로그램 전화라 그녀의 얼굴 표정 변화가 나에게 더 자세히 보였다.

　"정 얘기 하고 싶다면 얘기해도 돼."

"정말. 너는."

몇 십 년 전 이미 그녀를 사랑하는 감정은 버렸지만 그래도 에스더는 내게 소중한 사람이다. 내가 그 빌어먹을 직장들을 가졌을 때도 한 달에 몇 번씩 와서 내 살림을 거들고, 맛있는 요리도 해주었던 사람이다.

내가 돈이 있든 없든. 직장을 가지던 안 가지던 한결같이 나를 대해주었다.

그렇기에 에스더의 본심이 뭔지 나는 잘 알고 있다. 비록 사라를 저주하고, 미워하더라도 속마음에는 사라를 걱정하는 마음이 있을 거다.

나는 그녀에게 사라가 어떻게 그동안 지냈는지 얘기 해주었다. 에스더는 그 말을 듣고, 마음에 상처를 받았는지 고개를 숙이며 내게 떨리는 목소리로 말했다.

"아기도 영원히 못 낳고, 심장과 폐를 인공기관으로 교체했단 말이지? 어떻게 그럴 수가."

"심장과 폐는 그 마약 때문에 심각하게 망가져서 어쩔 수가 없었지."

"알아. 교체 안했다면 아마 걔는 죽었겠지. 그건 그렇다고 쳐도 아기를 영원히 못 낳는 건."

나는 에스더의 그 말을 들었을 때 어떻게 그런 생각이 떠올랐는지 그녀에게 짓궂지만 또 위로가 담긴 얘기를 했다.

"너라도 사라를 대신해서 아기를 열심히 낳아. 사라가 모성애가 많다니까 네 아기 중 하나를 잘 돌보지 모르잖아."

내가 그 말을 하자 에스더는 갑자기 얼굴을 붉히더니 수줍은 목소리로 내게 대답했다.

"정호. 너도. 내 자매지만 너를 위해 사라를 단지 섹스파트너만으로 삼는다면 문제 삼지 않을게.

사라는 아이를 낳을 수 없으니까 걔와 부부처럼 살아선 안 돼. 너도 네 자식을 가져야 하잖아.

 그건 내게 정호, 너는 남동생이니까. 남동생인 네가 진정한 가정을 이루기 바라니까."

 그렇게 에스더는 말하지만 분명 사라에 대해 신경 쓰고 있는 마음을 눈빛으로 볼 수 있었다.

 난 그래서 뭐라고 더 말하고 싶었으나 딱 이 한마디만 했다.

 "사라도 네 자매야."

 "몰라."

 그렇게 미워하면서도 끝내는 사라의 수술 소식에 마음 아파하는 것을 보면 역시나 자매는 자매사이인거 같다.

 이렇게 공식적으로 에스더에게 사라와 관계를 맺은 사이라는 것을 알렸다. 그러자 달라진 것은 어떻게 에스더가 알았는지 사라가 집에 없을 때 내 아파트에 와서 내 살림을 챙겨준다는 것이다.

 내 살림을 돌봐준 것은 변함없었으나 사라하고는 화해 할 마음은 없는지 사라가 집에 있는 시간만 피해서 내 집에 온 거 같다.

 그런 점을 볼 때 둘은 아직까지 서로 통화하거나 안부인사라도 하지 않는 거 같다.

 그렇게 한 달이 지났다. 사라와의 동거가 익숙해질 무렵 배양육회사에서 일한 뒤 몇 년 동안 백수생활을 한 나는 레이첼의 얘기에 신경이 쓰여 드디어 윌리엄 경을 만나러 가기로 했다.

 리치몬드의 소개로 퐁차이를 알게 됐고, 퐁차이는 그날 파티에서 내 실력을 봐서 그런지 윌리엄경이 평소에 작업하고 있는 거처를 소개시켜주었다.

 원래는 A구역에 살고 있으나 최근에 B구역에 교습소 같은 걸 차렸다는 것을 알려주었다. 그 파티 이후에 교습소를 열었는데 어떤 이유 때문에 A구역에 살던 사람이 B구역에서 교습소를 열었는지 그건 퐁차이도 잘 몰랐다.

퐁차이가 알려준 대로 그 주소의 건물을 찾아갔다.

내가 자주 타고 다니는 B구역의 간선 버스로 내 집에서 약 40분 정도 떨어져 있는 곳에 윌리엄경의 교습소가 있었다.

흰 색의 네모난 오 층짜리 건물로 그 주위의 다른 건물들과 썩 달리 특이하거나 이상하지 않는 평범한 건물이었다.

건물 입구에 떠다니는 방범 드론에게 난 손 짓을 하며 용건을 말해주었다.

그러자 건물 입구의 노란색으로 빛을 발하는 차폐장이 걷어지면서 투명한 강화 탄소나노튜브의 양 문이 벌어졌다.

난 벌어진 공간을 통해 건물 입구에 들어섰다. 건물 입구에 들어서자 검은색의 큰 휴지통에 회색의 우산꽂이가 보였다.

우산꽂이엔 하얀 형광봉으로 빛을 발하는 검은 우산 한 개가 꽂아져 있었다.

나는 이상한 생각이 들어 안에 더 들어가자 입구 로비가 보였고, 로비는 보통의 건물 로비처럼 테이블과 의자들이 있었다.

그 테이블 중앙에는 한 여자가 서 있었는데 베이지색 원피스를 입은 긴 머리의 흑인여성이 있었다.

원래 흑인 여성이라기엔 좀 더 밝은 화이트 계통의 피부를 지녔고, 긴 생머리도 하나의 곱슬머리도 없는 완전한 긴 생머리였다.

"선생님은 곧 내려오실 거예요."

나를 보자 대뜸 그 여자는 의기양양하게 그렇게 말했다.

"여기가 윌리엄 티베리우스 송하트 경이 교습소를 열었다는 건물이 맞나요?"

"교습소요? 교습소라기보다는 그냥 별장 같은 곳이죠."

"아. 어쩐지."

어쩐지 왜 차폐장이 건물 입구에 걸쳐져 있는지 이제야 이해 할 거 같았다. 공공건물이 아니라 개인 사유지라면 사람을 통과 시키지 못하게 하는 차폐장이 걸려도 상관이 없긴 하다.

"아가씨는?"

"아. 전 리나라고 불러주세요. 선생님을 모시고 있는 안드로이드예요."

"최고급 상품인거 같은데."

비록 황갈색의 피부를 가진 흑인 여성같이 생겼지만 그 싱싱한 아름다움을 보았을 때 최상품의 안드로이드 같아보였다. 그녀는 자신을 상품 취급하는 나에게 무관심한 듯 사실대로 말해주었다.

"맞아요. 주인님이 꽤 많은 돈을 주고, 저를 맞춤 제작이라고 해야 하나 탄생이라 해야 하나 아무튼 구해오셨다고 해요."

"교육 OS는?"

"메이드 18.4 시스템을 전부 전수 받았죠. 생체두뇌에 프로그램을 전부 이식했어요."

"적어도 약 인공지능과 강 인공지능 사이인건가."

난 그 OS에 대해 조금은 알고 있어서 그렇게 한숨을 쉬며 말했다. 그녀는 내 말을 듣더니 곧 조금은 화난 표정을 지으며 대답했다.

"3~4년 밖에 살지 못하는 생체 안드로이드 보다는 꽤 진화한 모델 이예요. 적어도 전 백 년은 살거든요."

"알아."

아마도 제니스보다는 상위 모델 같다. 이렇게 수명이 긴 걸 보면.

그렇게 그녀와 대화하고, 있을 때 로비 부근의 엘리베이터 문이 열리더니 그 파티에서 나를 유심히 쳐다보았던 노인이 엘리베이터에서 내렸다.

바로 윌리엄 송하트였다. 그는 자신의 비서겪인 안드로이드 리나와 나를 번갈아 보더니 나에게 소리쳤다.

216

"리나를 인간처럼 대해주게. 내게는 딸 같은 아이니까."

"알아요. 저런 아이를 주문하려면 꽤 돈이 들었겠죠. 세라 때문인 가요?"

나는 그의 말에 그렇게 반문했다. 일단 안데르센의 유지에 따라 세라를 이기려면 안드로이드에 대해 알아야 하니 자신의 곁에 저런 고급 안드로이드를 두는 게 당연하다.

"처음엔 그랬지. 시간이 지나면서 단순한 인공지능이라고 생각하기엔 그 애하고는 정이 많이 들었네. 꼭 세라 때문은 아니야."

그는 내 질문에 화를 내거나 부정적인 반응을 보이지 않고, 순순히 자신의 목적을 인정했다. 그러나 그게 전부가 아니라고 말한다.

"직접 안드로이드와 살다보면 인공지능이라는 게 얼마나 인간같이 느껴지는지 자네도 알지?"

나는 가드먼 아저씨 집에 있을 때 리나 보다 못한 안드로이드였던 제니스를 기억하며 그의 물음에 고개를 끄덕였다.

"리나를 내 곁에 두면서 순순히 그 점을 인정 할 수밖에 없었네. 안드로이드도 영혼을 가지고 있는 건 아닐까."

"분명 인간과 차이점이 있을 겁니다."

"생체 안드로이드가 대체로 어떻게 만들어지는지 자네도 알고 있지 않는가?"

"당연 알죠. 전 생체 안드로이드를 해체 하는 작업도 했는걸요."

"그래? 단순히 도련님인 줄 알았는데 산전수전을 다 겪어보았군."

나는 빈민 구역에서 로봇과 안드로이드를 해체했던 일을 떠올리며 그에게 말했다. 그는 내 진지한 눈빛을 보고, 내 말이 거짓이 아님을 확신했다.

그래도 조금은 실망이다. 나를 순진한 도련님으로 인식하고 있었다니. 단순히 책만을 많이 읽은 편한 일만 하는 도련님 말이다.

그는 내 말을 듣고는 고개를 까닥거리며 나에게 손짓을 하더니 큰 목소리로 얘기했다.

"올라와서 얘기 하지. 리나. 커피와 페이스트리를 내 사무실에 내와라."

"예. 주인님."

리나는 그의 지시에 고개를 끄덕이고는 자신의 자리에서 일어나 어디론가 사라졌다. 나 역시 그를 따라 엘리베이터를 타고, 그의 사무실로 올라갔다.

로비와는 다르게 윌리엄의 사무실은 몇 개의 방으로 되어 있었는데 방마다 연습실과 공연 실, 집무실, 명상실, 자료실등의 홀로그램 명패가 걸린 룸들이 있었다.

그는 연습실로 나를 우선 이끌어 내었다.

연습실은 42평 정도로 아주 큰 무대였으며 거기에 의자 수십 개에 BMAU로 보이는 드론들이 일곱 대 정도 공중에 떠 있었다.

무대 양 사이드에는 홀로그램 조명들을 비추기 위한 레이저 조명 드론이 있었고, 특별히 다른 점이라면 무대 자체는 텅 비워 있었는데 바닥이 과거 학교의 복도처럼 나무로 되어 있다는 점이다.

"BMAU35네."

무대 공중에 떠다니는 드론들을 보고, BMAU라고 생각했지만 이렇게 구식 드론이 있을 줄은 몰랐다.

"고물이잖아요."

"아니. 팅커벨사의 최고 명작이지. 내 스승님도 BMAU35로 세라한테 질 때까지 최고의 즉흥시인으로 왕좌를 지켰지."

"팅커벨사 최고의 작품인건 인정하지만 BMAU35가 지금은 38에 비하면 기능이 딸리고, 처리속도도 딸리는 걸요. 또 불편하고요."

그는 내 얘기를 듣고, 콧방귀를 꼈다.

"그래? 38의 편리함에 길들여져서 35의 세심하고, 아날로그적인 조작 감을 경험하지 못한다면 결코 세라를 이길 수 없지."

38이 35보다 편리하다는 것은 사실이다. 35는 정말 팅커벨사의 명기이긴 하나 복잡하게 다루고, 세심하게 다루어야 한다는 불편함이 있었다.

그에 비해 38이 얼마나 편리한지 음악가나 즉흥시인의 길에 들어서는 사람은 다 알고 있었다.

거의 백 년 전의 기계와 삼 십년전에 나온 기계와의 차이는 그만큼 컸다.

"자네 실력을 한 번 보여주게. 주제를 뭐로 정할까? 그래. 자네가 제일 두려워하는 걸로 정하지."

"BMAU35로요?"

"그래."

그의 요구에 나는 고개를 끄덕이며 불만족스러운 표정을 짓고는 연결기기를 귀에 부착한 다음 BMAU35를 움직였다.

확실히 뇌파로 BMAU35를 컨트롤하는 건 38보다는 복잡하고, 어려웠다. 머릿속에서 생각하는 음을 곧바로 화음을 넣고, 알아서 듣기 좋은 노래로 만들어주는 BMAU38보다 더 명확하게 음을 머릿속에 그려야 하며 리듬까지 머릿속에 지정해줘야 했다.

나는 그의 요구에 따라 이 세상에서 제일 두려운 것을 노래하기 시작했는데 바로 아무 일도 하지 못하고, 돈만 벌며 사는 한 남자에 대한 이야기였다.

그는 자신 안에 음악가로써 노래를 불러 유명해지고 싶은 욕망이 있으나 현실은 정글 같은 세상 탓에 먹고 살기 위해 하루하루 겨우 살아가는 자신을 탓하는 얘기다.

그리고 그렇게 살아가면서 결국 칠십이 넘은 나이에 겨우 자그마한 자기 집을 마련했지만 자신의 이름을 세상에 남기지 못한 것에 대한 후회 아니 뭔가 세상에 남긴 게 없다는 후회를 하면서 결국 홀로 자기 집에서 죽는 다는 내용이다.

나는 시적인 내용은 자꾸만 떠올라서 시는 잘 노래했으나 음악에서 조금씩 핀트가 맞지 않거나 분위기가 이상한 음악이 흘러나와 고전했다.

자동으로 최선의 음을 만들어주는 BMAU38에 익숙해지다 보니 35의 컨트롤에는 내가 버거워서 그랬다.

윌리엄 경은 내 즉흥시를 듣고는 만족스럽지 못한 표정을 지으며 말했다.

"정말 두려워하는 건 그게 아니지? 뭔가 세상에 남기는 것이 없다는 상투적인 후회가 아니라. 마음속 깊이,...... 마음속 깊이 정말 자네가 두려운 것을 노래하게."

"네에?!"

난 그의 말을 듣고, 갑자기 내 마음 속 깊숙이 있는 진정한 두려움이 불현 듯 떠올랐다. 그는 내 표정을 읽었는지 나에게 강압적이면서 다정하게 지시했다.

"그걸 노래해 보게."

"네에."

내 속을 뚫어보는 그의 말 한마디에 나는 다시 한 번 노래를 불렀다. 내가 고민하는 진정한 두려움.

그것은 바로 죽어서 영원히 무가 되느냐? 아니면 존재가 소멸하지 않고, 다시 한 번 태어나느냐? 하는 것이다.

죽어서 영원한 무가 된다면 지금 내가 하고 있는 짓들은 무슨 소용이며 과학교도들은 무가 될 텐데 왜 집단을 위해 희생을 하는지 존재의 중요함과 절대 무의 두려움을 노래했다.

아주 무거운 오페라 풍의 노래로 그 옛날 클래식의 고전음악을 재창작해 즉흥시를 노래 불렀다.

이상하게도 이번에는 별다른 실수 없이 음악과 시 전부 말끔하게 노래 부를 수 있었다.

그는 내 즉흥시를 듣고는 고개를 끄덕이며 내 어깨를 얌전하게 자신의 오른손으로 잡으며 얘기했다.

"이게 인간과 안드로이드의 차이점이라고 할 수 있지. 안드로이드는 존재가 무가 되는데 오줌을 지릴 정도로 두려워할까?

자네는 이 노래를 부르는데 BMAU35의 컨트롤을 실수하지 않았어. 왜 그렇지?"

"모르겠어요."

나도 방금 부른 노래에 대해 작곡, 작사까지 한 나 자신도 혼이 나간 것인지 도대체 왜 실수를 하지 않았는가를 내 자신도 그 이유를 알 수 없었다.

"내 스승님도 평생 그 이유를 몰랐지. 역사에 남을 시를 노래했는데 어떻게 그런 시를 노래 부를 수 있었는지 자신도 모르겠다는 거야."

나는 리암 안데르센에 대한 이야기가 나오자 그에 대해 더 알고 싶어져서 윌리엄경에게 물어보았다.

"어떻게 세라에게 패배했죠?"

"패배? 패배라고 하기보다는 기권이라고 하는 게 낫겠군. 선생님은 그때 치매를 앓고 있었으니까. 세라가 그걸 안건지 모르는 건지 선생님이 무리라는 걸 알고도 세라가 도전해 온 거고. 선생님은 마지막으로 도전에 응하신 거야."

"병 때문이라면."

내 말에 그는 살짝 미소를 지으며 대답했다. 그는 내 속마음을 알고 있는 것이다.

"뉴턴에게 보여주고 싶어 했지. 비록 치매에 걸리셨다고 해도. 인간은 인공지능과 다르다는 것을. 그때는 내가 어린 나이었어. 이십대 초반이었으니까. 그 나이에 선생님과 세라의 마지막 대결을 보았는데,...... 선생님은 세라를 내내 압도하였다가 어느 구절에서 치매 때문에 막혀서 패배했지.

페트리샤나 전에 그 사라라는 아가씨처럼 일방적으로 진 게 아니라는 거네. 결국 인간의 한계,...... 노화에 패배하신거지."

"페트리샤요?"

"페트리샤뿐만 아니라 웨인, 후안, 마가렛트,...... 내가 키워낸 제자 전부. 어렸을 때 보았던 선생님보다 일방적으로 세라에게 패배했지. 나또한 그렇고."

나는 그가 침울해하며 말하는 것을 보고, 아무 말도 하지 못했다. 그러나 치매 때문에 패배했다면 이거 하나는 확실했다.

"세라에게 실력이 없어서 패배하신 게 아니라 노화 때문에 기권하신 게 맞는군요."

"그래. 바로 인간의 한계지."

나는 윌리엄경의 말을 듣고, 곧 슬픈 표정을 지었다. 전자두뇌를 통해 영원히 살 수 있을지도 모르는 인공지능에 비해 유한한 수명을 가진 인간이 너무나 불쌍해 보여서다.

그는 곧바로 내가 무슨 생각을 하는지 알아맞히고는 멋쩍은 웃음을 지으며 말했다.

"이런 면을 보았을 때 세바스찬 뉴턴과 내 스승님인 안데르센은 생각이 갈렸지. 뉴턴은 인공지능이야 말로 이런 인간의 유한함에 대한 인간의 구원이라고 세라를 통해 주장하고 싶었으나 선생님은 그걸 부정한 거야.

그리고 마지막 대결 때 스승님은 인간의 노래로 세라 아니 뉴턴을 궁지로 몰아넣을 수 있었는데 그만 치매로 뜻을 이루지 못한 거지.

세라를 이기기 위해서는 스승님이 깨달으신 것을 우리도 깨달아야 가능하다."

그의 입에서 나온 "인간의 노래"라는 말에 나는 온 몸에 전율이 흘렀다. 그러나 나 따위가 저런 경지에 오를 수나 있을는지 모를 일이다.

"너에게 부족한 건 기술과 철학이야. 자네의 재능은 아마 스승님과 동급 아니 그 이상일지 모르지. 내가 본 사람 중에 수 백 년에 하나 나올까 말까한 재능이지."

"그런가요?"

그의 칭찬에 나는 몸 둘 바를 몰랐다.

"보통의 재능을 가진 자였으면 아마 BMAU35로 즉흥시를 노래하는데 며칠은 걸렸을지 몰라.

하지만 자네는 단 몇 십 분 만에 놀라운 곡과 시를 만들어냈지.

존재의 소멸에 대한 두려움. 처음 그 드론을 다루어보는데도 아주 놀라운 곡을 만들어 냈어."

"안데르센 선생님에 비하면 세발의 피겠죠. 절 선생님의 제자로 받아 주실 건가요?"

그는 내 간청에 고개를 끄덕였다. 이로써 나는 마지막 그의 제자였던 페트리샤 이후 그의 수제자가 되었다.

몇 분 후. 리나가 연습실에 오더니 연습실 객석 한 구석에 준비한 커피와 다과를 배설했다.

그녀는 눈을 찡그리면서 윌리엄 경을 나무랬다.

"사무실에 가보니 없더군요."

"새 제자의 실력을 보고 싶었지."

"어떤가요?"

"내 스승님에게 배운 모든 걸 전수하고 싶어졌어."

나는 그의 얘기에 왠지 모르게 숙연해져서 고개를 숙였다.

일단 테스트가 끝난 다음에 오늘은 리나가 내어온 커피와 페이스트리를 먹으며 스승인 윌리엄경과 함께 안데르센에 대한 얘기를 나누었다.

그의 제자들은 윌리엄경 뿐만 아니라 몇 명 더 있을 건데 어째서 윌리엄경 만이 안데르센의 유산을 전부 이어받을 수 있었는지 그게 궁금해졌다.

윌리엄경은 내 질문을 듣고서 자신을 제외한 안데르센 스승님의 수제자들 운명을 얘기해 주었다.

"재능으로 따지자면 나보다 먼저 안데르센 스승님의 수제자 된 제이콥, 루시, 로버트가 재능이 많았지.

제이콥, 루시, 로버트 세 명의 수제자들은 스승님이 치매로 인해 세라에게 패배한 뒤 세라보다는 세라의 뒤에 있는 세라를 만든 뉴턴을 증오했었지.

그러니까 세라의 몸은 안드로이드를 만드는 대기업이 클론 증식으로 만들었지만 인공두뇌의 초지능은 거의 뉴턴이 주도해서 여러 과학교도와 합심해서 만들었으니까.

스승님이 패배했을 때 난 겨우 여자를 알만한 소년의 나이였고, 재능보다는 아버지의 사회적 지위와 내 성품 때문에 스승님의 수제자가 된 케이스야. 이십 대 초반이면 한창 그럴 나이인거 아닌가?

아무튼 스승님이 패배 후 셋 다 정식적으로 다른 인공지능들을 이기고, 세라에게 도전하게 되었지.

스승님의 수제자였으니까 세라를 제외한 다른 인공지능을 이기는 건 손쉬운 일이었을 테지.

또한 셋 다 유신론자였고, 과학교를 혐오하는 극렬한 광신도였어."

"페트리샤와 같이요?"

"그래. 후안도 신교였고, 내 수제자들 또한 내 사제(師弟)들과 같은 신교도가 많았지. 또 굳이 신교도가 아니더라도 과학교에 반감을 갖고, 혐오하는 사람들이었어."

"그래서요?"

그는 내 질문에 쓰디 쓴 블랙커피 한 잔을 입에 들이키고는 얘기를 계속 이어 나갔다.

"내 사제였던 세 명 다 세라에게 최종적으로 패배했어. 그게 아마 공식적으로 세라와 정당하게 겨루었던 기록들이었을 거야.

물론 내 제자가 아닌 진짜 특출한 재능이 있는 자가 나타나 세라와 공식적으로 최종 대결을 벌인 적도 있었어.

하지만 내가 장담하건데 스승님 이후로 그 누구도 세라하고는 맞먹을 수 없다.

그것이 뉴턴의 바램이었으니까. 인간은 그저 인공지능 보다 못한 존재라는 걸 증명하는 거.

내 사제들은 세라에게 패배한 후. 신교에서 과학교로 전향했다. 그게 아니면 즉흥시인의 세계를 영원히 떠나고 말았거나.

그들은 더 이상 자신의 신념을 관철할 수 없었고, 인간은 인공지능 보다 못한 존재라는 비관에 쌓여 변절해 나가거나 아니면 인간 자체를 증오하게 되었어.

내 사제들은 특히나 스승님에게 직접 예술을 전수 받은 사람들로써 세라에게 패배 한 후에 과학교로 전향한 사람들이다."

"뭐라고요?!"

나는 그의 얘기를 듣고, 놀랄 수밖에 없었다. 그 누구보다 인간에 대해 믿고 있었던 안데르센의 수제자들이 과학교로 돌아섰다는 사실을 믿을 수 없는 것이다.

"자신의 믿음이 확실할수록. 그것이 부정이 된다면 더 쉽게 반대편으로 돌아서게 된 단다. 내 사제들은 누구보다 인간성에 대해 믿고 있었고, 그 누구보다 과학교보다 신교의 정신이 더 우월하다고 믿고 있었어.

하지만 세라에게 패배했을 때 인간의 나약함과 한계를 뼈저리게 느끼게 되자 그 누구보다 과학교에 열성적인 신도가 되었어.

또 그들이 과학교로 돌아섬에 따라 선생님에게 배웠던 모든 기술들이 세라에게 알려지게 되었지.

세라는 끝까지 스승님을 두려워했거든."

"아니. 세라가 안데르센 스승님의 기술을 다 안다면 어떻게 이길 수 있나요?!"

나는 그가 말하는 사실에 고개를 숙이며 절망에 찬 절규를 질렀다. 그러나 그는 내 절규를 듣고, 가만히 미소를 지으며 고개를 저었다.

"그렇게 절망 할 건 없다. 다행히도 기술만이야."

"네에?!"

그가 내 절망감에 미소를 지으며 아무렇지도 않게 말하자 나는 놀란 표정으로 그에게 반문했다.

"안데르센 스승님은 수제자들에게 기술만 전부 전수해주셨지만 자신의 진짜 본 실력과 능력은 나에게만 전수하셨지. 그건 내가 제일 다른 제자들보다 어렸기 때문이고, 내 본성과 성품을 믿고 있어서였어.

안데르센 스승님의 기술을 세라가 전부 알고 있다고 해도 그것은 절대 안데르센 스승님의 진면목 전부를 알 수는 없단다."

"그게 무슨 뜻이죠?"

"지금부터 나에게 배워보면 안다. 내일부터는 우선 BMAU35를 연주하는 걸 마스터해라."

"네에."

윌리엄 스승님의 말에 따라 그 다음 날부터 스승님에게 음악과 시에 대해 배우게 되었다.

물론 사라와의 밤일도 열심히 했다. 오히려 그녀가 임신을 하지 못하는 몸이라는 걸 알기에 더 적극적인 성관계를 할 수 있었다.

그리고 사라 역시 그것을 나에게 바랐다.

그녀가 무슨 일을 하건 그녀의 과거가 어쨌건 나에겐 걸림돌이 되지 않았다. 그건 스승님도 마찬가지였다.

가끔 스승님이 있는 교습소에 사라가 따라왔는데 스승님은 그녀를 보고 나에게 말씀하셨다.

"과거가 참으로 복잡한 여자구나. 너하고 같이 살고 있지?"

"네에."

"과거에 수많은 남자가 거쳐 간 여자인데도 불쾌하지 않냐?"

"불쾌하지 않다면 거짓말이겠죠. 하지만 이미 불임인 몸이고, 그녀는 누구의 소유도 아닌걸요."

"불임이라면 과학교도구나."

"네에. 설마 스승님,......"

"아니. 아니야. 과학교도라고 무조건 싫어하는 건 아니야."

스승님의 사제들이나 제자들이 한때는 신교도라서 스승님이 과학교도를 싫어하는 건 아닌가하고, 나는 걱정이 되었다.

그러나 그는 고개를 저으며 내 걱정을 일축했다.

"나는 단지 과학교의 그 유물론과 도구주의를 싫어 할 뿐이지. 인간 자체를 싫어하는 건 아니란다.

그건 내 스승님인 안데르센 선생님도 그러했다.

따지고 보면 세바스찬 뉴턴과 안데르센 스승님은 서로 같이 자라온 고향 행성 친구였단다. 그것도 지구에서."

"지구요?"

나는 지구라는 말에 눈이 번쩍 뜨였다. 지구는 이미 황폐화된 행성으로 그곳에서 무슨 영광이 있고, 추억이 있는지 궁금해서였다.

"인류세 대멸종이후 수많은 자연환경이 파괴되었지만 일부는 아직 보존된 곳이 있고, 화성처럼 사람이 거주할 수 있는 콜로니가 있지.

지구와 화성의 차이라면 그래도 지구는 불모의 행성이 됐더라도 바다에 녹조류가 아직 존재하고 있어 온 행성에 산소가 있냐? 없냐의 차이다.

 화성이나 기타 행성들은 돔이라는 이 도시와 같은 구조물의 공간 안에서 살아가야 하지 않느냐?"

 "그렇죠."

 나는 돔 형태의 도시로 이 곳인 프로메테우스 시티를 연상하며 그의 말에 고개를 끄덕였다.

 "지구가 불모의 행성이 됐어도 아직 그 푸르렀던 시대의 유산을 이어 가는 곳들이 몇 몇 있단다. 어쩌면 꽤 많을지도 모르겠다.

 자연은 회복력이 빠르니까."

 나는 그 말을 듣고, 처음 알게 된 사실에 경악을 하며 외쳤다.

 "아니! 그렇다면 왜 각 행성 정부나 위성 정부는 그 사실을 왜 말해주지 않는 거죠?!"

 스승님은 내 질문을 듣고, 지그시 눈을 감으며 대답했다.

 "유산을 이어 나가는 곳들이 아직은 적어서이기도 하고, 다시 인간이 지구에 몰려들어 인류세 대멸종 같은 일이 반복되지 않기 바라서이지.

 이것은 내 스승님인 안데르센 스승님이 직접 얘기해주신 사실이다. 그래. 언젠간 네가 지구에 갔으면 좋겠구나. 지구의 옛 유산이 있는 곳에서 무언가 배웠으면 좋겠구나."

 "도서관이면 이곳 프로메테우스시에서도 큰 도서관이 있는데요."

 내가 그렇게 말하자 스승님은 눈을 감은 채 미소를 지으며 대답했다.

 "인류의 역사가 기록된 고대로부터 수많은 문화가 만들어지고, 각 나라의 개성과 역사가 기억되는 대도서관은 지구에 있다고 알고 있다. 인류세 대멸종으로 대다수의 인류가 죽기 전 인류의 유산을

228

기억하기 위해 몇 군대 양자도서관을 지었다고 알고 있다.

안데르센 스승님이 얘기하셨지. 안데르센 선생님이 지구에서 어떻게 기억되는지도 알고 싶구나.

다른 행성 사람들은 모르지만 지구에서는 꽤 기억되시는 분일지도 모르겠다.

그러니 시를 쓰는데 재능만으로는 안 된다. 철학과 지식도 수반되어야 하지. 이때까지 내 수제자들과 사제들이 세라에게 패배한 것은 철학과 지식이 없을뿐더러 인간에 대한 본질을 몰랐기 때문이다.

이걸 깨닫는 것이 제일 어려운 과정이고, 기술을 익히는 것은 개나 소나 할 수 있는 거란다.

지금부터 나는 너에게 음악과 시에 대한 모든 기술을 가르쳐 줄 것이다. 하지만 철학과 지식은 네가 직접 습득하게 깨달아야 하지."

"알겠어요. 하지만 지구에 그런 게 있다니 몰랐네요."

"아무리 불모의 행성이 되었다 해도 한때는 아름다운 곳이었으니까."

윌리엄 스승님도 인류세 대멸종 이후에 태어났음에도 불구하고, 지구가 아름답다고 말했다. 물론 지구의 과거 모습 중 일부 인류세 대멸종 이전에 기록된 것도 간혹 있다.

인류세 대멸종 이전의 영상을 보다보면 정말 지구가 과거에는 아름다운 곳이라는 것을 간접적으로는 느끼지만 직접 두 눈으로 본 적이 없으니 크게 실감이 나지 않았다.

나한테는 아니 내 세대에서 지구는 단지 모레와 유독한 폐수가 흘러넘치는 행성일 뿐이다. 아니, 솔직히 홀로그램 자료로만 지구의 모습을 보았을 뿐이지 가본 적은 없다. 아마. 태양계에 사는 사람들 중에서 지구에 실제적으로 가본 사람은 아주 희귀할 것이다.

그 날 이후로 15년간 나는 윌리엄 스승님 밑에서 음악과 시를 배웠다. 특히나 윌리엄 스승님은 즉흥시의 기술에 대해서 자신이 아는 것 경험한 것을 다 가르쳐주셨다.

첫 번째는 BMAU를 자유자재로 다루는 기술. 두 번째는 시상에 대한 정보를 찾는 기술. 세 번째는 대중들의 심리를 파악하는 기술. 네 번째는 즉흥시에 대한 전반적인 창작 기술. 다섯 번째는 즉흥시를 아름답게 혹은 심미적으로 꾸미는 기술. 여섯 번째는 시와 음악을 결합하는 기술. 일곱 번째는 자신이 노래하는 즉흥시를 자유자재로 주제와 이야기를 변화시키는 기술, 여덟 번째는 그동안 노래한 즉흥시에서 고칠 점과 나은 점을 찾아 더 개선된 즉흥시를 노래하는 기술이다.

특히나 일곱 번째 여덟 번째가 제일 어려운 기술로써 다른 건 일 이 년 안에 습득이 가능했지만 이 두 가지는 내가 총 칠 년 만에 습득했으니 이것이 바로 리암 안데르센이 삼십 년 이상 즉흥시의 제황에 오를 수 있는 기술들이며 윌리엄 스승님이 알고 있는 기술들이다.

내가 15년간 윌리엄 스승님께 즉흥시를 배우면서 나는 계속 사라와 동거를 하고 있었고, 일주일에 한 번 이상은 서로 격렬한 사랑을 나누었다.

서로의 생활이 있기에 서로 동거를 하고 있었지만 서로의 삶에는 간섭하지 않았고, 서로의 일에 대해서도 간섭하지 않았다.

그녀가 과학교도로써 과학교의 지령에 따라 일하고 있다는 것은 안다.

사라의 성격상 남과 어울리는 일은 하지 못하며 창작적인 일은 하지 못한다는 것은 안다.

그렇다고 그녀가 과학자적인 기질이 있지만 정말 과학자를 할 정도로 논리적이고, 체계적이지 않다는 것도 안다.

과학교가 그녀에게 맞는 적성과 기호를 살려 직장을 알선 한다는 것 정도는 그녀에게 들어서 알고 있었지만 도대체 무슨 일인지는 몰랐다.

한 가지 확실한 것은 그녀가 레이첼 밑에서 일한다는 거다.

그럼에도 불구하고, 내가 그녀가 무슨 일을 하는지 관심이 있는 것은 둘이 살고 있는 아파트의 임대료를 그녀가 부담하고 있었고, 식비나 관리비까지 그녀가 부담하고 있었기 때문이다.

일정량의 음식이야 나중에 리치포드와 결혼한 에스더가 한 달에 몇 번씩 쌓아오지만 자주 먹는 요리는 사라가 해주었다.

나는 집안 살림에는 관심이 없었기에 빨래나 청소, 요리 같은 것에 별로 신경을 쓰지 않았다. 하기야 내가 혼자 살 때도 이미 조리한 음식을 시장에서 사서 광플라즈마 레인지에 녹여 먹거나 에스더가 먹을 걸 냉장고에 쌓아놓았기 때문에 버틸 수 있었다.

사라와 살게 되면서 의외로 놀란 건 그녀가 살림 전반을 담당하게 된 것이 무척 뜻밖인 점이다.

그녀도 나와 같은 부류인 줄 알았는데 의외로 성격과는 다르게 착실하게 집안 살림을 하고 있는 거였다.

그러면서도 이 아파트의 임대료와 관리비, 식비까지 자신이 부담하고 있으니 그녀가 무슨 일을 하는지 관심이 생긴 것이다.

나도 그녀에게만 살림을 맡길 수 없어 일을 구해보려고 했지만 사라가 오히려 그런 결심을 한 나를 말렸다.

"아. 돈 걱정 하지 말고. 넌 스승님에게 배우기나 해."

"너무 미안해서 그렇지. 임대료에 관리비, 식비까지. 비록 내가 실업급여로 어느 정도 충당하고 있지만 그 이상은 네가 다 벌어서 써야 하잖아."

그렇다. 윌리엄 스승님에게 배우는 기간에 나는 실업자로써 프로메테우스시 정부의 실업보조금을 받고 있었다. 그냥 평민 구역의 닭장 곳에서 산다면 재정에 별 무리가 없겠지만 B구역의 이 아파트에 살고, B구역의 마트에서 식재료를 구하는 데는 문제가 있었다.

"아. 직장이라면 문제없어."

"구체적으로 무슨 일을 하는데?"

"재택근무야."

"일주일에 한 두 번은 나가잖아."

"아. 일감 받아오려고 그런 거야."

물론 에스더는 그녀가 외출 할 때 내 집에 들르곤 했다. 그러고 보면 사라는 에스더가 리치포드와 결혼할 때 결혼식에도 오지 않았다.

나는 한껏 정장을 차려 입고, 에스더의 결혼식에 갔지만 사라는 자신의 자매가 결혼 하는 것을 보고 싶지 않은지 나에게 매몰차게 대답했다.

"혼자 갔다와."

"왜? 너희들이 아무리 싸워도 미워해도 마리아 아주머니의 딸들이고, 서로 자매잖아. 결혼식 하는 건 그래도 봐야지."

"필요 없어."

"사라."

나는 스승님이 가르쳐 준 기술로 그녀가 왜 이렇게 매정하게 대답하는지 안다. 아마 자신의 자매에게 자신이 수술한 것을 보여주고 싶지 않겠지.

그녀에게 에스더를 만나지 말고, 그냥 결혼식 구경이나 한 다음 같이 식사라도 하자는 말에 사라는 눈동자가 흔들리면서 동요하는 모습을 보였지만 결국 에스더의 결혼식에 오지 않았다.

대신 나는 자그마한 촬영용 드론으로 에스더의 결혼식을 촬영했다. 그건 분명 사라가 에스더의 결혼식을 보지 못한다면 후회할 것을 알기 때문이다.

나는 드론으로 촬영한 홀로그램 영상을 사라가 찾기 쉽게 가정용 메인컴퓨터 데이터베이스에 기록해 놓았다.

사라는 끝까지 그 영상을 보지 않으려고, 무뚝뚝한 표정으로 시치미를 땠지만 나는 알고 있었다.

그녀가 자신의 자매인 에스더의 결혼식 영상을 줄곧 봐왔다는 걸.

나 역시 그녀가 그 사실을 눈치 못 채게 모른 척 했다. 그래도 사라와 에스더가 서로를 미워하면서도 아예 무관심한 건 아니구나 라는 사실을 알게 되어 마음이 놓였다.

하지만 무언가 사라와 에스더가 서로 화해하고, 사라가 자신의 아버지인 가드먼 아저씨와 만날 기회를 만들어야 했다.

아마 에스더와 가드먼 아저씨는 사라가 과학교도라는 것을 알고 있을 거다. 그리고 내 예측은 얼마 지나지 않아 보기 좋게 들어맞았다.

에스더와는 한 달에 한두 번 꼭 만난다면 내 은인이신 가드먼 아저씨는 일 년에 한두 번 꼭 만난다. 가끔은 조언도 해주시기도 하고, 생활비등의 자금을 지원하시기도 했다.

역시나 윌리엄 스승님 밑에 있은 지 몇 년이 지난 후. 에스더와 리치포드 부부, 그리고 가드먼 아저씨와 같이 만나서 얘기를 나눈 적이 있다.

그때는 사라가 며칠 동안 아파트를 비운 시점이기도 하다.

에스더와 리치포드 부부는 일주일에 한 번은 꼭 자신의 아버지인 가드먼 아저씨가 있는 집에 들러 아버지의 살림을 돌볼 겸, 갓 태어난 자신의 딸과 같이 휴양 차 왔다.

가드먼 아저씨는 내가 어떤 처지에 놓인 걸 아는지 나의 성취에 대해 자주 묻곤 하셨다.

그러다가 우연치 않게 사라 얘기가 나왔다. 가드먼 아저씨는 사라가 과학교도라는 것을 이미 알고 있었다. 그리고 나와 동거한다는 사실도.

그 역시 에스더와 같은 입장으로 결혼하지만 않고, 섹스파트너로만 지낸다면 별 다른 문제를 삼지 않았다.

과학교도로써 불임인 자신의 딸을 무척이나 부끄러워하는 거 같다.

"3단계 수술까지는 가지 않았지? 걔는 2단계 수술까지는 받았을 거 같다."

"네에. 3단계 수술까지는 가지 않았어요. 2.5단계 수술을 받았는데요."

"2.5단계라면 아마 심장과 폐를 인공장기로 대체 한 수술일거다."

"잘 아시는 군요. 아저씨."

"에휴. 그 마약을 해서 그렇지?"

가드면 아저씨는 신교의 전도사이자 안드로이드를 진단하는 지식인답게 내가 말하는 2.5단계 수술이 뭔지 잘 알고 있었다.

그는 내 말을 듣고, 눈시울이 촉촉해지더니 잠시 허공을 바라보며 상심해 있었다. 에스더와 리치포드는 왜 자신의 아버지가 그러는지 몰라 나에게 물어보았다.

나는 비록 서로들 싸워서 화해를 하지 않았지만 서로가 무관심한 건 아니라서 에스더에게 사라의 수술에 대해 설명해주었다.

에스더는 내 설명을 다 듣고, 깜짝 놀란 눈으로 갓 돌이 지난 자신의 딸을 품에 꼭 껴안으면서 흐느끼는 거 같았다.

그 와중에 재정신인 것은 아마 나와 제 삼자에 가까운 리치포드일거다.

"처남. 사라가 그 마약을 다시 한 적은 있어요?"

"흡연은 하지만 나랑 같이 살면서 그 마약을 한 적은 없습니다."

나는 그녀와 자주 섹스를 하기 때문에 그녀의 육체 이곳저곳을 관찰 할 수 있었다. 담배를 피우는 장면은 자주 볼 수 있지만 그 마약을 한 장면은 본 적이 없다.

사실상 그 마약을 다시 한다면 몸에 어떠한 변화가 나타나기 때문이다. 아무리 인조피부라도.

"대단하군요. 무엇인지는 몰라도 과거 펜타닐이나 헤로인보다 중독성이 백배나 더 높은 마약 일 텐데. 아무리 사지를 인공장기로 갈아도 뇌는 어떻게 할 수 없기 때문에 중독성은 그대로 남죠.

그런데도 처남과 섹스도 하고, 그걸로 즐거움을 느낄 수 있다면 아마도 사라는 의지력이 강한 사람일 겁니다."

"저도 마약에 대해서는 잘 압니다. 과학교내에서 마약에 대한 치료를 좀 받았다고 하더군요. 주로 약물에 의한 치료인데 레이쳴이 치료 병원과 의사를 주선했다고 하더군요."

"그렇다면 사라는 레이쳴 휘하에서 일하고 있을 가능성이 큽니다. 처남. 본의 아니지만 레이쳴이란 사라가 서로 섹스하는 영상을 본 적이 있어요.

에스더와 결혼하기 전에 말이죠. 그 영상을 보건데 사라는 중독에서 완전 벗어난 거 같더군요. 어떤 약물이 그렇게 용한지 몰라도."

에스더와 친정아버지인 가드먼 아저씨가 있는 와중에도 리치포드는 자신의 죄를 고백하듯 사라와 레이쳴이 서로 섹스하는 영상을 본 적이 있다고 말했다.

그리고 나 역시 레이쳴에 의해서 봤으니까. 하지만 내 입장과 리치포드의 입장은 분명 다르다. 누군가에는 아주 배덕감이 드는 얘기일지 모르지만 매제가 처제의 알몸을 아무런 거리낌 없이 보는 것이니까.

그러나 가드먼 아저씨는 그렇게 얘기하는 리치포드를 나무라지 않았다. 어차피 결혼하기 전 일이라 그런 거 같다. 그리고 리치포드의 말에 가드먼 아저씨가 하늘을 쳐다보며 나지막이 얘기했다.

"내가 보기엔 셀라트론 같구나. 내 짐작이 맞는다면 그렇게 강한 마약은 몇 개 밖에 없고, 공통적으로 그 마약들의 중독성을 치료하는 약물인데 부작용이 바로 불임이지. 어차피 사라는 아이를 낳지 못하는 운명이었나 보다. 얘야. 사라가 자기 입으로 그 마약에 손댄 이유가 마리아 때문이라고 하더냐?"

나는 가드먼 아저씨의 물음에 고개를 끄덕였다. 그렇다면 사라는 테스트를 거치지 않더라도 이미 아이를 낳을 수 없는 몸이었던 것일까?

레이첼은 그걸 알면서도 사라를 위로하기 위해 혹은 다른 목적이 있어 사실을 말하지 않는 걸까? 아니. 2단계 테스트는 레이첼이 테스터가 아닐 수도 있다. 누군지는 모르지만 사라에게 진실을 말하지 않는 건 사실이다.

나도 사라가 말하는 이유가 납득이 가지 않아 의아해 했지만 가드먼 아저씨의 말을 들어보니 그 누군가가 알고 있었던 진실이 더 납득이 갔다.

"에스더는 약에 손대지 않고, 너를 돌봄으로써 마리아에 대한 그리움과 상실감을 치유할 수 있었지.

그와 달리 사라는 그 약에 손댐으로써 마리아에 대한 그리움과 상실감을 치유했다니. 무려 십 년 동안 말이야."

가드먼 아저씨는 그런 소리를 하며 한탄하고 있었다.

나는 그 말을 듣고, 사라에게 좀 더 잘해주어야 되겠다는 생각을 가지게 되었다. 그러나 내가 할 수 있는 일은 고작 사라의 충실한 섹스파트너이자 동거인이 되는 것뿐이다.

그의 애인도 남편도 될 수 없었다. 그건 사라가 그런 관계를 거부해서 그렇다.

항상 섹스를 할 때 내게 질내사정을 바라면서 그녀는 자신이 자식을 가지지 못한 것에 대해 후회를 드러냈다.

그래서 나에게는 결혼도 할 수 없고, 애인도 될 수 없다고 말한다.

 그리고는 또 나에게 다른 여자하고도 성관계를 가지고, 다양한 경험을 하라고 그렇게 말한다.

 그러나 난 그녀가 그러한 말을 할 때 마다 그녀의 입술을 내 손으로 막고는 그녀의 젖가슴에 키스를 하곤 했다.

 어떠한 말이 그녀의 그런 자괴감을 위로 할지 모르나 난 그녀에게 맹세하듯 달콤하게 속삭였다.

 "정말 내 아이를 낳을 정도로 좋은 여자, 사랑하는 여자가 나타나면 그때 바람을 필거라고."

 그리고 그 말을 들은 사라는 역시 내 목덜미에 키스하며 나에게 속삭인다.

 "그때가 되면 난 미련 없이 다음 단계 수술을 받을 거야. 그 전에 나한테 먼저 검열을 받아야 하지만."

 "검열?"

 "정호를 정말 사랑하는지. 정호의 아이를 낳을 준비가 됐는지. 내가 미련 없이 떠나도 되는지."

 "그러지마. 레이첼이 그러는데 넌 섹스를 무척 좋아한다면서."

 "그때는 이제 내 삶이 달라지니까."

 나는 그녀가 해 준 그 말의 뜻을 이해하지 못했다. 그러나 윌리엄 스승님께 배우던 15년 동안은 우리는 항상 붙어 다녔으며 전생의 한 쌍인 듯 서로 살을 맞대고, 사랑을 나누었다.

 그리고 15년이 지난 후 윌리엄 스승님도 어느덧 임종을 맞을 시간이 되었다.

10

아무리 인공장기로 신체를 개조하고, 노화를 막는다고 노력해도 뇌만은 어찌 할 수 없기 때문에 인간의 수명은 정해져 있다.

줄기세포니 재생세포니 별 시도를 다 해보았지만 뇌가 노화되어 죽는 것만큼은 막을 수 없었다.

그나마 신체 전부를 인공장기로 개조하면은 뇌가 늙어 죽기 전 그래도 건강하게 죽을 수 있다.

윌리엄 스승님은 그것을 거부하고, 오직 운동과 식이요법으로 건강을 유지했다.

사람 나이 140살이 넘어 스승님의 육체는 그야말로 순식간에 노화가 오셨고, 유전자 치료로도 손을 쓸 수 없을 정도로 건강이 나빠졌다.

스승님은 병원에서 죽는 걸 원치 않으셔서 자신의 집, 그 아늑한 곳에서 생을 마치기 원했다.

비록 결혼은 하지 않아 자식은 없었지만 친척들은 좀 있어 스승님이 죽으시면 A지구의 저택이나 시중에 가지고 있는 재산은 그 친척에게 물려주기로 했다.

하지만 스승님은 B지구에 있는 교습소 아니 그 별장만은 나에게 물려주기로 했다.

"내가 죽으면 팔든지 그대로 건물을 유지하던지 아니면 다른 용도

238

로 쓰던지 네 마음대로 해라.”

“그대로 계속 교습소로 써야죠. 또 제자가 생길지 모르는데.”

스승님의 재산을 물러 받는 다는 친척은 스승님이 임종하는 자리에 일절 오지 않고, 나와 사라, 그리고 몇 몇 아는 지인들만이 스승님의 임종을 지켰다.

특히나 스승님은 자신의 모든 지식을 가르쳐준 나를 너무 보고 싶어 하셔서 마음에도 없는 얘기를 꺼내셨다.

죽는 걸 보이고 싶지 않으니 나보고 임종 자리에는 오지 말라고 했는데 나는 그것이 거짓인 줄 알기에 스승님의 저택에 기어이 오고 말았다.

스승님이 돌아가시기 전 한달 전부터 스승님이 살고 계시는 A지구 대저택에 머무르게 된 나와 사라는 나는 스승님의 말벗이 되어주고, 사라는 음식과 청소를 하며 대저택의 살림을 돌보았다.

그리고 지금 생애 마지막에 스승님은 내게 이런 말씀을 하시는 거다.

“제자가 생긴다면 네 제자겠지.”

“스승님.”

“이제 내 시대는 가고, 네 시대가 올 것이다. 아. 물론. 그 전에 네가 해야 할 일이 있지.”

“네에.”

나는 스승님이 무슨 말을 하고 계실지 알고 있었다. 그건 바로 세라를 이기는 일. 더 깊은 의미로 말하자면 바로 세바스찬 뉴턴을 이기는 것이다.

“세라를 이긴다면 인간이 인공지능 보다 못하지 않는 존재라는 것을 증명 할 수 있을 거야.

또 증명해야 하고. 인공지능에 얽매여 지금 얼마나 많은 것들이 인간 자신을 가두고 있는지 너는 알고 있을 거야.”

나는 스승님의 말씀에 고개를 끄덕였다. 그 누가 말하지 않더라도 언젠가는 세라와 나는 싸워야 할 운명이고, 반드시 뛰어넘어야 할 대상인 것을.

"일단 지구에 가거라. 그 전에 화성이나 다른 위성에 들려서 경험을 쌓는 것이 좋겠지. 이젠 기술이 아니라 인생의 경험과 시련만이 널 새로운 경지로 인도 할 거다."

스승님의 그 말에 요리를 다 마친 사라가 방긋 웃으며 다가와서 스승님의 손을 꼭 붙잡고 물어보았다.

"지금 정호의 실력으로 세라를 이길 수 있나요?"

사라의 질문에 스승님은 헛기침을 하시고는 잠시 동안 웃은 뒤에 대답하셨다.

"아니. 지금은 세라하고 싸워서는 안 된다. 그건 네가 잘 알거 아니냐."

나는 스승님의 반문에 고개를 끄덕였다. 리암 안데르센의 모든 기술을 배웠다고 해서 당장 리암 안데르센처럼 되는 것도 아니고, 또한 기술로는 이룰 수 없는 경지 같은 그 어떤 벽 같은 것이 내게 느껴졌다.

사라는 스승님과 나와의 대화에 대해 의구심이 어린 표정을 지었으나 내 어깨에 살포시 손을 올리며 말했다.

"정호는 스승님 곁에 있어줘. 살림 같은 건 내가 다할 테니까."

"네 일은?"

"레이첼 언니가 이해하겠지."

"역시."

리치포드의 예상처럼 사라는 레이첼 밑에서 일하는 거 같다. 구체적으로 무슨 일을 하는 건지 몰라도 그녀의 밑에서 일하니 그녀와 섹스동영상도 찍고, 별 짓을 다한다고 생각했다.

그렇다고 레이첼이 나쁜 여자라는 생각이 들지 않는다. 그녀는 사라의 테스터이자 직장상사니 어쩔 수 없는 일이다.

아마도 그 둘은 과학교라는 집단에서 상사와 부하 그 이상의 사이 아닐까? 내가 그녀들의 섹스 동영상을 봤을 때는 분명 사랑해서 섹스 하는 것처럼 보이지는 않았다.

그 점에 대해서는 리치포드도 나하고 같은 의견을 표했다.

"레즈비언들이 흔히 하는 패턴의 섹스를 하지만,…… 둘이 사랑한다기 보다는 그냥 성욕해소? 육체미 자랑? 그런 거 같은데요."

"레이첼은 사라의 테스터라고 했으니. 그럴 수도 있겠군요. 사랑이 없는 섹스도 가능한가요?"

그 날. 오랜만에 가드먼 아저씨의 집에서 자게 되었을 때 에스더와 가드먼 아저씨 그리고 내겐 조카 같은 젖먹이가 먼저 잠에 든 후 나와 리치포드는 에스더가 요리해 준 안주에 와인을 반주 삼아 심야에 대화를 더 나누게 되었는데 얼핏 사라의 이야기가 나왔다.

리치포드는 사라와 레이첼의 섹스 영상을 보고, 자신의 감상평을 말하자 나는 사랑이 없는 섹스가 가능한지 물어보았다.

"인간을 너무 고상하게 보시는 군요. 과거 20세기하고 21세기에도 포르노배우들이 있지 않습니까?

실제 성행위를 하지만 서로 사랑을 해서라기보다는 연기로요. 물론 연기로 서로 애무도 하고, 키스도 하지만. 과연 그런 행동을 한다고 해서 서로 사랑한다고 볼 수 있을까요?

그런 직업을 가진 사람들이 서로 섹스하는 행위에 대해서요."

레이첼의 말에 의하면 근 5년 동안 자기들은 서로 사랑하는 행위를 남에게 녹화를 해서 공개했다고 한다.

지금은 나랑 사랑을 나누는 사이지만 남에게 그런 광경을 공유하고 싶지 않았다. 그녀도 이런 내 마음을 잘 알고 있는지 침대에서의 일은 남에게, 특히 레이첼에게도 말하고 있지 않은 거 같다.

"사라. 걔에게는 악의가 없어 보이지만 과학교도라는 편견 때문에 걔가 자꾸만 스파이 같다는 생각이 들어."

 나는 침대에서 스승님이 사라가 없을 때 악의적이든 아니면 편견에 의해서 그러셨던 그런 말씀을 하시는 것을 보고, 고개를 끄덕였다.

 스승님의 그런 편견에 대해 난 이해를 하고 있기 때문이다. 물론 나는 사라에 대해 의심 같은 건 하지 않고 있지만 대놓고 신교도는 아니지만 신교에 대해 무척 호의적이고, 과학교에 대해서 반감을 가지고 있는 스승님의 기분을 내가 모를 리 없기 때문이다.

 "그럴 수도 있겠죠. 하지만 이미 기술은 스승님의 사형, 사매에 의해 다 알고 있다고 했잖아요."

 "뭐. 또 다른 게 있나 보러 온 것일 수도 있지. 아니. 오히려 사라가 너와 같이 있어 주는 게 더 좋을지도 몰라."

 "그게 무슨 말씀이시죠?"

 스승님은 사라를 의심하면서도 그런 사라가 내 곁에 있는 게 더 좋다고 말씀하셨다. 그래서 나는 스승님이 무슨 의미에서 그런 소리를 하는지 몰라 그를 자세히 쳐다보았다.

 "내가 리나를 내 비서이자 내 딸처럼 생각하기 전 생체 안드로이드에 대해 많은 편견과 열등하다는 생각이 있었다.

 직접 생체 안드로이드와 얘기해보고, 같이 지내다보니 그런 편견과 차별적인 생각이 많이 사라지게 되었지.

 나 역시 과학교도에 대해 어떠한 편견을 가지고 있을지도 모른다는 거다.

 설사 사라 걔가 의도하지 않아도 너와 살을 맞대고 사는 걔를 과학교가 이용할지 모른다는 생각을 해보았다.

 그렇다고 해도 걔를 통해 넌 과학교를 알게 될 것이고, 직접 겪어보지도 않으면서 편견에 갇혀 있는 것보다 직접 겪어보면서 내가 스스로 판단하는 게 더 좋을지도 모른다는 거다.

242

사라 걔는 아무튼 과학교와 연결되는 끈이니까."

"전 신교나 과학교 그 어느 종교에도 빠지지 않을 거예요."

스승님은 내 말을 듣고, 눈을 감고 미소를 지으며 대답했다.

"처음 누구든 중립을 지킨다고 말하지. 하지만 언젠가 둘 중 하나를 선택해야 할 때가 올 거야.

그것도 아니면 불가지론의 세계에 빠지게 된다. 둘 중 확실하게 입장을 취하지 않는 자들이지.

그러나 그들도 유신론적인 불가지론. 무신론적인 불가지론이라고 해서 신이 있냐? 없냐?로 갈라지게 된다.

결국 너는 유신론 아니면 무신론 중 하나를 고르게 될 거란다. 지금은 아직 답이 안나와있지?"

"네에. 지금은 아직 모르겠어요."

"당연하지. 아직 중년의 나이니까. 인생의 반을 살고서도 자신이 뜻하는 진리를 찾지 못하는 사람들이 많아."

이제 예순 살로 점점 다가가는 나의 나이를 스승님은 아직 어리다고 얘기 했다. 21세기 때만 해도 예순 살이면 노년에 다가가는 나이지만 인류의 의학이 발전하고, 인간의 수명이 발전하여 140살에서 150살을 살게 되면서 예순 살은 청춘보다는 나이가 들고, 중년보다는 좀 어린 애매한 나이대가 되었다. 진정한 중년은 칠십이며 그때부터 인간의 전성기가 시작되어 백 살 무렵에 사회적인 전성기가 끝난다고 한다.

하기야 110살이 넘어가야 외모로 과거 21세기의 기준으로 오십살 정도로 보이기 시작하니 예순 살이면 아직 전성기도 오지 않을 시기이다.

리암 안데르센 선생님도 120살이 넘어가면서 세라에게 건강으로 밀리기 시작했으니 오죽하랴.

하지만 140살 이후. 인간의 수명은 아무리 과학이 발전되어도 더 이상 늘어나지 않았으며 아무리 인공 신체로 기관을 갈아 끼운다고 해도 뇌는 어쩔 수 없어서 결국 140~150살의 수명을 가지게 되었다.

물론 과학교의 의학기술로 어찌어찌하여 200살까지는 살 수 있다고 하지만 영생이란 역시 지금도 불가능하다.

그것은 21세기 초반 과학자들이 21세기 후반에 영생이 가능하다고 장밋빛 미래를 꿈꾸었지만 의학이 더 발전되면서 21세기 초. 노화가 병이라는 입장에서 노화는 인간에게 꼭 필요한 필요악이라는 것이 슬슬 밝혀졌기 때문이다.

왜 신에게 창조된 피조물이 영원히 살지 못하고, 죽어야 하는지를.

필멸의 삶에서 그 가치가 더 빛난다는 사실을. 무신론자들은 인정하기 싫지만 신을 인정하고, 인간의 유한함을 결코 나약함이라고 보지 않는 신교도들은 그 사실을 받아들였다.

그렇게 사라의 배려로 난 몇 달간이나 이제는 초췌하고, 별 볼일 없어진 나의 스승과의 시간을 가졌다.

스승님의 말벗이 되어주고, 마지막 가르침을 받은 것은 나였지만 사라는 사라 나름대로 스승님의 병간호를 하고, 저택의 살림을 맡아 했으며 요리, 청소, 빨래까지 가정부라고 할 수 있는 역할까지 도맡아 했다.

물론 리나가 살림을 도왔지만 사라처럼 인내심 있게 잘하지는 못했다. 아니. 인내심이라기보다는 세심함 인거 같다.

마지막 가시는 그 날에 스승님의 침대를 지킨 건 나와 사라 그리고 리나 뿐이었으며 스승님이 기운이 다 하여 영원히 잠드실 때 리나와 자신의 교습소를 내게 남기고서 훗날을 부탁했다.

나는 스승님이 돌아가신 직후. 얼굴 한 번 보이지 않는 유산 상속자대신 스승님의 장례를 치렀으며 스승님의 유해를 플라즈마 용광로에 기화시켜 장사지냈다.

스승님은 자신의 유해를 사람들이 추억 할 수 있게 수소냉동 한다거나 탄소냉동 시키는 것을 혐오했다.

그렇다고 과학교도처럼 자신의 유해를 사회에 헌신한다는 핑계로 한낱 거름이 된다거나 다른 산업 이용물이 되는 걸 거부하셨다.

그냥 깨끗하게 기화되어서 이 세상에 흔적이 남길 바라지 않았다.

난 플라즈마 용광로에서 기화 되어 사라진 스승님의 시신을 보고 난 후 시 정부에서 요구한 일정한 서류 절차를 끝내고, 스승님과 함께 연습했던 추억의 교습소를 혼자서 둘러보았다.

확실히 스승님의 저택과 대부분의 돈은 혈연관계에 있던 유산 상속자가 가져갔지만 이 교습소와 일부 유산은 내가 계승하게 되었다. 그리고 리나와 몇 몇 안드로이드, 로봇들, 그리고 교습소(敎習所)에 관련된 기계들까지.

리나를 제외한 안드로이드라고 해서 리나처럼 강과 약 인공지능이 있는 고급 안드로이드들은 아니었다. 수준으로 따지면 제니스보다 한 두 단계 윗 모델일 뿐이다.

아마도 교습소의 유지와 보수, 내 편의를 위한 하인 같은 존재라고 생각한다. 그러니 로봇들은 말할 필요도 없다.

하지만 가드먼 아저씨 댁에 있을 때 제니스라는 안드로이드를 거의 하녀처럼 데리고 있을 때를 빼놓고는 안드로이드를 내가 소유해본적은 없다. 그래서 안드로이드를 어떻게 대해야 할지 나는 대책이 서지 않았다.

일단 리나를 제외한 안드로이드들과 로봇은 교습소에서 숙식하기로 지시하고, 리나만 내 아파트에 동거하기로 했다.

내가 그렇게 정하자 사라는 어딘가 기뻐하면서도 또 화난 표정을 지었다. 아마 그녀도 리나를 가족으로 받아들이는 것이 매우 복잡한 심정일 것이다.

"제니스가 생각나서 그래?"

그녀는 내 질문에 고개를 저으며 대답했다.

"제니스 같은 하위 안드로이드가 아니라 리나 같은 애들 말이야. 세라보다는 못하지만 리나가 꽤 고급 생체 안드로이드인 것을 알거든.

그런 애들을 과연 남자주인이 가만히 놔둘까?"

난 그녀가 하는 얘기의 뜻을 몰라 사라를 물끄러미 쳐다보았다.

"여성 생체 안드로이드도 자궁이 있고, 나팔관 같은 것이 있는 거 알지?"

"알아. 내가 직접 배를 갈라서 보았으니까."

"엉?"

그녀에게 자랑스럽게 얘기하지는 않았지만 과거에 로봇과 생체 안드로이드를 해부해서 쓸모 있는 장기를 되파는 공장에서 일한 것을 떠올렸다.

일을 한 지 거의 수십 년이 흘렀지만 그곳에서 일어난 인간성의 일면을 아니 인간성의 타락을 나는 본 적이 있어 그녀에게는 말을 안했다.

"유전자 조작을 하지 않는 한 보통은 생식(生殖)이 불가능하잖아."

"맞아. 그러니까 꼭 그거와 같지 않아?"

"뭐가?"

"과학교 2단계 수술."

".......!"

난 그녀의 말을 듣고, 깜짝 놀랐다. 아무리 과학교가 물질주의적이고, 실용주의적인 집단이라고 하지만 안드로이드에게 행한 피임 수술을 인간에게 행했다고 하는 건 너무나 어불성설이었다.

아니. 안드로이드 자체가 태어났을 때부터 불임인 존재는 아닌가 하는 생각이 들었다.

그 때. 아직도 기억은 하지만 여성 안드로이드 배를 갈랐을 때 흘러져 나오던 그 생식기는 인간 여성의 것과 별반 차이가 없음은 인정해야 한다.

직접 보았기 때문에 난 그녀의 말을 웃어넘길 수는 없었다. 다른 사람들이 그녀의 말을 들으면 미친년 소리를 하겠지만.

아니면 정말 그녀의 말대로 안드로이드도 생식을 할 수 있는데 선택을 할 수 있는 인간과 달리 생체 안드로이드는 강제적으로 2단계 수술을 하는 것일 수도 있다.

여기까지 생각이 미치자 나는 온 몸에 소름이 돋기 시작했다.

"네 테스터이자 상사인 레이첼은 알 거 아니야?"

"아니. 몰라. 물어보았는데 그런 것은 자기도 모르는데. 생체 안드로이드가 간단하게는 복제 인간이라는 것을 아는데.

자세하게 어떻게 만들어지고, 인간과 어떻게 구별되는지는 레이첼도 몰라. 아마. 과학교 간부들조차 아는 사람이 드물걸."

"그래서 리나가 꺼림칙하다는 거야?"

"아니. 슬퍼서. 나와 똑같은 불임 수술을 받는 거라면."

"넌 그래도 선택이라는 것을 했잖아."

"그래. 그땐 어려서. 불임 수술이 좋을 줄 알았거든. 그 놈의 마약 때문에 심장과 폐가 망가져서 피부까지 바꾸고. 왜 자꾸 인공장기로 내 몸을 대체 하는 것이 후회가 드는지 모르겠어."

난 그녀의 얘기에 할 말을 잃었다. 분명 사라 그녀는 인간이고, 프로메테우스시에서 아니 전 태양계 인간 정부에서 인간 취급을 받고 있다.

그런데도 그녀는 자꾸만 자신이 생체 안드로이드 같은 것이 아닌가 하는 자격지심에 빠져 있었다.

하지만 며칠도 안돼서 그녀의 특유한 밝음 때문인지 성질 때문인지 리나 때문에 생긴 그런 고민은 사라지고, 리나 앞에서도 우리는 밤이면 섹스를 하게 되었다.

　나는 리나에게 우리가 사랑을 나누는 장면을 보여주는 것이 부끄러웠지만 사라는 거리낌 없었다.

　레이첼처럼 홀로그램으로 녹화해서 공개적으로 메타버스에 보여주는 건 안 되고, 몰래 몰래 남들에게 보여주는 건 된다는 것이 참으로 모순적이다.

　그러면서 어떻게 레이첼하고, 섹스를 할 때는 그 모습을 공개적으로 보여 줄 수 있는지 참으로 의아해했다.

　그녀는 레이첼 때문에 그랬다는 핑계를 되었지만 즉흥시인의 통찰력에 의해 실오라기 하나 걸치지 않는 여성이 자신뿐만 아니라 다른 여성이 있어 용기를 가졌을 뿐 아니라 부끄러움도 잘 느끼지 않았다는 걸 그녀의 표정에서 알아 낼 수 있었다.

　그리고 보면 레이첼과 같이 찍은 섹스 영상은 많지만 그 이전의 사라가 나오는 섹스 영상을 찾기 힘들다는 것이 내 통찰이 맞는다는 증거가 된다.

　아무튼 그렇게 공개적으로 드러내는 것은 싫어하지만 사라는 남이 보는 것에 대해서도 아주 싫어하지는 않았다.

　은밀하게 비밀리에 관음 적으로 본다면 그녀 자신이 결벽증을 가질 정도로 노출을 싫어하지 않는다는 뜻이다.

　사실 그녀뿐만 아니라 어떤 여자라도 노출증이 심한 여자를 빼놓고는 자신의 실오라기 하나 걸치지 않는 몸을 남들에게 노출하는 것을 좋아하는 사람은 없을 것이다.

　하지만 리나는 그 모습을 봐도 이상하게 별다른 동요도 하지 않았다. 하기야 제니스도 아마 가드먼 아저씨와 마리아 아주머니가 서로 사랑을 나누는 모습을 보고, 아무렇지 않았을 거다.

　라지만 분명 리나와 제니스는 지능 수준이 다른 세대며 리나가 더욱 고급의 강인공지능에 가까운 모델이다.

좀 더 자유의지가 있고, 인간에 더 가까운 모델임에도 불구하고, 제니스와 같이 별다른 동요를 하지 않는 것이 그녀의 말처럼 영구불임 때문에 그런 걸까?

 그런데도 사라는 적어도 이 삼일에 한 번씩은 나랑 사랑을 나눌 정도로 열정적이고, 성욕의 화신이었다.

 육십 살 중년의 나이가 다 되어 과거 청년기처럼 정력이 좋다던가, 열정이 높은 시기는 지났다.

 그러나 마치 정해진 순서처럼 혹은 없으면 허전한 거 같은 늘 있는 일상처럼 그녀와 사랑을 나누었고, 그녀의 육체를 탐하였다.

 반평생 내 유일한 섹스 상대는 바로 사라 그녀였고, 그녀가 다른 남자나 여자와 섹스를 해 본적이 있다고 해서 그것가지고, 내가 흉을 보거나 질투를 하지 않았다.

 그 이유 중에 제일 큰 이유가 영구불임이라는 것을 부정하지 않는다.

 나와의 자식을 낳지 못하기 때문에 그야말로 그녀말대로 서로의 성욕을 해소하고, 서로의 온기를 느낄 수 있는 관계로 족하다고 할 수 있었다.

 거의 십 오 년 간 서로 살을 맞대며 살아서 나는 그녀의 몸 구석구석까지 다 안다고 말할 수 있다.

 이제는 아무것도 보이지 않는 어둠 속에서 손으로 만져보기만 해도 그녀의 알몸이 내게 보일정도로 그녀의 육체에는 익숙해졌다.

 그렇게까지 되면 보통은 지겨워서 섹스리스가 된다고 하지만 난 이상하게 그녀와 더 깊은 교감을 나누며 육체를 서로 포개게 된다.

 임신의 걱정이 없기에 그녀의 모든 것을 느낄 수 있지만 또한 임신을 할 수 없기에 섹스프렌드 혹은 섹스파트너 그 이상도 그 이하도 아니었다. 아니. 겉으로는 그렇게 보인다.

 하지만 나는 알고 있다. 우리는 섹스파트너 그 이상의 관계라는 것을.

 그렇다고 부부 사이는 아니다. 또 애인이라고 말하기엔 어느 정도는 맞고, 또 어느 정도는 틀리다고 생각한다.

 아마 섹스파트너 이상 애인 이하인 사이인거 같다. 나도 의식적으로 그렇게 생각하는데 그녀 또한 그렇게 느낄 것이다.

 거의 삼 년 동안 스승님이 남긴 교습소를 운영하면서 일반인에게 노래를 가르친 나는 어느 정도 돈을 모으자 화성으로 여행을 떠나기로 했다.

 삼 년 동안. 스승님을 잃은 슬픔을 만회하기 위해 교습소 운영을 열심히 한 거 같다.

 딱히 생계 수단이 없던 나에게는 이렇게 일반인들에게 음악과 시를 가르치며 먹고 사는 것이 최선 같아 보였다.

 물론 이 교습소마저 빼앗으려고 하는 그 악의적인 유산 상속자가 있었지만 결국 위성의 민사소송에서 내가 최종적으로 승리함으로써 확고하게 교습소와 교습소에 딸린 모든 것들은 내 소유가 되었다.

 아마 스승님의 장례식을 내가 주도로 해서 치룬 것도 있고, 스승님과 마지막 한 달을 같이 보낸 게 아주 큰 요인으로 참작 되는 거 같다.

 뭐 A지구에 남겨진 스승님의 저택이나 재산들이야 나도 관심이 없었고, 그게 유일한 혈연인 그 유산상속자가 가지던 말든 관심은 없었지만 교습소는 스승님이 분명 나에게 남긴 거라고 공증인까지 두어가며 유언을 했고, 스승님의 기술과 정신을 계승한 내가 교습소를 유지시키는 것이 더 좋다는 것을 판결문에서도 명시 했다.

 그 유산상속자는 교습소를 헐값에 부동산 매매 하려고 했지만 그의 계획은 수포로 돌아갔다.

 도대체 그 유일한 혈육인 유산상속자는 스승님과 무슨 관계이기에 이렇게 악의적일까 하고 상대편 변호사에게 물어보았다. 그 변호사는 긴 머리를 묶은 포니테일을 한 여성 변호사로 차도녀 스타일의 미녀였다.

전문직 여성답게 검은 치마 정장과 하얀 블라우스 차림이었는데 내가 재판에 이기자 쓴 웃음을 지으며 나의 면담에 응했다.

그녀와의 면담에 나는 재판에서 궁금한 것을 물어보았다. 바로 스승님과 그 유산 상속자와의 관계 말이다.

"외조카의 아들이라고 하면 뭐라고 부르면 좋을까요?"

"외종손? 외조손? 외조조카? 호칭이 어떻게 되든 촌수로는 좀 멀지 않나요?"

나는 그녀의 의문이 섞인 대답에 의문을 표하며 반문했다.

"아무리 그래도 윌리엄 경의 유일한 혈육 이예요. 외가 쪽의 먼 친척이라고 해도. 여러 비디오나 메타버스의 자료를 근거로 혈육이라는 증거는 사실이에요.

사실 윌리엄 경 같은 재산은 많지만 자식을 낳지 않는 사람들을 노리는 유산상속범죄가 넘쳐나죠.

윌리엄 경도 아마 처음에는 그 유산 상속자를 의심했지만 여러 검사와 계통학 자료를 통해 그가 외조조카, 먼 친척이라는 것을 확인했죠."

"왜 스승님은 자식이 없죠? 결혼이라는 굴레가 없더라도 스승님이 가진 재산과 지위라면 적어도 같이 동거하는 여성이 있을 텐데요."

그녀는 내 질문에 아주 간략하게 대답했다.

"불임 여성들 밖에 만나지 않았으니까요. 그렇다고 여제자하고 열애 할 수는 없잖아요."

"아. 페트리샤 사매를 말하는군요."

아마 페트리샤 뿐만 아니라 스승님의 제자는 많았을 것이다. 그 중에 여자 제자가 절반이라고 해도 나는 믿을 것이다.

지금 세대에 여제자와 열애하고, 결혼은 안하더라도 같이 동거하며 사는 것이 흠은 아닐 텐데. 스승님은 왜 여제자와는 열애를 하지 않은 것인지 이상했다.

"불임 여성. 섹스를 하기 위해 그 직업을 가진 여성 중에 전문적인 여성을 만나서 성욕만 채우고, 평생 여성과는 동거를 하지 않은 걸로 알고 있어요."

"전문가 말씀이군요."

신교나 과학교 상관없이 성에 관한 전문가들 중에는 유명한 그쪽 방면의 직업여성들 같이 자의로 영구 불임을 하는 경우가 있었다.

굳이 과학교에 들지 않더라도 자신이 성에 대한 스페셜리스트라고 생각한다면 남자든 여자든 영구불임을 시술하는 경우가 많았다.

21세기 사상에 따라. 전통적인 결혼 개념이 깨지고, 남녀의 역할 개념이 깨지면서 저런 전문가들도 생겨났는데 인류가 22세기 초중반까지 인구 증가의 정점을 찍고, 인구 증가율이 둔화되어 노인들만의 세상이 되는데 기여한 자들 중 하나이다.

인류세 대멸종이 없었다면 아마도 인류는 조용히 노쇠하다가 멸종당했을 것이다. 오히려 인류세 대멸종이 기존의 평등사상이나 자유주의를 다 거부하고, 지구와 각 위성 행정부와의 균열을 가져와 다시 인구 증가의 시대로 간 것은 참으로 아이러니 하다.

세상의 사상이 다시 돌고 도는 것처럼. 다시 보수주의가 판치고, 유신론과 무신론이 싸우는 시대지만 성 전문가는 과거 페미니즘과 PC주의의 유산 일 뿐이다.

나는 스승님의 유산 상속자에 대해 알고 나서는 그 변호사에게 다시는 스승님의 문화적 유산에 대해서는 손을 대지 말라고 말했다.

왜 이리 욕심이 많아서 자신이 관리도 못할 교습소 같은 것을 원하는지 난 너무나 어처구니없다는 생각이 들었다. 아마도 재판부도 내가 스승님께 잘 대해주었던 그런 인정(人情)보다는 즉흥시인을 기르는데 있어 나의 역량을 더욱 중요하게 생각해서 그런 판결을 내렸는지 모른다.

"그 사람 부채가 많아요. 주식과 코인에 투자한다고 날린 돈이 많아서요. 아마 윌리엄 경의 재산 하나하나 다 빨아서 부채 탕감에 쓰려고 했던 거죠."

"아아."

결국 자신의 욕심 때문에 그는 빚쟁이가 된 것이고, 스승님의 재산은 아마 다 그 자 때문에 탕진될 것이다.

다행히도 이 교습소와 교습소에 딸린 안드로이드와 로봇, 그리고 약간의 중요한 자산들은 내가 계승하게 유언을 했기에 그 자가 스승님의 모든 재산을 말아먹은 일은 막을 수 있었다.

스승님의 재산이 얼마인지는 모르겠다. 그리고 관심도 없다. 내가 제일 중요하게 생각하는 건 스승님이 날 가르치던 이 교습소니까.

나머지 재산은 필요 없다. 스승님의 정신이 살아 있는 이 유산을 지키면 된다.

"아. 윌리엄 경이 이 교습소를 세우기 전에 어디서 제자들을 가르쳤는지 알아요?"

"A지구의 다른 교습소겠죠."

그녀는 내 대답을 듣자마자 고개를 저으며 말했다.

"아뇨. 자신의 저택 한 편에서요. 거기서 제자가 숙식을 하며 지냈죠."

"뭐라고요?!"

스승님을 간호했을 때. 그 한 달간 나는 스승님의 저택에서 숙식을 하며 지냈었다. 하지만 스승님의 저택 그 어디서도 즉흥시인을 가르칠만한 자료실이나 기구들은 보이지 않았다.

그 분은 마치 수도를 하는 수도사처럼 먹고, 자고 하는 일에만 저택을 사용하는 거 같다. 그 많은 즉흥시인의 자료며 장비들 전부 내가 현재 스승님에게 물러 받은 교습소에 있을 뿐이다.

그녀가 질문하기 전 의문을 품지 않았지만 막연하게나마 나 이전에 가르쳤던 제자들은 A지구의 더 좋은 교습소에서 교육을 받았다고 생각했다.

"그러니까 자긍심을 가지세요. 그 사람이 물러 받은 건 돈과 부동산 밖에 없으니까. 윌리엄경의 모든 정신적 유산은 당신이 계승한 거예요. 돈과 부동산이 얼마나 되었든 당신에게는 윌리엄경의 정신적인 유산이 더 중요하잖아요."

"그렇죠,"

나는 일말의 망설임도 없이 그녀의 질문에 고개를 끄덕였다. 그렇다. 아무리 돈이 많아도 스승님이 성취하신 기술, 노하우, 자료 그리고 그 정신까지 물러 받지 못한다면 아무런 소용이 없을 것이다.

내 마음 한편에서 스승님 뿐만 아니라 그 스승님이신 리암 안데르센의 유산까지 물러 받았다는 자긍심이 나를 벅차게 만들었다.

그렇게 그 변호사는 나에게 뜻 모를 자긍심을 심어주고, 내 인생에서 사라졌다. 그 사건 이후 내게는 스승님의 유지를 이어야 한다는 강박관념이 생겼고, 그렇게 삼 년 동안 스승님을 잃은 슬픔과 그 의무감에 교습소를 유지해가며 살아왔던 것이다.

11

 화성으로 떠나는 날. 나에게 즉흥시와 음악을 배운 제자들과 가드먼 아저씨, 에스더 부부가 배웅을 나섰다.

 타이탄 스카이라인 속. 그 황량함 속에서 더 황량하다고 전해지는 화성으로 가는 길은 이상하게 마음이 설렜다.

 사라는 자신의 아버지와 자신의 언니부처를 보기 싫어해 미리 화성으로 가는 여객 우주선에 탑승했다.

 다른 행성과 위성으로 갈 수 있는 우주공항은 콜로나라는 돔으로 둘러싸여 있는 인간이 거주 할 수 있는 그 건축물의 본질을 잘 보여 줄 수 있는 공간 중 하나다.

 영하 200도가 넘는 타이탄 메탄의 대기를 효과적으로 차단하면서도 우주공항의 여객 우주선들이 다른 행성이나 위성으로 갈 수 있게 하기 위해선 이 돔의 차폐에 대해 제일 신경 써야 할 곳이 바로 우주공항과 화물선이 오는 곳이다.

 그래서 이 우주공항에서 얼핏 보이는 타이탄 스카이라인은 황갈색과 보라색이 얽혀진 큰 고층 건물들의 실루엣이 인상적이었다. 나는 그런 풍경을 고즈넉이 쳐다보는 아주 젊은 여성을 만났는데 그녀는 금발의 긴 머리에 푸른 큰 아름다운 눈을 가지고 있었고, 입술은 두툼하고, 가는 게 전형적인 앵글로색슨족의 미녀였다.

 그녀의 옷차림은 앙증맞은 분홍색 자그마한 모자를 쓰고 있었고,

모자와 깔 맞춤한 블라우스와 플레어 미니스커트를 입고 있었다. 양 손에는 깃발 같은 것을 들고 있었는데 난 그 깃발의 뜻을 모르고 있었다.

가드먼 아저씨는 그녀를 보고는 정중하게 인사를 하고는 나에게 그녀를 소개시켜주었다.

"저 여성분은 백 오십 살이 넘은 우리 신교의 대모 중 한 분이네. 겉모습은 저래보여도 오십 남매의 어머니이자 삼 백 여명이 넘는 손자손녀를 두고 계시지."

겉모습이 이 십대 중반처럼 보이는 모습인데도 불구하고, 내가 말을 걸어보자 그녀는 치매에 걸린 듯 한동안 멍하니 있다가 갑자기 나에게 꾸벅 인사를 하며 상냥하게 미소를 지어보인 후 얘기를 했다.

"놀라지 마세요. 내 고손자들이 나에게 아름다운 육체를 선물하겠다고 해서 늙은 나이에 인공피부를 이식 받은 수술을 했어요."

"그렇군요."

"당신이 윌리엄 경에게 모든 것을 전수 받은 분인가요?"

"네에."

나는 당당하게 대답했다.

"당신이 세라를 이길 날을 기다리겠어요. 그 날에 이 깃발을 띠로 만들어 당신의 목과 허리에 두른 완장으로 사용하게 하겠어요.

내 고손자들에게 꼭 그렇게 하라고 전해두겠어요.

그날을 보기 전까지 죽을 순 없죠."

겉으로 봤을 때는 그냥저냥 아름다운 젊은 여성처럼 보이는데 사실은 백 오십 살이 넘은 노인장이었다.

아마도 피부뿐만 아니라 뇌를 제외한 모든 생체 기관을 인공장기로 다 교체 했을 가능성이 컸다.

하지만 뇌만은 어떻게 할 수 없어 그녀의 치매를 막지 못한 거 같다. 나는 겉으로는 아름다워 보이는 여자가 늙은 할머니처럼 행동하는 게 안타까워 보였다.

"아저씨. 저 깃발의 뜻이 뭐죠?"

"글쎄다."

나는 저 여성이 들고 있는 깃발에 쓰인 글자가 뭔지 몰라 가드먼 아저씨에게 물어보았지만 아저씨 또한 고개를 으쓱거리며 자신도 모른다고 대답했다.

그녀는 우리들 대화를 엿들었는지 치매로 제대로 말하지 못하는 와중에도 본능적으로 우리의 의도를 알아차리고, 조용하면서도 상냥하게 깃발에 쓰인 언어를 얘기했다.

"라 일라하 일랄라."

오십 여명의 아이들을 낳은 백 오십 살을 산 대모가 나에게 이 깃발에 쓰인 언어를 얘기 했다.

"그게 무슨 뜻이죠?"

이미 초점이라고는 없는 눈동자로 나를 쳐다보며 그녀는 내 질문에 대답했다. 얼굴까지 인공으로 바꾸어서 눈이나 코 같은 것도 젊은 여성의 신체와 비슷하나 뇌가 너무 늙어 제대로 젊은 신체 기능을 활용할 수 없어 그리 된 것이다. 그러나 귀는 잘 들리는지 내 질문을 즉각 이해 한 거 같다.

"하나님외에 다른 신은 없습니다."

나는 그 말을 듣고, 갑자기 무엇이 그렇게 슬퍼졌는지 그녀의 품에 안겨 울기 시작했다. 내 도발적인 행동에 에스더와 리치포드 그리고 몇 몇 근처에 있는 사람들은 놀란 눈으로 나와 그녀를 쳐다보았지만 가드먼 아저씨만은 착잡한 표정으로 내 슬픔에 대해 이해 한 듯하다.

"이기기 힘든가요?"

대모의 질문에 난 울먹이며 대답했다.

"네에. 전 확신, 확신 할 수 없어요. 인간이 인공지능 보다 뒤떨어진 존재라는 확신이 듭니다. 스승님은 저에게 그 인공지능을 이기라는 유언을 하셨지만,....... 전 자신이 없어요. 인간은 그렇게 인공지능에게 패배하는 존재가 되는 건가요?"

그녀는 자신의 품에 내가 안기자 초점이 없지만 그 큰 눈으로 미소를 품으며 나의 머리를 쓰다듬기 시작했다. 마치 할머니가 어린 손자를 달래는 것 같은 그런 손길이었다.

"당신이 그 인공지능을 이기기를 기대할게요. 인간은 한낱 물질에 속한 존재가 아니에요. 오 십 여명이라는 아이들을 임신하고, 낳고, 젖을 물려가며 키운 경험상의 진리를 말하자면 인간은 물질 보다 더 나은 존재라는 거예요. 과학교가 말하는 딱 거기까지가 '인간이다.'라고 측정할 수 있는 그런 물질적인 존재가 아니고요."

"어떻게 확신 할 수 있죠?"

"삶의 깊은 나락에서 깨닫게 돼있어요. 인간을 한낱 물질로만 생각하는 사람들은 인간의 깊은 내면을 보지 못하는 사람들이예요. 물질적으로는 잘 살지 몰라도 어딘가 빈곤한 자들이죠.

자신들만이 옳고, 자신들만의 세상에 빠진. 아주 깊은 절망과 나락까지 가면 그 심연에 어떠한 빛이 있는 걸 보게 될 거예요. 그때 당신이 거기서 무엇을 찾게 된다면 그 인공지능도 당신을 이길 수 없게 될 거예요. 당신이 이긴다면 제가 당신 뺨에 뽀뽀해 드리고, 이 깃발을 재단해서 당신이 자랑스럽게 가지고 다닐 수 있게 해놓을게요."

알 수 없는 언어로 쓰인 그 깃발을 꼭 품에 안고 있는 이 대모를 나는 쳐다보며 세상 깊은 나의 고민은 어딘가 사라진 거 같이 느껴졌다.

가드먼 아저씨도 내가 윌리엄 스승님의 모든 것을 계승하고 있다는 걸 알고 있기에 그녀와 나의 대화에 끼어들지 못했다.

그리하여 약간의 인사를 그들과 나눈 뒤 나는 화성에 가기 위해 사라와 리나 둘 함께 여행 우주선에 올라탔다.

12

화성에서의 약 이 년 간 체류하면서 화성의 비너스 시티에서 난 여러 예술가들과 교류를 하게 되었다.

화성에서 제일 큰 콜로니는 마르스 시티였고, 그 두 번째 도시는 바로 비너스 시티였다.

어떻게 비너스 시티가 화성에서 두 번째 큰 도시이고, 그 이름인 비너스라고 명명이 되었냐면 마르스의 내연녀는 여신 비너스였고, 비너스는 헤파이토스, 라틴어로는 볼칸의 아내이다.

그러니 내연녀인 여신 비너스의 이름을 따 두 번째의 큰 도시를 비너스 시티라고 지었다.

우주여객선에서 화성의 그 황량한 붉은 대기를 처음 볼 때가 생각난다. 타이탄의 그 뿌연 황토색 대기와 같으면서도 어딘가 이질적인 화성의 첫 모습을 보았을 때 두렵기도 하고, 설레기도 했다.

중력 적응 실에서 며칠 동안 중력을 적응하고 난 뒤에 화성의 제일 큰 도시보다는 두 번째 도시로 가기로 했다.

비너스 시티의 이름답게 화성은 신교 보다는 과학교도가 많았지만 그렇다고 유물론 사상이 지배하는 곳은 아니었다.

다부다처에 가까운 사회였고, 개방적이며 좀 더 육체적인 쾌락에 집요한 관심을 보인 곳이기도 했다.

그렇기에 화성의 예술가들은 성적인 유머와 무신론적인 진지함,

그리고 정신적인 탐구를 들어내며 육 십 년 동안 프로메테우스 시티에서 토박이로 생활하던 나에게 또 다른 견문을 넓혀 주었다.

나와 사라는 우리가 섹스하는 모습을 남에게 내비치지는 않았지만 예술가 중의 일부는 자신들의 섹스 장면을 남에게 노출하는 것을 좋아한 사람들도 있었다.

그래서 빌어먹을. 이 곳에 지내다보면 관음증 환자가 될 거 같다. 레이첼처럼 굳이 메타버스에 가지 않더라도 조금만이라도 홀로그램 컴퓨터를 할 수 있다면 자신이 원하는 성적인 환상을 이 비너스 시티에서는 채울 수 있다는 점이다.

다행한 점은 나를 육체적으로 달래줄 사라라는 존재가 있어서 다행이었고, 그녀 역시 남들이 보지 않는 은밀한 밤에 나와 정열적인 사랑을 나누었다.

그러나 그녀도 이 비너스 시티의 색욕적인 분위기에 물들어 가는 듯 밤의 생활이 이전 보다는 더 적극적으로 돼갔다.

그래도 이상하게 나 말고는 딱히 다른 섹스파트너를 둔 거 같지 않고, 낮에는 그런 성적인 욕구를 숨기고, 참아내며 살아간다.

그러므로 그녀도 역시 일부 예술가나 사람들이 아무 부끄럼 없이 보여주는 그 행위에 대해 속으로는 엄청난 유혹 같은 것을 느끼고 있나 보다. 조금만 정신 줄을 놓아버리면 금방 망가져버려서 성적으로 문란해질 거 같은 분위기를 느끼지만 사라는 이상하게도 프로메테우스 시에서 와는 다르게 평상시에는 아주 조숙하고, 조용하게 있었다.

그렇기에 그런 점을 빼고 나서는 화성의 생활은 무난하고, 즐겁기도 했다.

그 중에는 내가 즉흥시인인 것을 알고서 나하고, 즉흥시 대결을 벌이는 사람들도 있었다.

물론 일 년 만에 화성에 있는 모든 즉흥시인을 나는 이겨 버렸으며 태양계 최고의 즉흥시인이자 여제인 세라만을 남겨 둔 상태가 되었다.

"왜 기권을 하신 거죠?"

여성이 나에게 물었다.

모든 도전자들을 물리치고, 세라에게 도전할 기회를 얻었지만 나는 그만 기권하고 말았다.

오늘은 그것에 대해 메타버스에서 어느 한 네트 기자하고, 인터뷰가 있었다.

"부족해서요."

"화성과 에우로파, 타이탄, 달, 금성의 모든 즉흥시인을 이기셨잖아요. 세라에게 도전해 볼만 하지 않나요?"

메타버스 안이라 실질적으로 내 앞에 그녀의 실체는 없지만 홀로그램으로 그녀의 모습이 보였다. 하얀색 블라우스에 파란색 정장 바지를 입은 장발의 백인과 흑인의 혼혈인 듯 한 여성은 파란색 접이식 의자에 다소곳이 앉아서 나에게 요점만을 물었다.

사라 같은 미인은 아니나 직장 여성으로써의 품위가 있었고, 어딘가 매력이 있는 얼굴이었다.

"또 아직 지구는 아니고요."

"지구라고요?"

그녀는 내가 지구의 즉흥시인들을 이기지 못한 것에 대해 의아하게 생각하여 놀란 표정을 지었다. 물론 지구야 인류의 시발점이 되는 행성이지만 태양계 정부에서 그렇게 높이 쳐주는 행성은 되지 못했기 때문이다.

인류세 대멸종이라는 죄과와 과학교의 탄생이라는 죄과는 신교 측 입장에서 지구를 높게 쳐줄 수도 없었고, 우리 고향 행성이라는 타이틀을 빼고는 나머지 잘못된 역사에 대해 타 지구인들은 지구를 저주하는 행성이 되었다.

그러나 나는 지구의 역사를 공부하였기에 무조건 적으로 신교측의 의견을 수용 할 수는 없었다.

"어떻게 생각하실지 모르지만 태양계 행성 중에서는 유일하게 숨쉴 수 있는 공기와 물이 있는 행성이죠.

또 지각이 있는 행성 중에서는 제일 큰 행성이고요.

타이탄이나 에우로파, 달, 가니메데 같은 위성에서 사시는 분들이 어떻게 생각할지 모르지만 우리 모두 지구에서 출발한 종족 아닙니까? 시간이 좀 지난 후에 전 지구로 가볼 겁니다."

"아. 물론 지구는 아직 전체적으로 숨 쉴 수 있고, 바다라는 물도 있는 행성이지만,......"

숲이 많이 파괴되고, 사막화가 많이 진행된 행성이지만 이 행성에 아직 산소가 존재하는 것은 바다에 있는 녹지류와 이끼들이 어느 정도 산소를 만들기 때문이다.

하지만 그 옛날 삼림욕이라는 그 행위는 이제 영구히 할 수 없게 되었다. 나는 전자도서관에서 영상 자료로 남은 그 삼림욕이라는 영상을 보았는데 아무리 홀로그램으로 그 삼림욕을 재현해 느껴보아도 소설 속에 쓰인 그 삼림욕의 기분을 느낄 수 없었다.

지구에 나무가 있다는 소문을 들은 적은 있지만 삼림욕을 할 정도로 숲이 있다는 소문은 듣지 못했다.

"또 아직 살고 있는 자들도 있고요."

"물론 지구 연방은 존재하죠. 태양계 정부 내에서 그 위치가 좀 낮지만."

아마도 과학교와 신교와의 전쟁 때문에 그런 거 같다. 이미 전쟁이 끝난 지 백 오 십 년도 넘었지만 전쟁 전의 지구의 위상과 전쟁 후의 지구의 위상은 너무나 차이가 나 있었다. 뭐. 그 전에 이미 인류세 대멸종 때문에 많은 악명을 가지게 되었지만.

과거에는 백 억 이상의 인구가 거주했다고 하는데 지금은 수 억

명밖에 남지 않았다고 했다.

분명 콜로니 같은 데 갇혀 살지 않아도 되고, 물도 거의 무한으로 마실 수 있는데도 사람들이 이제 지구로 몰려들지 않는 것은 각 행성과 위성 정부가 얼마나 지구를 악랄하게 헐뜯었는지 알 수 있는 부분이다.

"그러시군요. 그럼 지구의 즉흥시인들을 이기고, 이제 세라에게 도전 하실 건가요? 사실상 세라에게 유일한 도전자는 당신 밖에 없어요. 정호 트리스탄씨."

"아녀. 저 말고도 많을 겁니다."

난 일부러 겸손한 척 말을 했다. 그러나 그녀는 고개를 저으며 확신에 찬 목소리로 대답했다.

"아뇨. 지금까지의 도전자들 중 당신이 최고라고 사람들이 말해요. 거의 백 년 만에 제대로 붙어 볼 수 있는 상대라고요."

"……"

나는 그녀의 말에 아무런 대답도 하지 못했다. 내 자신이 나의 실력을 낮게 본다고 쳐도 다른 사람들은 또 그러지 않을 것이기 때문이다.

아무튼 사람들은 과학교건 신교건 열광적으로 나와 세라의 즉흥시 대결을 원했다. 거의 백 년 이상 여제라고 불리는 세라의 독점 체제에서 이제는 벗어나고 싶은 것이다.

세바스찬 뉴턴이 인간의 나약함과 어리석음을 내보이기 위해 세라라는 인공지능을 만들었고, 이 강인공지능 때문에 인간은 정말 어리석음의 존재가 되었다.

이제는 인간의 고유영역이라고 불리던 창작의 영역까지 인공지능이 더 잘하게 되었으니 인간은 이제 인공지능 보다 못한 존재가 아닌가 하는 의구심까지 들었다.

그래서 기계와 인간의 결합을 통해 이런 약점을 없애자는 것이 바로 세바스찬 뉴턴이 주장하는 것이다.

그는 영혼이라는 것은 없으며 모든 것은 한낱 물질이고, 이 우주는 우연히 태어났다고 보았다.

보이는 것이 전부고, 죽으면 무가 된다.

죽지 않으려면 늙어 노쇠한 것들을 새것으로 갈아 끼우면 된다.

결국 뇌의 영역이 문제지만 이 문제는 언젠가 해결되게 된다. 인간은 단순한 탄소, 산소, 질소, 수소 분자 덩어리를 보는 이 기계론적인 사고방식은 인간의 애정이니 모성애니 하는 것들도 뇌의 작용으로 밖에 보지 않았다.

그래서 신교측은 이 주장을 하는 세바스찬 뉴턴의 창조물 그리고 오만한 인공지능인 세라를 누군가가 이기기를 바랬다.

과학교 역시 물질주의와 무신론을 숭배하는 집단이지만 인간을 기계 부속품의 일부로 단순하게 생각하는 사고에 대해 반대하는 움직임을 보이고 있다고 뉴스에 떴다.

홀로그램 티브이에서 과학교에 대해 요새 많은 소문이 도는데 그것에 대해 사라에게 한 번 물어보았다.

그녀는 어제 나랑 격렬하게 사랑을 나누었던 여운이 남았던지 실오라기 하나 걸치지 않는 알몸으로 침대에 누운 채 아침을 만끽하고 있었다. 그녀는 뉴스를 보고, 내가 이상하게 생각할까봐 사실을 말하기 시작했다.

"사실이야. 과학교가 무신론이고, 합리와 유물론을 숭배하는 집단이지만 인간이 인공지능 보다 못하다라는 과거 대가들의 철학에 반대하는 사람들이 늘어나고 있어.

특히나 세바스찬 뉴턴 같은 한때 과학교 대과학자의 철학까지도."

그녀에게 알게 된 사실에 의해 사실상 태양계에 있는 사람들은 누군가가 세라를 꺾어주기 바라는 마음이 있다는 것을 알게 되었다.

신교든 과학교든.

그러나 나는 내 자신이 아직 준비가 되지 않았다는 것을 알고 있었다. 적어도 안데르센이 죽기 전에 불렀다는 그 인간의 노래를 다시 재현하기까지.

물론 과거 영상 자료에서 그 대결을 보고, 연구도 했었다.

하지만 완성된 것은 절반 이하였고, 나머지 절반은 완성되지도 못했다. 그리고 누군가가 완성했다고 쳐도 안데르센의 그 노래에는 미치지 못할 것을 알고 있었다.

아니. 거의 백 년 이상 전의 노래이니 지금 시대에는 맞지 않는 철학과 기술이 담겨 있을지 모른다.

그래서 아예 처음부터 나만의 인간의 노래를 새로 만들어야 했다.

그러나 안데르센이 추구하는 그 정신과 사상을 나는 아직 완전하게 깨닫지 못했다. 윌리엄 스승님은 그렇게 고민하는 나에게 한 번 지구에 가보라고 충고했다.

지구에 가봐야 하지만 일단 화성으로 온 김에 다른 위성과 행성의 도시들도 가보고 싶었다.

자유로움과 일탈이 넘쳐나는 화성의 비너스 시티에서 2년 동안 있은 나는 에우로파, 금성의 하늘 도시, 달의 월광 시티, 이오와 가니메데 위성의 수많은 도시들, 천완성에 있는 오필리어의 다이아몬드 시티들도 둘려보았다.

화성의 비너스 시티 보다는 짧게 체류했는데 있어봤자 한 두 달뿐이었다. 그리하여 또 2년 동안 지구를 제외한 태양계 정부의 행성과 위성을 물러보았으며 인간의 노래에 대한 해답을 얻기 위해 많은 방황을 했다.

그리하면 그런 나에게 여자는 정이 떨어지기 마련인데 사라는 그렇지 않고, 나랑 계속 붙어 있었다. 내가 거주하는 집의 살림을 맡아 할뿐더러 밤 상대까지 섹스 파트너 이상이자 아내의 역할, 가정

부의 역할까지 해주었다,

그녀의 이런 헌신이 왜 지속되는지 몰랐지만 스승님이 예견한대로 화성을 떠난 지 2년이 거의 끝날 무렵 해왕성의 위성 트리톤에 있는 포세이돈 시티에서 레이첼을 만나고, 사라의 진실을 알게 되었다.

트리톤은 타이탄과는 다르게 에우로파나 달과 같이 너무나 옅은 대기 때문에 바깥의 공간은 검은색 우주만이 보였다.

그런 곳의 콜로니는 핵융합으로 인공태양을 만든다고 해도 지구의 대기처럼 파란 하늘을 만들 수는 없다.

타이탄은 그나마 짙은 대기가 있어 돔 안에서도 화성과 비슷한 색깔의 하늘을 가질 수 있지만 트리톤의 콜로니는 구름 한 점 없는 하얀 색 대기에 높게 서 있는 스카이라인이 전부다.

그나마 밤이 되면 인공태양이 꺼지고, 칠흑의 암흑이 트리톤에 드리운다.

볼만한 것은 트리톤에서 보이는 해왕성의 모습이다.

마치 차디찬 여왕의 목걸이처럼 창백한 푸른빛을 띠고 있는 해왕성은 트리톤에 사는 사람들의 심장마저 얼어붙게 만들 정도다.

이곳에 살기 시작하면서 며칠 동안은 트리톤에 떠오른 창백한 진주 같은 해왕성의 아름다움에 이끌려 밤거리를 거닐었으나 곧 그것도 그만두게 되었다.

하지만 어쩌고 보면 프로메테우스시보다는 밤하늘은 아름다울 수 있다.

프로메테우스시의 밤은 타이탄의 짙은 대기 때문에 제대로 별이 보이지 않으니까.

레이첼을 만난 것도 이런 방황이 시작 된 뒤 2년 후. 그녀는 어떻게 내가 있는 곳을 알았는지 사라를 통해 나를 트리톤에 있는 한 레스토랑으로 불러내었다.

그녀를 첫 번째로 만나고 난 뒤 이 십여 년이 흘렀지만 그 동안 그녀를 만난 적은 없었다.

그러나 레스토랑에서 그녀를 다시 만났을 때는 과거 이십 여 년 전과는 별달리 변한 것이 없었다. 그 모습 그대로 옷도 그녀가 좋아할 법한 검은색 원피스류의 치마 정장을 입고 있었다.

나는 그녀가 별다른 변화가 없자 흥미를 곧 잃었지만 갑자기 그녀가 나를 보자고 한 이유가 뭔지 나는 그것이 궁금했다.

일단 저녁으로 스테이크류의 음식과 레드와인을 시킨 다음 주문한 음식이 나오자 의례 그런 것처럼 음식을 먹기 시작했다.

나와 그녀는 저녁을 먹으면서 그동안 못했던 이야기를 나누었는데 첫 번째 이야기는 사라에 관한 이야기였다.

"사라와 이 십년 이상 같이 살게 하면서 당신을 속인 것이 있어요."

"알고 있소."

나는 과학교가 안데르센 선생님의 기술을 또 훔치거나 엿보려 사라를 내게 보낸 건가 해서 알았다고 답했다.

그러나 그녀는 내 대답에 내 생각을 읽었는지 고개를 저으며 아니라고 했다.

"오히려 안데르센 선생님의 기술은 세라에게 더 알려져선 안 돼요."

"……"

"당신을 속인 건 사라가 좋아해서 자원 한 것도 있지만 과학교 역시 필요에 의해 사라와 당신을 같이 살게 했다는 점이예요.

바로 당신의 유전자를 채취하기 위해서죠."

"뭐요?"

나는 그녀의 고백에 깜짝 놀라고 말았다. 이건 전혀 내가 예측한 대답이 아니기 때문이다.

"사라의 자궁에 어떤 특별한 기관을 만들어서 당신의 정액을 3일이 지나도 죽지 않게 만들었어요. 물론 대부분의 정액은 질에 의해 씻겨 나가지만 일부 강한 정자는 자궁에 남게 된다는 것을 알아요. 그런 방법으로 기형이 아닌 정말 우수한 정자를 사라의 자궁에 남기고, 그걸 우리는 손에 넣는 거죠.

당신의 유전자를 넣을 다른 방법이 없었는데 사라와 당신이 피임 같은 것을 하지 않고, 그대로 사랑을 나누니까 그런 방법을 쓴 거죠."

"그래요? 그거 참. 내 유전자가 필요하면 달라하지 왜 사라를?"

그렇게 말했지만 억지로 내 유전자를 짜내려고 한다면 아마 나는 기분이 나빴을 거다. 사라를 이용한 방법이 탐탁지 않았지만 내가 싫어하는 방법은 아닌 거 같다.

"그 방법을 제시한 게 사라예요. 사라가 당신을 얼마나 좋아하는지 아시죠?"

"알아요. 그렇다면 왜 내 유전자를."

과학교가 왜 나 같은 놈의 유전자를 필요로 하는지 그 이유를 몰랐다. 하지만 이 일이 뜻밖의 인물과 관계가 있을 줄 몰랐다.

"당신이 대과학자의 아드님이시고, 한 때 태양계 최고의 해커인 여자의 아들이기 때문이죠."

"어머니가?!"

아버지에 대해서는 가드먼 아저씨에게 몇 번 설명을 들었기에 알고는 있었지만 어머니에 대해서는 그 내력을 들어볼 기회가 없었다.

"또 이 프로그램에 대과학자님이 관련돼 있으니까요."

"대과학자? 그럼 아버님은?!"

"맞아요. 트리스탄님은 15년 전에 과학교 교주가 되셨어요."

"……!"

레이첼을 처음 만났을 때는 아버지가 과학교 부교주였었다. 그러나 얼마 지나지 않아 아버지는 과학교 교주가 되신 것이다.

"저를 비롯해 과학교 교도들 삼 사 할은 세바스찬 뉴턴 때부터 중심교리를 삼아온 인간은 인공지능보다 나약하고, 열악한 존재다란 명제를 달가워하지 않는 사람들이예요.

제가 속한 파벌을 인간파(人間派)라고 불러요. 신교 같이 유신론적인 집단은 아니지만 인간을 도구로 보고, 효율만을 중시하는 뉴턴이 계승한 파벌과는 차이를 두죠.

세바스찬 뉴턴이 있었을 때는 소수 파벌이라 그쪽에서 신경을 쓰지 않았지만 누군가가 과학교의 간부로 올라가면서 그 파벌의 숫자가 엄청 불어났어요.

인간을 고쳐야 할 수동적이고, 나약한 존재에서 능동적이고, 강인한 존재로 일깨워 주신 분이 있어요."

"그게 누구요?"

"시초 자는 다른 분이지만 지금 그 중심이 바로 지금의 대과학자. 바로 당신 아버지예요."

"예? 아버지요?!"

나는 그 말에 깜짝 놀라고 말았다. 아버지가 요새 뉴스에 나온 과학교 사건 그 중심인물이니 말이다.

"이 이야기에 들어가기 전에 일단 사라 얘기 부터해요. 사라는 그동안 많이 변했어요. 이제는 과거와 달리 정신이 불완전 하지 않고. 훌륭한 과학자가 될 자격을 갖췄어요. 당장 과학교의 장로가 되어도 모자람이 없죠.

하지만 아직 미련이 남아 있어요."

"그게 무슨 뜻이요?"

"당신을 좋아하기에 3차 수술을 받을 수 없다는 뜻 이예요."

"뭐요? 당신은 테스터로써 사라가 3차 수술을 받는 게 불가능하다고 말하지 않았소? 혹시 과학교가 일부러 사라를 불임으로 만든 거 아니요? 아저씨는 그 빌어먹을 마약을 해독하는 약이 불임을 일으킨다고 하지만 난 믿지 못하겠소.”

 나는 그동안 사라를 보면서 훌륭하지는 못해도 평범한 어머니가 될 수 있는 사라를 그 놈들이 영구 불임으로 만든 게 아닌가 하는 의심이 들었다. 그러나 그녀는 고개를 저으며 나에게 사라가 했다던 그 마약을 조용히 말했다.

 과거에도 가드먼 아저씨나 리치포드나 그 마약의 정체에 대해 짐작했으며 그 치료약 때문에 불임이 된 거라고 말했다. 그렇다면 이미 그 마약의 정체는 이미 드러난 거나 다름없는데 무슨 또 다른 것이 숨겨져 있단 말인가?

 나는 헤로인이나 필로폰 같은 그런류의 마약이겠거니 생각했지만 전혀 뜻밖의 대답이 나왔다.

 하기야 어떤 마약이 심장과 폐를 그렇게 망가뜨릴 수 있는지 약에 대해 무지몽매 했던 나나 가드먼 아저씨들이니 그 마약의 이름을 정확히 알 수는 없었다.

 “디어악시톤. 디어악시톤 메가 프리온. 사라를 수술 할 당시에는 정확히 몰랐으나 수 년 전부터 정확히 그 약에 대해 알게 됐죠.”

 “.......!”

 “아마 그 마약에 대해 일부 고위층이나 비밀기관은 알고 있을지 몰라요. 그래서 그 마약을 유통하거나 제조하는 자는 인간 안드로이드 할 것 없이 사형선고를 받죠. 심지어 현장에서 태양계 경찰이나 군인들에 의해 경고 사격 없이 곧바로 사살되죠.

 화학적 마약과 달리 나노머신에 의한 기생충 같은 그 마약이 얼마나 독한 건지는 잘 알고 있겠죠.

 또 프리온 단백질이라서 바이러스보다 치료가 힘들어요. 결국에는 모든 장기를 인공으로 대체해야 하는데. 줄기 세포 생체 장기가 아닌 생체 기계적 장기로 대체해야 하죠.

그러니 그 치료제 또한 불임을 일으키지만 이미 사라는 병원에 실려 왔을 때부터 몸이 망가진 상태였어요. 이미 영구불임이 된 상태였고요.

우리 과학교는 사라를 위해 2단계 수술을 시행해서 영구불임을 만들었다고 그녀에게 각인 시켰지만 사실은,......"

"이미 영구불임이었단 말이요? 디어악시톤이라면,......!"

"잠식이 내장까지 진행된 상태죠. 다행히 폐나 심장을 인공 장기로 갈아 끼워서 잠식당하지는 않지만 생체적인 부분은 내장과 간, 신장까지 소화계와 얼굴 일부분까지 잠식을 당한 상태죠."

"아니. 어떻게 사라는 디어악시톤을?! 왜 사라에게 진실을 알려주지 않는 거요?"

나는 사라가 어떻게 이 생물학적인 마약을 구했는지 의문점이 들었으며 왜 사라에게 이런 진실을 알려주지 않는지 궁금했다.

"사라의 어머니가 돌아가신 후 사라가 어떻게 살아왔는지 당신은 아주 잘 모를 거예요. 평민 구역에서 실업 급여를 받으며 폐인처럼 살아왔다고 하지만,......

그녀는 그렇게 살면서 자신의 몸뚱이에는 미련 없는지 창녀 보다 더 한 삶을 살았죠. 어머니를 잃은 슬픔을 잊기 위해 섹스에 탐닉을 했어요.

그 상대 중엔 디어악시톤을 유통하고, 제조한 여성 조직도 있었죠."

"여성?"

"그래요. 사라는 남녀 가리지 않고, 섹스에 탐닉했어요. 인공피부로 대체하기 전 그녀의 피부와 근육이 어떤지 당신이 보게 된다면 놀라게 될 거예요."

난 그 말을 듣고, 옆에 빈 의자에 손을 짚으며 그 사실에 당혹스러워 쓰러질 거 같았다.

"아니. 이럴 수가. 단지 젊어지려고 인공피부로 대체한 것은 아니군."

"맞아요. 치료의 일환이죠. 아무튼 그 여성 조직과도 관계를 가진 사라에게 그 여성조직원이 자연스럽게 디어악시톤으로 사라를 중독시키는 건 자연스러운 일이겠죠."

디어악시톤을 유통시키고, 제조하는 여성들이라면 이미 볼 장은 다 본 여성들이라는 뜻이다. 그런 막장 인생들과 사라가 관계되었다는 말에 나는 놀랄 수밖에 없었다. 그렇다면 정부가 사라를 치료하고, 과학교가 그녀를 거둔 것은 무언가 그녀와 거래가 있었다는 뜻이다.

"사라가 디어악시톤을 유통하거나 제조하지 않았기에 감옥에 가지 않았고, 사형 될 일은 없었죠.

단지. 그녀는 디어악시톤을 거의 십 년간 하면서 몸이 너무 망가졌어요.

그러면서도 그녀의 아름다운 육체 때문에 그녀는 정부와 거래할 수 있는 위치에 선 것도 사실이죠."

나는 그녀의 말을 듣고, 즉흥시인 특유의 직감으로 그게 무엇인지 알았다.

"디어악시톤 조직과도 육체적 관계를 맺었으니 그들의 정보를 많이 알고 있었겠군."

"맞아요."

"이럴 수가. 그렇게나 마리아 아주머니의 죽음이 그녀에게는 슬픔이었던가."

레이첼에게 들리건 말건 나는 그렇게 큰 소리로 탄식했다. 에스더도 역시 어머니의 죽음을 선뜻 받아들이기 어려웠고, 그걸 극복하기 위해 삼 년이라는 세월이 걸렸다.

나를 돌보면서 그녀는 그 슬픔을 극복했다고 말했지만 사라에게는 그 누구도 곁에 있지 않았다.

자신의 자매인 에스더와 싸우고 난 뒤 그녀는 계속 홀로 있었으며 어머니의 죽음을 극복하기 위해 십 년이라는 세월을 폐인처럼 살아야 했다.

하지만 그냥 폐인처럼 산 것도 아니고, 사라는 자신을 그렇게 파괴의 소용돌이에 몰아넣으며 살았다. 그 빌어먹을 마약을 하며.

나는 사라가 너무 가여워지기 시작했다.

"디어악시톤. 3차 수술이라면,...... 내장까지 디어악시톤의 프리온이 침범했다는 뜻이고, 사라는 억지로라도 3차 수술을 받아야 한단 뜻이군.

그럼 설마 나 때문에? 3차 수술이상을 받으면 나랑 섹스를 못하기 때문에?!"

"맞아요. 더 이상 당신과 사랑을 나눌 수 없죠. 그게 바로 사라의 유일한 미련 이예요.

이미 과학교내에서도 3차 이상에 대한 수술허가는 다 떨어졌어요. 사라만 오케이 하면 되죠.

그 애는 당신과 만나고, 당신과 사랑을 나누면서 사라는 변하기 시작했어요. 40살까지의 사라는 충동적이고, 재능은 많았지만 내일이 없이 생활하는 사람이었어요.

당신과 만나고 20년이 흐르면서 이제 저와의 섹스 또한 다른 사람과의 섹스에는 관심도 가지지 않게 되었죠.

오직 그녀가 상대하는 사람은 이제 당신 밖에 없어요. 아직은 그렇게 내장이 프리온에 잠식 당한 건 아니지만 십 년 안에 인공장기로 내장과 몸통 전체를 교체해야 할지 몰라요.

다행인건 얼굴에는 프리온의 양이 적어 4차까지는 가지 않아도 된다는 거죠. 적어도 성욕은 없어지더라도 사라의 식욕은 보존시키고 싶어요. 하지만 그것도 지금은 장담은 못하죠.”

“뭐요? 막말로 대가리를 제외하고, 전부 인공으로 바꿔야 한다는 거요?”

“굳이 말하자면 그런 거죠.”

나는 가드먼 아저씨를 통해 과학교 3차 수술을 한 자들의 몸뚱이를 그대로 본 적이 있어 이것이 무엇을 뜻하는지를 알고 있었다.

그건 곧 사라와 사랑을 나누는 시간이 십 년도 안 남았다는 거다. 그렇다면 사라가 3차 수술을 받은 후 과연 내 곁에 남아있을까?

난 즉흥시인의 통찰력으로 내 곁을 떠날 거라고 직감할 수 있었다.

즉 그녀와 같이 있을 시간이 십 년도 남아있지 않는다는 뜻이다.

“당신과의 섹스를 빼놓고는 지금 사라는 3단계를 넘어 4단계 수술을 받아도 이상하지 않을 만큼 많이 변했어요.

이제 식욕까지 미련 없이 버릴 정도의 경지에 이른 거죠.

저도 아직 성욕을 버리지 못하는데 어떻게 사라는 그런 경지에까지 오르게 됐는지 모르겠어요.”

“그래서 내가 사라의 유일한 미련이라는 거군.”

“맞아요. 아마 그녀는 자신의 내장이 썩고, 고통을 받아 죽기 직전까지 당신과의 관계를 계속 할지 몰라요. 그만큼 무엇이 그렇게 사라를 당신에게 집착시키는지 모르겠어요.

과학적으로 도대체 무엇이 그렇게 사라를 강하게 만들 수 있는 거죠?”

나는 그녀의 질문에 아무런 대답도 하지 못했다. 하지만 그녀의 상태를 알았으니 사라와의 남은 시간을 좀 더 가치 있게 가져야 하겠다는 생각을 하게 되었다.

이렇게 방황하지 않기로. 그리고 그녀는 사라에 대한 이야기가 끝나자 이제 본론인 아버지에 대한 이야기를 꺼내기 시작했다.

"예전에 트리스탄님께서 대과학자님이 되신다면 승천의 길로 들어서신다고 얘기 했죠?"

"그렇소."

"아마도 이번 십 년 안에 승천의 길로 들어서실 거 같아요. 대과학자가 되신지 십 년이 넘으셨고. 이제 연세도 백세도 넘으셨으니 더 이상 삶에 대한 미련은 없겠죠. 전에 승천의 길로 들어선 대과학자님들도 백 이십 세 정도에 했고, 트리스탄님도 십 년 안에 하신다면 백 십 세가 넘는 나이에 승천의 길로 들어서신 거니 이상할 것은 하나도 없죠.

이미 육체의 의미를 잃어버리신 분에게 승천의 길을 두려워하시지는 않으실 거 같고요.

또 자신의 파벌을 지키기 위한 정치적인 희생도 필요하고요."

"지키기 위함이라뇨?"

아버지가 과학교 중에서 인간파의 중요한 인물이라는 것은 알겠는데 그 인간파를 지키기 위해 승천의 길로 들어서다니 나는 그것이 이해되지 않았다.

"과학교 중에 인간파가 삼 사 할을 차지한다고 해도 아직 대세는 물질주의와 무신론, 인공지능이 인간보다 우위에 있다고 믿는,…… 세바스찬 뉴턴이 계승한 물질만능주의 학파가 아직 과학교에는 많아요.

아마 그 물질만능주의 학파의 과학자라면 자살이라고 할 수 있는 승천의 길을 자발적으로 기뻐하면서 그 행위를 받아들이겠지만 인간파는 다르거든요."

"인공지능이 인간보다 위에 있다고 생각하지 않으니까?"

"맞아요. 하지만 그렇다고 해도 과학교의 전통까지 거스를 수는 없어요. 무신론과 더불어 유물론 역시 과학교의 한 축이기 때문에 승천에 대해 거부하는 것은 그 유물론을 거부하는 것이죠.

죽어서 영혼 따위가 있어 승천을 거부하는 것이 아니냐 하는. 그러면 아직은 다수가 있는 물질만능주의 학파에게 인간파가 공격당할 수도 있거든요.

그걸 막기 위해 트리스탄님은 반드시 승천의 길로 들어서시게 될 거예요. 그때는 정호씨에게 막연하게 대과학자님이 승천의 길로 들어선다고 말을 했지만 지금은 확신을 가지고 말할 수가 있어요.

그것도 십 년 안에요. 아직 대과학자님은 인간파가 물질만능주의 학파를 짓누르지 못하신다고 확신하시고, 좀 더 인간파의 힘을 기르신 다음에 승천의 길로 들어서실 거 같아요."

"그렇다면 인간파가 과학교의 우위에 선다면?"

"물론 저희야 무신론이고, 유물론이지만 인공지능 보다 인간이 더 대접받아야 한다는 신교의 입장에 공감하겠죠.

그리고 그동안 인공지능과의 결합을 우선적으로 목적되어 왔던 모든 정책들이 폐기 될 거예요.

일부 신교도의 인간중심정책도 받아들이고요.

아마도 신교도들과 좀 더 말이 통하게 되겠죠."

"과학교와 신교가 서로 합치는 일은 없겠지만 적어도 전쟁만큼은 더 이상 벌어지지 않는단 말이요?"

"맞아요. 그 전의 지구처럼 서로의 입장을 가지고, 반목할 수 있지만 서로를 증오하는 시대는 지났다는 뜻 이예요."

나는 지난 전쟁에 대해 도서관에서 배웠기 때문에 신교와 과학교가 어느 한쪽의 존립을 걸고 싸우게 된다면 인류가 멸망의 길로 들어서게 되리라는 것을 알고 있었다.

그 전처럼. 21세기와 22세기 때처럼 다양한 가치관이 양립하고, 반목할 수 있는 시대로 갔으면 하는 바램이었다.

결국은 십 년 안에 나에게 소중한 사라라는 연인과 비록 본적은 없지만 나에게 생명을 주신 아버지가 내 곁을 떠나간다는 말을 레이쵈은 전한 것이다.

그리고 이 얘기를 한 이유를 나는 곧바로 알 수 있었다.

신교의 염원이자 또한 과학교내에서도 인간파가 물질만능주의파를 눌러 버릴 수 있는 유일한 퍼포먼스. 그것이 바로 세라의 패배였다.

그녀는 세라와 나의 대결을 부탁하러 온 거였다. 그리고 그 대결의 준비기간도 십 년이 채 남지 않았다는 것을 내게 알리러 온 것이다.

나는 그녀의 의도를 알자 무슨 운명처럼 느껴져 그 자리에서 굳어져 버렸다. 이제는 더 이상 지구로 가는 것을 멈출 수 없기 때문이다. 지구로 가면 분명 내 자신이 변하리라는 것을 난 안다.

좋게 변하든 나쁘게 변하든 지구라는 행성이 운명처럼 나를 부르고 있었고, 나는 그 변화를 두려워해 지금까지 회피하고 있었다.

레이쵈과 식사를 마친 다음. 그녀는 트리톤의 레스토랑에서 작별 인사로 내 입술에 몇 분간 키스를 했다.

그녀의 피부에서 프리지아 향내가 내 코끝에서 느껴졌다. 사라에게 맡을 수 있는 자스민향과는 또 다른 여인의 향기였다.

키스를 마친 뒤 잠시 자세를 바로 잡은 그녀는 알 수 없는 여운의 말을 내게 남겼다.

"사라가 말없이 떠나가도 이해해줘요. 그때는 둘 중의 하나니까. 이미 몸이 썩어 죽었거나 아니면 4차 수술을 받으러 당신을 떠났거나."

나는 그녀의 말에 과학교 4차 수술이 무엇인지를 알고 있으면서 그 의미를 물어보았다.

"4차 수술을 받았다고 해도 그녀 자신은 변하지 않는 거 아니오?"

억지로 4차 수술의 의미를 부정하려고 했지만 그녀는 단오하게 그 의미를 내게 일깨워주웠다.

"머리만 그 애의 고유한 생체기관으로 남는다지만,........ 섹스도 할 수 없고, 먹을 수도 없어요. 맛도 못 느끼고, 향기도 맡지 못하겠죠.

오직 남는 건 뇌의 피로예요. 잠의 욕구만 남죠. 당신은 과학교의 4차 수술을 받은 뒤 뇌의 피로를 어떻게 푸는지 알고 있잖아요."

"그야 구체적으로는 몰라요."

"아뇨. 알고 있을 거예요. 다시 한 번 말씀드리면 4차 수술을 받은 뒤 죽을 때 까지 침대 생활하고는 작별이라는 거예요. 그러니까 말 할 수 없는 허무함과 고통 속에서 그 알 수 없는 액체가 담긴 통 같은 곳에 몸을 담그며 한 시간 동안 악몽을 꾸며 살아야 한다는 거죠.

그 한 시간. 그게 4차 수술을 받은 자의 유일한 안식의 시간 이예요."

난 그 말을 듣고, 더 이상 아무런 말을 하지 못했다. 난 알고 있다. 분명 가드먼 아저씨한테 자기 여동생을 통해 4차 수술을 받은 자의 고통을 전해 들었기 때문이다.

결론은 사라는 언제 내게 말없이 떠나도 이상할 것이 전혀 없다는 뜻이다. 그게 고통 속에서 수명을 다 했거나 아니면 더 이상 나와 못 있게 될 정도로 몸이 변형이 됐거나.

그렇기에 나는 이제 이 태양계 정부 내에서 유일하게 가보지 못한 지구로 가게 되었다. 지구에서 무엇인가 내 인생의 결론을 낼 수 있다고 확신이 들었기 때문이다.

13

트리톤에서 화성으로 가는 우주선을 타고, 화성에서 지구로 가는 우주선으로 갈아탔다. 제일 쉬운 방법은 달에서 지구로 가는 것이지만 난 달의 또 다른 콜로니인 아르테미스 시티에서 먼발치에 보였던 푸른 별 지구를 잊지 못한다.

그때는 손에 잡힐 듯 한 구슬 같은 크기였는데 화성에서 지구로 가는 우주선을 타고, 지구에 가까워져 가니 태양계 내에 있는 암석 행성 중 제일 큰 크기라는 것이 실감이 나기 시작했다.

지구에 아직까지도 여러 도시들이 남아있고, 나라의 형태를 띤 정부가 남아있지만 인류세대멸종에 의해 인구는 급격히 줄어들었다.

솔직히 말하자면 인류세대멸종보다는 의식의 벽이라고 하는 게 더 맞을 것이다.

22세기 중반에 인구 증가의 정점을 찍은 지구는 서서히 인구가 정체되고, 줄기 시작했다.

과학교라 불리는 사상의 팽배에 의해 종교는 사라지고, 관념론, 유심론들이 사라지면서 개인주의와 자유주의가 판을 치기 시작하자 PC부터 페미니즘까지 정점의 사회가 도래했다.

백 여 년의 걸친 이시기 동안 중세 종교의 암흑시기를 과학이 대신 차지하게 되었고, 이때 인류세 대멸종이 일어났다.

이미 그 전부터 대멸종은 시작되었으나 본격적으로 대멸종이 심화된 것은 22세기 중반 이후부터다.

신교가 시작되는 시기까지 인류는 과학의 암흑시기를 맞이했는데 이때 지구의 인구가 급속히 줄기 시작한 것이다.

이런 자유와 개인주의에 물든 지구의 인간들은 의식의 벽이라는 형태로 그 전의 가치관을 부정하며 살았다.

이런 지구에서도 신교가 진출한 것은 25세기부터이며 신교가 그래도 많이 있는 곳이 바로 과거 남극이라고 불리는 곳이다.

지금은 지구의 평균기온이 거의 8도 이상이 올라갔기 때문에 예전엔 영하 20도였던 남극이 지금은 살기 좋은 툰드라의 지대로 변했다.

그래서인지 제법 남극에서는 인류세 대멸종의 여파를 잘 이겨낼 수 있었다.

대부분의 포유동물들과 생물들이 멸종했지만 남극에는 아직 개와 고양이, 소와 닭등의 과거 손꼽히게 많았던 가축들이 어느 정도 살아남을 수 있었다.

"이거 인조가 아니죠?"

남극의 한 도시인 아틀란티스 시티에서 난 닭장에 있는 닭을 보고, 놀라며 물었다. 넉살좋게 생긴 중년의 사나이가 내가 가리킨 닭을 쳐다보며 고개를 끄덕였다.

"예. 천연입니다. 인조가 아니고요. 우리 조상의 죄과에서 그나마 건진 동물들이지요."

"아. 인류세 대멸종 말이군요. 그런데 어째서 우리 조상이라고 말하죠?"

그는 내 질문에 슬픈 표정을 지으며 대답했다.

"인류세 대멸종 전에 지구의 환경은 걱정 없다고 대중을 속인 과학자 집단 중 한 사람이 제 조상이거든요.

아마. 이 지구에 있는 토박이 중에는 인류세 대멸종에 직간접적으로 관여 했던 조상을 가진 사람들이 많을 겁니다."

그는 그 말을 하면서 100억 이상의 인구를 자랑했던 지구가 쇠락과 몰락의 길을 걸을 때 많은 수의 사람들은 자손을 남기지 못했으나 개 중에는 지금도 존재하는 자손을 남긴 경우가 있다고 한다.

신교가 지구에 전파된 이래로 조상의 악업에 반성을 하며 신교측으로 돌아선 이들이 많았다.

타 행성이나 위성에서 태어난 사람들은 인류세 대멸종에 그리 큰 책임은 없으나 이곳에서 태어나고, 자란 사람들은 어쨌든 인류세 대멸종에 책임은 있으니까.

설사 당사자가 책임이 없다고 해도 연좌제라는 조상의 책임까지 없었던 일로 만들 수는 없는 일이다.

그래서 지금 지구는 거의 백 퍼센트에 가까운 물질주의와 과학주의의 천국이었지만 지금은 백 년 전과는 다르게 신교의 믿음이 많이 전파되었다고 했다.

나와 대화를 나눈 사람은 신교도의 한 사람으로써 자신을 삼손이라고 소개했고, 그를 통해 아틀란티스 시티의 신교도들과 연락할 수 있었다.

"물질주의파 과학교도가 아니라면 환영합니다. 세바스찬의 뉴턴을 신봉하지 않는 자라면 여기서 편히 지낼 수 있을 겁니다."

신교도 중에서도 꽤 연륜이 있는 노인 한분이 삼손의 소개로 나랑 만나면서 나에게 이런 얘기를 했다. 아마 그 노인분이 이 아틀란티스 시티의 신교에서 꽤 지위가 높은 사람이라는 생각이 들었다.

그는 자신을 이브라힘이라고 이름을 얘기하면서 아틀란티스 신교 지부의 장로 중 한 사람이라고 소개했다. 그러면서 현재 자신의 나이는 130살이라고 덧붙였다. 그러면서 그는 이제 죽을 날이 얼마 안 남았지만 이곳의 신교도와 일부 과학교도, 그리고 청교도측의 화합을 위해 일한다고 얘기 했다.

"물질주의파 과학교도라고요? 그럼 인간파에 대해서도 알고 계시겠군요."

내가 물어보자 그 노인은 자신이 관심 있어 하고, 적어도 대화하고 싶은 과학교도들이 인간파라고 대답했다.

"정호 트리스탄. 난 당신이 트리스탄 대과학자의 아들이라는 것을 압니다. 우리 측 정보에는 그렇게 나와 있군요.

트리스탄씨. 당신의 믿음은 어떻습니까?"

난 이브라힘의 물음에 내가 가지고 있는 신념을 얘기했다.

"굳이 말한다면 전 죽으면 끝이 아니다라고 생각하는 파벌 이예요. 이 세상에 영원한 것은 있으며 인간은 결코 인공지능보다 하등한 존재가 아니다.

겉으로 보이는 것이 전부가 아니며 분명 그것보다 더 한 의미가 있는 것이 있다.

신을 믿는지 안 믿는지는 모르겠지만 적어도 전 세바스찬 뉴턴의 신념이 틀리다고 생각하고 있습니다."

나는 그의 물음에 중도주의라고 대답했다. 사실 중도주의자는 태양계 행성정부의 전 인구 중 오분의 일도 되지 않는다.

그 오분의 일 중 대부분은 비즈니스 적으로 과학교도와 신교도 둘 다 거래하기 때문에 중도의 입장을 취하는 것이고, 나처럼 어떤 신념이 있어 중도의 입장을 취하는 경우는 극히 드물었다.

"그것만으로도 됐습니다. 굳이 저희 신교는 당신에게 신교도가 되라고 협박하거나 포교하지 않습니다.

이 세상에 보이는 것이 전부가 아니다라는 믿음을 가지고 있는 것만으로도 저희는 당신의 생각을 존중합니다."

이브라힘은 중도파인 나에 대해 배척하지 않고, 아틀란티스 시티에서 살아갈 집과 그리고 같이 얘기 할 사람들까지 소개시켜 주었다.

그들은 마리아 아주머니와 같은 청교도로써 과거 기독교라는 종교가 존재했을 때부터 존재하던 사람들이라고 한다.

그렇게 근 5년이 지나도록 나는 청교도의 사람들과 교류하고, 신교도들과도 교류하면서 지내고 있었다.

한편, 사라와의 섹스도 열심이어서 하룻밤에 세 번 이상은 그녀의 안에서 절정을 맞이하는 거 같다. 그것은 그녀가 내일 아침이라도 사라질지도 모른다는 불안감과 안타까움에 그녀와의 시간을 열정적으로 보다 깊게 보내기 위함이다.

그것은 사라 역시 마찬가지다. 내가 느끼기에도 이제 사라의 상대는 나 밖에 없는 거 같고, 그 전과 같이 몸을 함부로 굴린다거나 동성연애도 더 이상 하지 않는 거 같다.

아니. 나를 만나고부터 그녀는 아예 다른 사람과의 연애는 관두었다.

내가 그녀의 안에 사정을 하고 난 뒤 절정의 여운이 가시고, 조금 있다 그녀는 자신의 아랫배를 매만지면서 안타까운 표정을 지었다.

그녀의 의도를 모르는 것은 아니나 그녀가 영구 불임이 된 원인을 알고 있었기에 나는 그 행동에 대해 어떤 말도 하지 않았다.

아니. 어쩌면 그녀가 한 순간에 사라질 수 있다는 생각에 그녀를 불쾌하게 할 말 따위는 하지 않는 것인지 모른다.

내 곁에 사라가 사라진다면 단순히 성욕을 풀 섹스파트너가 사라진 것이 아니다. 근 이 십 여 년 이상 한 몸같이 붙어 있던 상대가 사라지는 것이다.

좋든 싫든 이제 그녀를 볼 날이 5년도 채 남지 않았다는 사실에 전전긍긍하고 있었다. 그래서 더욱 그녀와의 밤일에 열중했을지 모른다.

그러면서도 나는 청교도 사람들과의 교류를 무척이나 즐겼다.

그들과 교류를 하게 된 이야기는 무척 흥미로운 것으로써 아틀란티스 시티에서 자리를 잡은 지 거의 한 달이 지났을 때의 이야기다.

이브라힘의 소개로 그들을 알게 되면서 그들과 본격적으로 교류하게 된 계기는 아마도 리암 안데르센의 유산 때문에 그런 거 같다.

안데르센이 지구 출신이고, 다른 태양계 행성 정부의 사람들은 안데르센에 대해 아는 사람들이 별로 없지만 지구의 청교도나 신교는 리암 안데르센에 대해 아는 사람들이 많았다. 아니. 많은 정도가 아니라 거의 숭배하다시피 존경하고 있었다.

물질주의 학파의 거두이자 인간은 인공지능 보다 열등하다고 믿는 뉴턴의 대항자로써 그들은 리암 안데르센을 경애하고 있었다.

그리고 세라가 나타나기 전 즉흥시인의 황제였던 안데르센의 업적에 대해 그들은 기억하고 있었다. 그리고 세라한테 패했던 게 실력이 없었던 것이 아니라 단지 질병 때문에 그랬다는 진실도.

"저희 측 자료에 의하면 세라의 육체는 22세기의 배우. 세 여배우의 유전자를 베이스 해서 클론을 복제한 것을 생체 안드로이드로 쓴 것이죠.

그 중의 한 여배우가 한국의 여배우입니다. 바로 당신 어머니의 나라죠."

"세 여배우요?"

"네에. 한국, 미국, 러시아라고 나와 있더군요. 정확히 말하자면 인종으로 따져서 게르만족, 슬라브족, 동아시아인 이렇게 세 인종의 유전자를 합성해서 그걸 클론화 시킨 것이 바로 세라의 모델입니다."

"그런데 왜 외모는 게르만족과 슬라브족에 가깝게 블론드의 미인이죠?"

"아마 동아시아인의 유전자가 겉모습이 아닌 다른 곳에서 사라에게 영향을 주었을지 모르죠."

나에게 자료를 설명해주던 전도사가 말을 끝마치자마자 어디서 험상궂게 생긴 사내가 나에게 시비를 걸기 시작했다.

특히나 그는 사라 때문에 나를 못마땅하게 생각하는 찰나 나의 위신과 입장을 깎아내리기 위해 기막힌 방법을 생각해냈다.

"저 과학교 계집애의 주인. 어디서 온 몸을 인공장기로 성형한 계집을 데리고 와서 자신이 리암 안데르센의 후계자라고 떠벌리고 다니는 거요?

우리 청교도와 신교에서도 세라를 이길만한 능력이 있는 즉흥시인이 있단 말이오."

그의 얘기에 나에 대해 불신을 가지고 있었던 청교도와 신교도들이 일제히 그의 주장에 고개를 끄덕였다.

비록 이브라힘의 소개가 있었고, 태양계 티브이에서 내가 어느 정도 유명세를 타고 있다고 해도 그들이 나의 본 실력을 보기 전까지는 믿지 못하는 건 당연한 사실이었다.

특히나 그들 앞에 사라를 내 파트너로 데리고 온 것은 나의 실수이기도 하다. 그러나 나는 그녀가 보통의 과학교도와는 다르다고 설명했다.

"사라는 인간파로써 세바스찬 뉴턴의 가르침을 따르지 않는 과학교도요. 비록 무신론자이고, 유물론자이나 인간이 인공지능 보다 열등하다고 생각하지 않는 자입니다.

여러분들 역시 그의 그런 생각에 반대해서 신교, 청교도 서로들 모여 결집한 거 아닙니까?

인간은 인공지능보다 열등한 존재이며 인간을 기계와 결합시켜 그 단점을 없애야 한다. 그런 생각에 반대해서요."

내 말에 몇 명은 내가 옳다고 소리 질렀지만 이 사람들은 내가 진정 리암 안데르센의 후계자인지 겨뤄 보고 싶어 하는 거 같았다.
 그래서 나는 고개를 저으며 그들의 요구를 따랐다.
 "정호. 괜찮아?!"
 사라는 괜히 자기 때문에 이런 분란이 일어 난건지 미안한 생각
이 들어 눈에 눈물을 머금고, 나를 제대로 쳐다보지 못하고 말했
다.
 "어."
 그렇지만 지구에서 어떠한 결론을 내려면 일단 지구에 있는 자들
의 실력을 알아볼 필요가 있었다.
 그런 면에서 어쩌면 이번에 서로 겨루어 보는 것도 나쁘지 않는
길이기도 했다.
 "안데르센의 유산을 짊어진 자로써 가까운 시일 내에 자신 있는
사람들은 전부 내게 도전하시오.
 규칙은 태양계 정부의 기준에 따르고, 청중은 지구에 사는 사람들
중 무작위로 뽑읍시다."
 "좋습니다."
 이브라힘의 소개로 나를 청교도들에게 소개하려던 전도사는 그의
손을 붙잡으며 이 대결을 말리려고 했지만 나는 그의 행동을 저지
했다.
 그는 내 조건을 듣고, 좋다고 허락했다. 어차피 여러 명이 내게
도전한다면 내가 지칠 거라는 판단이어서였다.
 물론 그도 내가 어떤 인물인지를 태양계 정부에서 방영하는 방송
에서 알고 있으리라 생각했다.
 세라를 제외하고는 태양계내의 전 즉흥시인들을 이긴 자.
 물론 거기에는 지구는 포함되지 않았지만 그건 지구에서 예선에
나간 자가 없기 때문이다. 왜 지구의 즉흥시인들이 태양계내의 최
고의 예술가를 뽑는 대회에 나가지 않는지 알 수가 없다.

아니. 내가 예선에 나간 걸 보지 못했을 수도 있다. 아무튼 확실한 것은 태양계 내에 즉흥시인들끼리의 대결에서 지구의 즉흥시인과는 대결해보지 못했다는 점이다.

그리고 그가 말한 신교도와 청교도 내에서 세라를 이길 수 있는 능력을 가진 즉흥시인이라는 말에 대해 흥미가 생겼기 때문이다.

이것은 유명세나 오만이 아닌 순수하게 그들과 실력을 겨루고 싶다는 호승심(好勝心)이었다.

물론 나에 대해 디메리트를 주기로 했다. 그건 바로 BMAU40을 쓰기로 한 것이다. BMAU40은 사 오 년 전에 나온 배경음악 기계이자 내 노래에 대한 반주 드론으로 38은 물론 39의 기능을 훨씬 뛰어넘는 기계였다.

뇌파를 자동으로 읽어 그에 맞은 제일 효율적인 곡을 반주하고, 스스로 작곡하는 기능을 탑재해서 초보자도 별 기능과 훈련을 들이지 않더라도 웬만한 곡은 반주하고, 연주 할 수 있게 만든 것이다.

너무나 자동화되고, 편리하기 때문에 이 드론은 오히려 나에게는 디메리트가 되는 것이다.

35의 정교함과 불편함, 그리고 전문성에 너무나 익숙해진 나는 BMAU40을 조종하게 되자 오히려 너무나 쉬운 컨트롤에 당혹감을 감추지 못했다.

그래서 이 드론은 내 제자들을 가르칠 때나 사용하기로 마음먹었다. 그런데 나에 대한 디메리트로 이 드론을 사용하게 되다니. 아마도 내 본모습의 35를 사용하다가는 이 사람들의 도전의욕이 전부 꺾일 거라는 나의 걱정이 앞섰다. 이번 대결의 의미는 지구에 있는 즉흥시인들의 실력을 보는 것도 포함되기 때문이다.

삼 일 후. 신교들이 신께 기도를 드리는 일요일에 대결은 이루어졌다. 대결 장소는 그 옛날 대성당이라고 불리는 큰 건물로 옛 종교의 징표와 예술품들이 벽을 메우고, 장식하여 분위기는 너무 고즈넉하고, 아름다웠다.

남극에 세워진 대성당은 그 옛날 기독교의 양식과도 닮아 있었지만 지금은 신교 특유의 예술 장식과 홀로그램 동영상들로 그 아름다움을 뽐내고 있었다.

신교는 이 건물에서 신을 경배하는 의식을 치른데 그 대상은 이 건물의 원래 주인이었던 기독교의 신앙은 아니었다.

그렇지만 신교나 기독교나 교리나 신앙은 많이 틀리지만 신을 경배하고 싶다는 열망은 똑같이 가지고 있었다.

그리고 이런 영광스러운 자리에서 나는 지구의 즉흥시인들과 대결을 하게 되었다.

나는 신교도들이 증오하는 과학교도인 사라를 데리고, 맨 앞의 귀빈석에 앉아 그들이 나에게 도전하는 걸 기대했다.

사라는 내 옆의 좌석에 앉아 나를 걱정스러운 눈으로 쳐다보았지만 곧 나의 당당한 태도에 안심을 하는 눈치였다.

한 시간에 걸친 신교와 청교도의 예배 후. 무슨 이벤트인지는 몰라도 나의 명성을 듣고, 찾아온 타 위성과 행성 정부의 즉흥시인들과 지구의 즉흥시인들 간의 대결이 먼저 벌어졌다.

내가 그들을 보고, 의아한 표정을 짓자 내 오른쪽 좌석에 앉은 신교의 대주교가 그들에 대해 설명해주었다. 그 역시 백 삼십 살이다 되는 듯 한 백발의 노인으로 몸은 좀 뚱뚱했고, 인자한 미소가 특징인 검은 양복의 사내였다.

"트리스탄씨의 명성을 듣고, 며칠 전부터 지구를 제외한 타 위성과 행성의 즉흥시인들이 대결 권을 얻기 위해 이곳에 왔습니다.

지구에 있는 즉흥시인들과 싸워 최종 승자로 트리스탄씨와 대결을 하고 싶어서 그런 거죠."

"그렇다면 몇 명이 제게 도전하죠?"

"총 다섯 명입니다."

"다섯 명이요? 다섯 명을 뽑는데 백 명 이상이 모이다니. 설마 일부러 광고하신 건 아닐 테고."

"그럴 리가요. 물론 지구의 즉흥시인들을 뽑는 데는 광고를 했지만 지구를 제외한 즉흥시인들이 이렇게 많이 모여들 줄은 몰랐습니다."

다섯 명이라면 나를 지치게 해서 망신을 주는 작전은 아니다. 정말로 저들은 나의 실력을 보고 싶어 하고, 나의 명성이 진짜인지 가짜인지 가리고 싶어 하는 거 같다.

정말로 저들은 내가 리암 안데르센의 후계자인지 확인하고 싶어 하고, 자신들의 즉흥시인이 세라보다 강할 수 있다고 생각하나보다. 그렇게 내가 저들의 의도에 대해 감탄하고 있을 때 사라는 내 볼에 키스를 하며 내게 작게 속삭였다.

"역시 정호구나. 정호는 역시 유명해. 하기야 태양계 뉴스 2면에는 이 대결이 대서특필이 됐거든."

"뭐라고?!"

내가 무엇이 관대 태양계 뉴스 2면에 이번 대결이 대서특필이 됐는지 참으로 의아했다. 내가 그렇게 의아해하자 사라는 그런 나를 더욱 의아한 눈으로 쳐다보며 말했다.

"그렇게 자신을 낮추지 마. 지금 아마. 이 지구에서 가장 유명한 건 정호일거야."

"그럴 리가 있나. 지구에는 셰익스피어라든가, 단테 같은,......"

도서관에서 문학책 고전들을 읽으면서 나름 그 세계에서 유명한 사람들을 사라에게 말했지만 그녀는 그런 이름들을 듣고, 생전 처음 듣는 이름인 듯 나를 화나는 표정으로 바라보았다.

아마 21세기나 22세기까지도 문학의 대가로 통용되는 이름일지 몰라도 27세기에는 사람들이 활자로만 된 고전 소설들을 별로 좋아하지 않으니 그런 이름들을 모를 수밖에 없다.

나처럼 엔터테이먼트와 예술이 결합된 시인들이 인기가 있는 시대이니 그렇다. 성악가와 음악가, 시인, 문학가가 종합된 나 같은 즉흥시인의 공연 아니면 메타버스의 홀로그램 영상으로 영화처럼 소설을 집필하는 영상작가들이 인기가 많지 순수하게 활자로 된 책들을 읽는 사람들은 이제 소수파가 되었다.

그런 소수 전문가들에게 셰익스피어, 단테, 톨스토이, 빅토르 위고 같은 문학가들을 알지 일반인은 전혀 모를 것이다.

아무튼 십 분 정도 경과하고, 백 명의 도전자들이 다섯 명의 최종 도전자를 가리기 위한 시합이 시작되었다.

그들 전부 BMAU40을 사용하여 즉흥시를 노래 불렀는데 나는 그 모습을 보고, 고개를 푹 숙였다.

적어도 BMAU37정도를 사용하는 실력자가 나올 줄 알았는데 BMAU40이라는 최신기종만을 사용하는 사람들을 보니 너무나 실망이 커서 그렇다.

불과 이 십년 전만해도 BMAU38이 대세였고, BMAU37은 38의 단축형이다. 35보다는 못하지만 37 역시 세심하게 다루면 나름 쓸만한 백그라운드 드론이다.

물론 나는 스스로의 호기심에 의해 BMAU37의 기능과 활용을 신의 경지까지 끌어올렸다. 숨을 쉬듯 사용하는 BMAU35보다는 못하지만 나름 37의 장인이라고 나는 생각했다.

'기술에 너무 의존적인데.'

시간이 지날수록 그들의 노래와 시가 너무나 기술에 의존해 있다는 것을 깨달았다. 나는 그렇게 생각하며 이런 어처구니없는 대결을 왜 하는 건지 이해가 가지 않았다.

지구의 있는 즉흥시인들이 세라에게 이길 수 있다고 장담하는 건 정말 나보다 뛰어나서가 아니라 세라에 대해서 모르는 무지에서 나온 말이라는 것을 나는 알았다.

 분명 태양계 방송으로 세라와 다른 도전자들의 시합을 본 적이 있을 텐데 어떻게 이런 어처구니없는 생각을 하는지 나는 이해하지 못했다.

 그러나 곧 나는 그것이 맹점이라는 것을 통찰 할 수 있었다.

 "저들은 안데르센 스승님과 세라가 대결하는 영상을 보지 못했구나. 스승님의 사형, 사매들과 대결하는 영상도."

 "응?!"

 사라는 내 말을 듣고, 무슨 뜻인지 몰라 어안이 벙벙한 채 나를 뚫어지게 쳐다보았다. 나는 그녀의 얼굴을 잠시 보다가 곧 자리에서 일어나서 이 대결의 주최자이자 후원자인 신교의 장로에게 다가가서 한 가지 요구를 했다.

 "내가 BMAU40을 쓰려고 했지만 안 되겠습니다. 혹시 구형이라도 BMAU37모델이 있습니까? 네 대 정도면 됩니다."

 "물론 있죠. BMAU30부터 창고에 보면 있습니다."

 "그렇다면 저들과 겨룰 때 저에게 37을 보내주십시오."

 "네에? 왜 구형을?"

 장로는 쓰기에도 편하고, 다루기도 편한 BMAU40을 나두고, 왜 불편한 37을 쓰려고 하는지 의문의 눈으로 나를 쳐다보았다.

 아마 이 사람은 내가 35를 쓴다고 하면 기절초풍 할 것이 뻔했다.

 그렇게 한 시간 정도 소요가 되었다. 나는 별 감흥 없이 나에게 도전할 다섯 명의 사람들이 뽑히는 것을 지켜보았다.

 원래부터는 나의 디메리트로 BMAU40을 써서 그들을 이기려고 했다. 하지만 이들의 무지와 오만에 화가 난 나는 내가 잘 쓰는 BMAU37을 써서 그들을 이기기로 했다. 38도 37과 같이 잘 다루지만 BMAU35를 쓰고 난 뒤부터 내가 잘 쓰던 38은 더 이상 쓰지 않게 되었다.

이 십 분의 휴식시간이 끝나고, 그는 약속대로 내 곁에 작동이 잘 되는 BMAU37 네 대를 갖다놓았다.

드디어 대결의 시그널이 울리자 나는 장로가 약속한 BMAU37 네 대를 움직여 무대 위에 올라왔다.

"와!"

청중들은 내가 구형의 모델 네 대를 움직이며 등장하자 한편은 놀라면서도 또 한편으로는 호기심어린 탄성을 질렀다.

그건 다섯 명의 도전자들도 마찬가지였다. 자신들이 잘 다루는 BMAU40이 아니라 생전 처음 보는 구식모델에 적잖이 당황했다. 그리고 한편으로는 오만한 미소도 지어보였다.

그 구식모델로 과연 최신 모델로 무장한 자신들을 이길 수 있으려나 하는 생각이 느껴졌다.

"세라의 실력이 어떤지는 나와 대결해 보면 알 것이오. 내가 왜 세라를 피하는지. 그 인공지능의 본 실력을 안데르센 선생님 이후에는 보이지 않았다는 진실을. 심지어 내 스승님의 사형과 사매와 대결했을 때도.

그 인공지능은 오직 안데르센 대스승님과 대결했을 때만 자신의 본 실력을 보였지."

내가 그 말을 하자 다섯 명의 도전자들은 나의 말을 일부러 무시하며 자신의 BMAU40을 움직이며 내게 도전했다.

도전자는 다섯 명이었고, 남성 세 명에 여성 두 명이었다. 특이하게 남성들은 겉모습으로만 봤을 때는 나보다 나이가 많이 들어 보이는 장년의 남성들이 많았고, 여성들은 인조피부를 했는지 아니면 관리를 잘 받았는지 이 십대 초 중반 나이대의 꽤 젊어보였다는 점이다.

나는 그들이 다른 도전자들과 겨루는 장면을 다 보았기 때문에 대충 그들의 실력을 알고 있었다.

설사 나를 속이기 위해 자신의 진면목을 숨겼다고 하더라도 나는 즉흥시인의 통찰력에 의해 그들이 나보다 하수라는 것을 확신하고 있었다.

맨 처음 도전자는 실제 나이 백 살로 자신만만함이 엿보이는 대머리의 장년 사내였다. 지구의 즉흥시인은 아니고, 자신은 화성에서 왔다고 하는데 화성의 마르스시티에서 꽤 큰 음악원을 운영하고, 화성 도시연합의 문화감독이라고 소개했다.

나는 고개를 푹 숙이며 먼저 주제를 말하라고 배려를 했다. 그러자 그는 마르스와 비너스의 신화 속 얘기를 하며 둘이 서로 사랑을 속삭이는 장면을 아주 섬세하고도 로맨틱하게 즉흥시로 읊기 시작했다.

보통의 청중들이 듣는다면 그냥저냥 듣기 좋은 통속적인 발라드겠지만 내겐 너무나 허술한 점이 많은 사랑노래였다.

그가 화성과 관련된 신화를 주제로 십 분간의 노래가 끝나자 나는 발라드의 여운을 이용하여 BMAU37의 정교한 리듬감을 이용해서 홀스트의 행성 제 1번곡의 강렬한 변주에 맞추어 어느 한 고대의 전쟁 서사시를 노래 불렀다.

적군과 싸우면서 어느 때는 격정적으로 어느 때는 무자비하게 싸우는 병사들의 모습을 노래하며 그 이면의 자신이 사랑했던 여자와의 그날 밤을 나는 제 2번곡의 운율을 따 노래했다.

내용은 전쟁이 끝나면 자신이 돌아오니 그때까지 기다려달라는 내용과 서로 끌어안으면서 영원한 사랑을 맹세하는 내용이다.

다시 장면은 전환되어 그 군인은 결국 적군의 총칼에 죽고, 여자는 군인의 사망통지서를 받자마자 나이트클럽에 가서 다른 남자와 춤을 춘다는 내용의 즉흥시였다.

이것이 바로 마르스의 본질이고, 비너스의 본질이라는 교훈과 함께 신화 속사랑은 현실의 사랑과는 괴리가 있다고 결론을 지었다.

 실감나는 전쟁의 장면에서 사람들은 입을 벌리며 감탄했고, 남자가 죽자마자 여자가 다른 사랑을 찾으러 나서는 장면에서 사람들은 이를 갈 정도로 분노했다.

 그리하여 내 노래가 다 끝마칠 때는 전쟁과 사랑이라는 깊은 주제에 대해 내 노래를 듣는 사람들이 통찰을 할 수 있게 되었다.

 나와 그의 노래가 끝나자 내 노래에 사람들은 열광을 하기 시작했다. 허울 좋은 신화 보다 현실적이고, 음울한 내 이야기가 더욱 사람들의 감성을 자극했나 보다.

 두 번째 도전자는 여자로써 이 십대 초반처럼 보이던 예쁜 여자였다. 하지만 나는 사라와 레이첼의 예를 알고 있기 때문에 그녀가 순전히 젊은 나이의 여자일거라는 생각을 하지 않았다.

 그녀는 나의 이런 지적에 사실 자신은 육십이 넘은 나이의 사람이고, 호르몬 요법에 의해 젊어 보이는 것이라고 실토했다.

 그래서인지 그 여자는 중년이 거의 된 나이임에도 젊어 보이고 싶어 나이에 걸맞지 않게 짧은 하얀색 주름치마에 보라색 탱크탑 차림으로 자신의 잘 발달된 상체와 큰 가슴을 청중들에게 어필했다.

 그 여자가 노래한 내용은 자신을 젊게 보이게 만든 과학기술에 대한 찬양과 수술을 해서라도 혹은 어느 생체기관을 희생해서라도 이룬 아름다운 몸이야 말로 세상의 축복이라는 내용이었다. 외모가 미운 채 건강만 한 것은 미련한 것이오, 유전공학과 성형으로 아름다운 것이 낫다고 덧붙였다.

 역시나 그녀 역시 지구 출신이 아니고, 과학교도가 얼추 많은 에우로파에서 온 자라 과학기술에 대한 낙관과 찬양을 미리 깔고, 시작하는 거 같다.

 나는 그런 낙관론자인 그녀에게 한 안드로이드의 노래를 들려주면서 늙지 않고, 오래 산다는 것이 얼마나 괴로운 일이며 삼백년 이상을 산 자신의 생에서 짧지만 아름답게 피고 진 여성들의 아름다움을 아주 정갈하게 난 표현했다.

그리고 아름다운 몸보다는 아름다운 마음과 건강한 몸이야 말로 최고의 아름다움이라는 말도 덧붙였다.

간드러지게 또는 애교스럽게 부르는 나의 안드로이드의 노래에 사람들은 넋이 다 나갔다. 여성의 목소리는 변형을 하면 되지만 그 음역대는 변형을 할 수가 없다.

즉 옥타브는 여성 목소리를 내기 위해 몇 옥타브 올라갈지언정 BMAU 자체에서 아름다운 여성의 목소리로 수정은 할 수 없다는 뜻이다.

나는 성악의 한 기술로 힘들이지 않고, 리리컬 소프라노의 목소리를 낼 수 있었다. 그건 윌리엄 스승님이 가르쳐 준 지독한 수련에 의해 터득한 기법에 의한 것이고, 리암 안데르센 대 스승님의 트레이마크 중 하나이기도 하다.

안데르센 대 스승님의 트레이드마크 중의 하나가 음역에 구애 받지 않고, 다양한 성악을 표현 할 수 있다는 것이다.

내 노래가 끝나고, 사람들은 겉으로 보이는 아름다움 보다 속에 있는 아름다움이 더 좋다고 박수를 보냈다.

그 여자가 원한 건 성형과 현대의학으로 무조건 아름다우면 된다는 자신의 생각을 청중들에게 알리고 싶었으나 나의 이 노래에 그녀의 의도는 무위(無爲)로 돌아가고 말았다.

그녀가 패배하고 나서 이제 지구의 즉흥시인들 차례였다. 이번에도 여성이 도전했는데 그녀는 정말로 수술하지 않은 젊은 여자로 단발의 머리에 눈은 크고, 눈동자가 푸른 금발의 흰 피부를 가진 전형적인 블론드 여성이었다.

리본으로 묶은 블라우스에 검은색 정장투피스 치마를 입고 있었는데 정결한 인상을 풍기는 게 무척 이지적인 느낌을 주었다.

그녀는 전에 있던 여자와는 반대로 과학의 불완전성과 이 세상의 기적에 대해 노래했다. 이 세상에는 설명 할 수 없는 것이 많으며 모두가 신의 뜻이라는 것이다.

그래서 우리는 무조건 신만을 믿을 것이며 과학 기술은 문명에 아무런 소용도 없다고 노래했다.

그녀의 노래가 끝난 뒤 나는 이제는 사라진 종교의 한 이야기를 들고 나왔다.

그건 과거 대홍수 시절의 노아에 대한 노래였다. 노아는 신의 예언으로 대홍수가 오기 전에 방주를 만들 것이며 방주에 동물 각 암수와 식물들을 실으라고 신에게 예언을 들었다.

그리고 신의 뜻대로 홍수가 일어나고, 이에 대비하지 않았던 사람들은 전부 몰살당했으며 방주를 만들어 동물과 식물을 실어 대피한 노아와 그 일가족은 살아남았다는 이야기를 들려주면서 결국 신의 뜻이라고 하더라도 방주를 만드는 기술 자체가 없었다면 과연 노아가 살아남을 수 있었을까 하는 의문을 나는 노래했다.

그 노래를 하면서 결국 신을 섬기더라도 먹고 사는 기술은 필요하며 과학 그 자체에는 아무런 잘못이 없다고 덧붙였다.

하지만 과학을 너무 신봉한 나머지 과학을 신으로 섬기는 행위는 절대로 안 된다고도 주의를 주었다.

그래서 과학을 무조건 소용없다고 말하기보다 그걸 어떻게 잘 쓰느냐가 중요하다고 노래했다.

청중들은 그녀의 찬미가 보다 나의 신화 이야기가 곁들어진 이 시를 더 좋아했다. 그리고 나의 논리적인 수사에 모두다 수긍을 하며 내가 신을 부정하지 않고, 신을 인정하면서도 과학을 배척하지 않는 것에 대해 더욱 긍정적인 반응을 보였다.

이로써 세 명의 대결에서 전부 내가 기립박수를 받아 승리자가 되었지만 나머지 두 명이 남아 있어 긴장을 늦출 수는 없었다.

나머지 두 명 중. 한 명은 별 다른 주제 없이 그냥 쉽게 이겼으나 나머지 한 명은 나와 같은 중년 즉 칠 십 세의 남성으로 동양인이었는데 짧은 단발의 머리가 잘 다듬었으며 회색 양복을 입은 게 아주 점잖은 잘생긴 중년의 신사였다.

전의 네 명은 실력이 그렇게 깊지 않아 내가 쉽게 이길 수 있었지만 그 신사의 품격을 보았을 때 이번 싸움은 좀 진심으로 겨뤄봐야겠다고 생각했다.

그 신사는 세 발자국 내 앞에 걸어오더니 과거 미국이라는 나라에 대해 노래했다. 그 자는 청교도임이 분명하다.

BMAU가 어디서 구해왔는지 모르지만 홀로그램으로 미국의 탄생과 그리고 서부개척시대, 양대 세계대전의 영상을 보여주면서 미국의 역사를 도입부로 즉흥시를 노래 불렀다.

내가 역사서에 보기로 미국이라는 나라의 건국에 청교도들이 커다란 역할을 했기 때문에 그 자는 미국에 관한 노래와 청교도에 관한 노래를 주제로 한 거 같다. 그리고 청교도는 기독교에서 나오는 것이고, 찬란했던 지구의 21세기와 청교도, 그리고 미국에 대해 그 자는 홀로그램 영상과 곁들어 노래했다.

그리하여 지금의 세계는 과거 21세기의 세계보다 볼품이 없으며 인류가 다시 번성하기 위해서는 21세기 그 시기로 돌아가야 한다고 노래했다.

'점잖은 사람에게서 이런 시가 나오다니.'

나는 그가 좀 더 근원적이고, 철학적인 주제를 들고 나올 줄 알았는데 기껏 아주 보수적이고, 과거 지향적인 몽상에 가까운 바램을 노래하자 나는 얼굴을 찡룩거리며 그의 즉흥시를 반박했다.

그렇게 자랑스러운 21세기 미국 청년의 성공에 관한 노래다. BMAU가 21세기의 영화를 교차 편집하여 홀로그램으로 보여주면서 청교도의 정신인 먹고, 기도하며 서로 사랑하는 정신은 온데간 데없고, 그 청년은 기발한 생각으로 사업을 해서 적어도 평생 쓸 돈을 모으자 인생의 성공이란 바로 술과 마약, 여자라는 판단을 했다.

그는 어느 상류층과의 만남에서 디어악시톤 이전 가장 강한 마약 중 하나인 헤로인을 하고, 수영장이 딸린 대저택에서 연일 파티를 하며 여자랑 아기를 만들지 않는 생산 없는 쾌락만을 위한 섹스를 하며 살아간다.

결국 마약에 중독되고, 섹스에 중독된 그는 기발한 머리로 돈은 벌지만 더 이상 청교도의 정신은 없고, 그 중심엔 쾌락과 물질에만 집착하는 괴물만 남는다.

21세기 미국이란 나라가 아직은 신을 믿는 진실한 자와 약하디 약한 불꽃처럼 남아 있는 기독교에 국가가 유지가 되지만 22세기가 지나고, 23세기에 미국이 붕괴되는 과정을 BMAU의 홀로그램 영상에 곁들어 나는 노래했다.

그리고 유럽과 미국에서 기독교가 사라지고, 희미하게 남아있던 기독교가 24세기에 완전히 사라지는 모습도 노래 불렀다. 패러다임의 변화와 사상의 변화로 기독교와 이슬람, 불교등의 기성종교가 사라질 때 23세기 말부터 신교가 싹트기 시작하고, 24세기에 신교가 불꽃처럼 일어나는 과정도 나는 노래를 불렀다.

22세기 중엽부터 기존의 종교가 무너짐에 따라 과학이 종교의 자리를 차지하고, 그로인해 인간 사회가 양극단으로 나뉘는데 한 쪽은 신들처럼 부족함 없이 이상적인 사치와 향락을 누리며 생활하는데 또 한쪽은 곤충처럼 기계처럼 생활하는 모습을 나는 묘사했다.

그 뒤에 과학을 떠받들고 나서부터 인간의 양심과 마음보다는 법과 서류로 사회가 다스려지고, 그 법과 서류 위에 있는 자들 때문에 결국 인류세 대멸종과 화성의 콜로니 대반란까지 일련의 과정을 나는 노래했다.

내 즉흥시를 듣고 있는 신교도들은 내 노래에 감명을 받아 울기 시작했다. 기성 종교의 밥그릇 싸움 때문에 무신론과 물질만능주의에 대응을 하지 못하고, 결국 그 응분의 대가로 기성 종교는 사라졌다.

종교의 한계를 넘어선 유신론의 최고 지성인 자신의 신교가 나타날 때까지 얼마나 인간이 곤충 같은 삶을 살았는지 신교도들의 피 속에 각인되었기 때문이다.

나도 모르게 내 노래에 감명 받은 신교도들 때문에 나는 좀 더 철학적인 고찰로 즉흥시를 마저 노래 불렀다.

대반란 후. 과학교와 신교의 전쟁. 인공지능의 반란 등. 역사적인 서술을 노래 부르면서 그 어떤 나라도 영원할 수 없으며 그 어떤 종교도 영원할 수 없다.

오직 영원한 것은 변치 않는 자 뿐이며 미국과 기독교는 역사의 흐름에서 스스로 멸망했을 뿐. 지금의 세기에 다시 부활 할 필요가 없다고 노래 불렀다.

그 신사는 내 즉흥시를 다 듣고는 감명을 받았는지 있는 힘껏 박수를 치며 내 말이 옳다고 고개를 연신 끄덕였다.

내 즉흥시가 끝나자 청중들은 일제히 일어나 나를 향해 박수갈채를 보내기 시작했다.

"역시 윌리엄 경의 후계자야."

"리암 안데르센 선생님의 정식 후계자다워."

"이런 실력으로 세라를 이기려 했다니."

나에 대한 칭찬과 함께 자신들의 실력에 대한 과신을 책망하기도 했다. 대결이 끝난 후 나에게 대결을 주선하려한 사내가 내게 먼저 찾아와 정중하게 고개를 숙이며 사과를 했다.

"선생님을 의심한 것은 저 계집애 때문에 그랬습니다. 선생님을 미워하거나 증오해서 그런 것이 아닙니다.

기회가 된다면 저희 청교도 남매들과 깊은 교류를 가졌으면 좋겠습니다."

처음엔 건방지게 반말로 얘기한 그 자가 지금은 내게 아주 공손해졌다. 그는 사라를 눈짓으로 가리키며 얘기했는데 나는 그의 기분을 알 거 같았다.

청교도에게 있어 과학교도는 그야말로 증오하는 자들이다. 비록 사라가 신교가 제일 증오하는 물질만능주의파가 아니라고 하더라도 그녀가 과학교도라는 사실은 변함이 없다.

인간파 역시 무신론에 유물론을 기본으로 믿고 있으니까.

나는 물질만능주의파가 아닌 인간파와 신교와의 약간이나마 화해를 바라고, 사라를 이곳으로 데려왔다.

그녀를 통해 적어도 세바스찬 뉴턴의 사상이 과학교도 전체를 지배하는 것이 아님을 분명히 신교도들에게 밝히고 싶었다.

이렇게 즉흥시 대결을 통해 어느 정도 안데르센의 후계자라는 것을 인정받은 나는 신교도들과 교류를 하며 지냈지만 특히나 그 사내. 이름이 알프레드라는 사내의 집안과 가까이 지내게 되었고, 5년이 흘렀다.

14

과거 지구에는 부익부빈익빈이라는 말이 있었다. 그 말이 통용이 되게 현대에도 그런 현상이 벌어지는데 알프레드 집안의 남매는 총 다섯 명으로 그 남매의 부모는 일찍이 돌아가셨다고 한다.

돌아가신 이유는 바로 노화였고, 그 노화 때문에 병을 얻어 병 때문에 돌아가신 거였다. 만약 그들이 청교도가 아니라면 인공장기로 그 노화를 고치고, 병을 고쳐 오래 살 수 있었지만 남매의 부모는 자신의 신념을 꺾지 않았고, 사람의 신체장기 이식을 제외하고는 그 어느 인공적인 장기 이식도 하지 않을 것임을 신에게 맹세했다고 한다.

마리아 아주머니도 이 맹세 때문에 충분히 고칠 수 있는 병임에도 죽음을 택했고, 남매의 부모님도 마찬가지였다.

사실 사람의 생체 장기는 과학교도에게 볼 때는 불필요한 것이고, 청교도나 신교에게는 무척 필요한 것이다.

그렇지만 부익부빈익빈의 비유를 드는 것도 이 경우인데 과학교도가 4단계 수술을 받으면서 나온 인간의 생체 장기는 비록 성문화된 법은 없지만 대부분 폐기를 하거나 산업용 제품으로 쓰였고, 극히 일부만 다른 사람의 장기이식에 쓰였다.

그에 비해 생체장기가 반드시 필요한 신교나 청교도에게는 그 생체 장기로 장기 이식 수술을 받기에는 턱없이 그 수량이 부족했다.

그 이유는 신교나 청교도는 자신의 생체 장기가 완전히 그 기능을 잃어버리거나 병으로 이식 수술이 필요 할 때나 장기 이식을 하기 때문이다.

그에 비해 과학교도는 자신의 생체 장기가 정상인데도 과학교의 교리에 따라 일부러 인공장기로 장기 이식 수술을 하고, 교체를 한다.

청교도를 제외한 좀 느슨한 신앙을 가진 신교 역시 정상인 생체 장기를 인공장기로 교체 하는 건 불법이어서 장기가 망가 질 때나 인공장기로 교체 수술을 한다.

즉 생체 장기가 필요한 곳에서는 생체 장기를 구할 방법이 많지 않고, 생체 장기를 짐처럼 여기는 곳에서는 생체 장기를 폐기하거나 산업용 제품으로 쓰니 이걸 마치 부익부빈익빈 같다고 말한 것이다.

그렇기에 알프레드가 나보나 나이 열 살이나 어린 남성이었다는 것에 놀라웠고, 그가 같은 청교도 부인을 얻어 그의 부모와 같이 약 다섯 명의 아이들이 있다는 것에 또 놀랐다.

나머지 형제들도 나이 터울은 각각 사 오년 씩 이었는데 막내 여동생만 빼면 은 다들 결혼을 하여 자식을 낳았다.

막내 여동생의 이름은 레베카였고, 나이는 갓 서른 살이 된 여성이었다. 21세기와 다르게 27세기 현대의 나이 서른의 여성은 그야말로 이제 피어오르는 꽃 같은 나이고, 아무리 과학에 대해 부정적인 청교도라도 의학기술과 미용기술은 21세기 보다 비교 할 수 없을 정도로 발전되었기에 레베카를 당장 본 사람은 십 대 중반의 꽃다운 소녀라고 봐도 믿을 만큼 무척이나 싱그럽고, 아름다웠다.

금발의 형제들에 비해 그녀는 검은색 긴 생머리를 하고 있었고, 눈동자는 사슴의 눈망울과 같이 짙은 갈색이었으며 코는 오똑하고, 입술은 꿀 바른 장미 잎처럼 가늘고, 매력적이었다.

몸매는 가녀린 편이었으나 키가 크고, 늘씬했으며 가슴은 여느 여자들보다 부풀고 아름다룬 형태에 크고, 아름다웠다. 겉옷으로 보이는 유방 곡선이 대략 그 정도인데 실재로 벗겨본다면 얼마나 예술작품 같을지 나는 짐작도 하지 못하겠다.

아마 이 정도 미인은 태양계 내에서 흔치 않을 거라 생각했다. 사라나 에스더도 나름 아름다운 축에 속하는 미인이었지만 레베카보다는 못하다는 생각을 했다.

심지어 외모성형사들이 계획적으로 성형하여 만든 미인들조차 레베카보다 외모가 뒤떨어진다고 생각할 정도였다.

그런 그녀였을까? 여러 사람들이 그녀를 사귀고 싶어 하고, 가지고 싶어 했지만 그녀가 결혼하고 싶은 남자는 딱 한 조건을 채워야 했다.

"신을 정말 사랑하는 자. 그리고 신에게 사랑 받는 자."

그리고 그녀에게 또 하나의 문제점이 있었는데 그것은 그녀는 바로 맹인(盲人)이었다는 점이다.

눈이 먼 맹인이라는 점을 빼면 너무나도 건강하고, 예쁜 여자였는데 신교도 그렇지만 청교도에서는 인공적인 장기 이식은 불법인 교리가 있었지만 도구를 생체에 이식하는 것은 불법이 아닌 교리가 있었다.

그러니까 예를 들면 이런 것인데 치아가 썩어서 치료할 때 임플란트를 하거나 보철을 씌우는 것은 교리상 어긋나지 않는 짓이다.

눈이 잘 보이지 않아 안경을 끼거나 라식 수술을 하거나 아님 콘택트렌즈를 끼는 거 역시 그들의 교리에 어긋나지 않는다.

극단적으로 팔이 잘리거나 다리가 잘렸을 때 의족이나 의수를 착용하는 것에 대해서도 역시 교리에 어긋나지 않는다.

나는 청교도들과 있으면서 이 교리에 대해 해석하기를 인간의 신체를 대체하는 것에 대해 남들이 인지를 할 수 있고, 자신도 인지를 해서 내가 보통 사람들과 다르다라는 것을 남들이나 내가 인식할 수 있다면 교리에 어긋나지 않는 것이고, 그 반대라면 교리에 어긋난다고 해석했다.

27세기라면 인공 각막, 망막이 존재하고, 인공 시신경 또한 존재한다. 간단히 인공눈과 인공 시신경을 뇌에 연결하면 앞이 안 보이는 문제가 해결이 되지만 레베카는 청교도이기 때문에 인공눈과 인공시신경 수술을 거부했다.

그녀는 후천적으로 열병을 앓아서 망막뿐만 아니라 시신경까지 손상되었다고 한다. 열 살 때까지는 시력이 좋았으나 열병 이후 실명이 되었는데 과학교도가 흔히 하는 눈 교체 수술을 거부하고, 그녀는 청교도 교리에 어긋나지 않는 보조시각기를 끼기로 결정했다.

보조시각기는 초음파를 이용하여 뇌에 시각 신호를 보내는 보청장치다. 귓속에 수술을 하면 되는데 박쥐가 초음파로 사물의 형태와 거리를 분간하는 것처럼 비록 청천연색 색상을 인지 할 수 없으나 흑백의 흐릿한 형태로 눈앞에 있는 사물과 그 거리를 인지하게 할 수 있는 장치다.

다행히 청교도의 교리에 보조시각기는 치과의 임플란트처럼 어긋나지 않아 그것으로 완전한 어둠은 면할 수 있었다.

그러나 문제는 수면을 취할 때인데 눈을 감아도 초음파는 계속 쏘아지니 수면을 취할 때는 그 장치를 꺼야 했다.

다행히도 장치는 눈을 감고, 램수면에 들어가면 알아서 작동이 꺼졌고, 잠에서 깨면 작동이 되는 자동센서가 달려있었다.

그녀는 나를 자세히 바라보면서 내 모습을 대체로 윤곽으로 그려볼 수 있었다. 흐릿한 흑백의 형태지만 아예 보이지 않는 것 보다 나으니까.

레베카는 자신의 귀를 검은 긴 머리카락으로 가리면서 이어폰처럼 툭 튀어나온 기계를 보이지 않게 하려고 했다.

나는 그러한 그녀를 안쓰럽게 생각했고, 그런 그녀에게 호감을 느끼게 되었다. 사라 역시 그녀를 보면서 나와 같이 호감을 가지게 되었다.

 이제 그녀와 같이 있을 시간이 5년도 채 남지 않았다는 사실에 나는 절망을 느꼈지만 사라는 내 절망에는 아랑곳없이 레베카를 보며 그녀의 육체에 대해 자랑을 늘어놓았다.

 "오늘 같이 공중목욕탕에서 서로 알몸으로 대화를 했는데 말이야. 나랑은 다르게 무척 예쁘고, 건강한 게 이 아이라면 정호를 안심하고, 맡길 수 있겠어."

 "사라 언니도 예쁘세요."

 "언니는 무슨 고모지. 나는 이제 거의 칠십 세가 넘어가고, 너는 삼 십 세잖니. 또 내 육체는 인공피부에 인공 심장, 폐,...... 네가 싫어할 인공장기가 많은데."

 레베카와 같이 저녁을 만들고 있던 사라는 한 숨을 쉬며 자신의 처지를 비관했다. 사라 역시 기나긴 세월에도 변하지 않는 그 육체를 보면 아직도 매력적으로 다가왔으나 그 육체의 비밀에 대해서 나는 알고 있었다.

 레베카와 사라, 그리고 내가 저녁을 먹고 있을 때 사라는 레이첼에게 들었는지 아니면 얼마 전부터 알게 됐는지 자신이 왜 불임이 됐는지 그 진실을 알고서 자신의 과거와 자신의 육체가 왜 이런지에 대해서 자세히 레베카에게 얘기해주었다.

 "어머니가 돌아가셔서 디어악시톤을 복용했다고요? 디어악시톤이라면."

 "맞아. 그것 때문에 난 푸르스름한 피부의 톤을 지닌 인공피부를 이식해야 했고, 2.5단계 수술을 받아야 했지."

 그러나 사라의 표정에서 아직 장기가 파괴되는 고통이 끝나지 않았다는 것을 레베카는 알 수 있었다. 그래서 그녀는 조심히 말을 이었다.

"그렇다면 아직 그 고통이 낫지 않았다는 건가요?"

"응. 대가리는 멀쩡한데 그 밑은 완전히 다 인공신체로 갈아야 해. 레베카는 그 반대잖아. 넌 눈만 인공신체로 갈면 되잖아."

사라의 얘기에 그녀는 고개를 흔들며 단호하게 대답했다.

"인공신체로 천연의 세상을 볼 바에 평생 흑백의 세상에서 살래요."

"그래. 어머니도 그랬지."

레베카는 사라의 얘기에 무슨 소리인지 몰라 그녀를 물끄러미 쳐다보았다. 그러자 사라는 그녀에게 자신의 내력에 대해 얘기했다.

자신의 어머니가 청교도였던 점과 자신의 아버지가 신교의 주요 간부라는 점을 말이다. 또한 자신의 자매 역시 신교에 아예 입교한 건 아니지만 과학교를 싫어한다는 사실도.

그러나 사라는 모르고 있지만 행성을 방황하는 와중에도 에스더와 자주 연락을 했던 나는 에스더가 지금은 리치포드를 따라 신교에 입교 했으며 어엿한 두 아이의 어머니이자 신교 권사의 사모님이라는 것을 그녀에게 말하지 않았다.

사라와 만나고 거의 이 십년 이상 가까이 흘렀으니 에스더 역시 세월 앞에 변할 수밖에 없는 것이다.

그녀가 에스더의 소식을 마지막으로 들은 게 언제인지는 몰라도 최근 몇 년 간은 아니라는 것은 확실하다.

사라가 레베카에게 자신의 내력에 대해 전부 말해주자 레베카는 한숨을 쉬면서 어째서 신교의 집안에서 과학교도의 삶을 선택했는지 물어보았다.

"처음에는 아버지에 대한 반항이었지만 점차로 이 세상에 측정되고, 보이는 것이 전부가 아닐까 하는 생각이 들었어.

유신론자들이나 유심론자들은 이 세상에 측정되지도 않고, 보이지 않는 그 무엇인가 있다고 하지만 내가 보기엔 이 세상은 물리법칙에 구애 받는 물질과 물질 그것 밖에 보이지 않거든.

그렇다고 인간이 물질이라고 해서 인공지능 보다 못하다느니 물질 이상의 삶은 의미가 없다느니 하는 자들의 얘기는 더욱 싫어.

비록 이 세상이 물질로 구성되어 있고, 그것만이 전부라도 해도 인간의 삶은 물질 그 이상의 삶이 있다고 생각하고 있어."

"그 생각에서 보이지 않는 것까지 인정하는 게 신교죠. 그래도 다른 과학교도와는 다르네요."

레베카는 비록 자신과 생각이 다른 사라지만 그녀의 생각을 존중해주었다. 적어도 이 세상의 본질은 물질이라고 하면서 뭐든지 물질로 해석하고, 인간의 궁극적인 삶을 기계나 곤충 같은 삶이라고 정의하는 자들보다는 사라가 더 나아보였기 때문이다.

이렇게 레베카와 사라 그리고 나는 가까이 지냈다. 그것이 다 그 대결에서 이긴 결과이긴 했지만 그녀의 오빠들인 알프레드와 리차드가 내 제자가 되었고, 몇 명의 지구인 제자들을 거두어들이면서 지구의 사정에 대해서 점점 속 깊이 알게 되었다.

그러나 시간이 지날수록 사라와의 잠자리는 고통스러운 것이 되어갔다. 그건 나 때문이 아니라 사라의 몸 상태가 점점 말이 아니게 되기 때문이다.

디어악시톤의 독은 사라의 육체를 잠식해 나갔으며 그녀와 성교를 할 때 그녀가 진짜로 흥분을 하는 게 아니라 날 위해 흥분을 한 것처럼 연기를 하고 있다는 것을 깨달았다.

나와의 사랑을 위해 그녀가 어떤 의학적 노력을 기울인지는 몰라도 이제 성적으로는 그녀가 느낄 수 없는 상태가 되었고, 음식을 먹는 그녀의 식욕 또한 점점 감퇴되고 있다는 것을 깨달았다.

다행히 맛과 향은 느낄 수 있지만 장기가 썩어감에 따라 먹는 것이 점점 고통스러워 가고 있는 것은 확실하다.

그래서 그녀는 비마약성 진통제를 먹고 다녔고, 내장부터 위, 간까지 생체 인공기관으로 바꾸었지만 디어악시톤의 독 앞에서는 소용이 없었다.

"셀루브론."

"선생님. 셀루브론이요?"

어느 날 나는 사라가 먹은 진통제 봉지를 주어다 내가 잘 아는 내과의사에게 보여주었다. 그러자 그 의사는 약 이름을 말하더니 고개를 흔들었다.

"셀루브론은 비마약성 진통제 중에서 제일 강한 겁니다. 아마 21세기 최고의 마약성 진통제 중 하나였던 펜타닐의 1000배 되는 진통 효과가 있을 걸요."

"펜타닐은 들어봤어요."

"인류세 대멸종에 의해 마약성 진통제 보다는 비마약성 진통제가 엄청나게 발달이 되었는데 그중에 제일 강하고, 독한 게 셀루브론이죠.

이걸 복용한다는 소리는 이미 고통의 강도가 상상을 초월 한다는 뜻입니다."

"어째서요?! 간과 위, 내장까지 전부 생체 인공기관으로 바꾸었는데요."

내 말에 의사는 단호한 표정으로 대답했다.

"줄기세포와 체세포 분열에 의한 생체 장기는 디어악시톤 프리온의 영향을 받습니다. 결국 생체 장기는 디어악시톤에게는 소용없다는 뜻이죠.

심장이나 폐는 나노 기계 기관으로 교체해서 별 영향이 없겠지만 간과 내장은,........"

"결국 음식물 때문이군요. 다른 신체 기관은 뇌처럼 포도당뿐만 아니라 다른 양분도 필요하니까요."

"네에. 잘 아시네요."

"어떡하면 되죠?"

"그 분이 과학교도라고 했으니 빨리 4단계 수술을 받을 수밖에 없습니다."

"4단계요? 역시나."

"알고 계셨습니까? 디어악시톤에 중독될 때 조금만 더 빨리 왔더라도,⋯⋯."

그 말을 하며 의사는 아쉬워했다. 그러나 레이첼을 전에 만나 얘기한 바로는 사라의 육체를 검사하고, 1단계 수술을 받을 때부터 이미 사라의 육체는 디어악시톤에 잠식 되어갔고, 초기의 치료를 놓친 상태라고 말했다. 물론 그때는 그게 디어악시톤의 영향인지 다른 마약의 영향인지 프리온의 잠복기가 있어 진단하기 어려운 점도 있었다.

그래서 2단계 수술을 받았고, 인조피부와 인공심장등의 수술을 해서 디어악시톤의 잠식을 늦출 수밖에 없었다고 말이다.

며칠 전부터 나는 그 사실을 알게 되어 레베카에게 이 사실을 털어놓았고, 그녀는 나와 사라를 위해 정성껏 저녁식사를 차려주곤 했다.

물론 사라와 리나도 그녀를 거들어 주었지만 언제까지 요리는 레베카가 메뉴를 정하고, 주도로 요리를 했다.

옆에서 레베카를 돕던 리나는 사라의 표정을 읽으며 무척이나 궁금한 눈짓을 보냈다.

사실 리나는 내가 태양계 정부의 행성과 위성을 방황할 때부터 데리고 다녔던 안드로이드였다. 단순히 심부름과 내 잡무를 맡을 안드로이드였지만 이제는 나의 개인비서 겸 말벗으로 사라와 레베카 다음으로 신용이 가는 존재가 되었다.

내가 지구에서 제자들을 키우면서 리나의 뒷바라지가 무척이나 큰 도움이 된다.

몇 달 동안 그렇게 레베카는 사라를 위해 맛있는 음식을 만들어 주었으며 나를 위해서도 맛있는 요리를 해주었다.

사물의 윤곽만 볼 수 있는 시각장애인임에도 그녀는 탁월한 미각과 재능으로 에스더 이후 이렇게 요리를 잘 하는 사람이 있을까 하는 생각이 들 정도로 나의 혀와 배는 호강을 하는 거 같다.

그러나 사라는 슬픈 표정을 지으며 음식을 먹는 일이 많았으며 나와의 잠자리에서도 연기를 하는 것처럼 흥분을 하는 행동이 티가 났다.

그리고 어느 날 우리는 사랑을 나누고, 침대에서 서로를 껴안으며 체온을 느낄 때 그녀가 이런 말을 했다.

"나는 정호를 위해 내 목숨까지 바칠 수 있어. 지금에야 깨닫지만 난 정호를 사랑한다는 것을 깨달았어.

그렇기에 이제 놓아줘야 한다는 것도 알아. 레베카라면 나는 정호를 안심하고 맡길 수 있어."

"사라."

"조용히. 여자의 직감으로 알아. 레베카도 정호를 좋아하고 있다는 거. 정호는 둔감하니까 모를 수 있지만. 정호도 레베카에게 호감이 있지?"

"어."

나는 그녀를 속이지 않고, 사실대로 대답했다.

"내가 레베카하고 잘 얘기해 볼 거야. 나와 정호가 어떤 관계인지. 우린 단순한 섹스파트너나 남자여자친구 관계는 아니지만 그렇다고 평생 같이 죽고, 같이 사는 부부도 아니야.

나와 정호는 그 중간의 단계야. 서로 사랑을 하지만 언젠가는 헤어져야 해."

나는 그 말을 듣고, 갑자기 슬픈 목소리로 대답했다.

"조금만 더 시간을 줘. 나도 그걸 알지만 아직 너랑 헤어질 준비가 안됐어. 사라가 살기 위해서는 수술을 받아야 하는 걸 알아. 수술을 받으면 넌 나랑 헤어지려 하겠지. 그래도,......."

그녀는 내 말에 유리로 달빛에 반사된 후광에 미소 짓는 듯 한 표정을 내게 보이며 애처롭게 얘기했다.

"난 너에게 뇌만 나인 상태를 보여주고 싶지 않아. 아버지가 자기 여동생이 4단계 수술을 받은 후 어떤 삶을 살았는지 얘기해줘서 알아.

정말 너를 사랑하기에 마지막 단계 수술을 받으면 떠나려는 거야. 아마도. 아버지도 언니도 전부 못 만나게 되겠지."

"사라,......."

4단계 수술을 받은 후 그 사람이 어떻게 되는지는 나도 모르겠다. 그러나 뇌만 자신의 본래 신체기관이고, 나머지 다 인공신체로 갈아 끼운 후의 삶이란 어떤 의미가 있을까?

오직 존재하는 욕망이란 뇌가 피곤해서 잠을 자는 수면욕 밖에 없다. 사랑을 하는 성욕도 없어지고, 먹고 싶어지는 식욕도 사라진다.

아마 미각, 후각, 촉각도 사라질 것이다. 남은 건 뇌의 기능을 위한 통각과 시각 그리고 청각이다.

과연 그런 삶이 무슨 의미가 있을까?

그렇게 깊게 고민하던 밤.

그 날 밤은 마치 마지막 의식처럼 그녀와 마지막 사랑을 나눈 거 같다. 임신도 되지 않는 그녀를 임신을 시키고 말겠다는 듯이 내 열정과 정열을 다하여 그녀의 자궁에 얼마나 많은 정액을 쏟아 부었는지 모르겠다.

레베카도 마지막 나와 그녀의 사랑을 아는 걸까? 근 삼 일간은 우리 집에 방문하지 않았다.

서로의 몸을 포개고, 포개고 또 포개서,....... 서로가 하나가 되는 의식을 밤 낮 없이 삼일 간 하고, 서로의 육체를 즐길 대로 즐기면서 서로의 성기가 하나 되어 이어진 거 같이 모든 탐욕과 쾌락을 쏟아 붓고 난 뒤 나와 사라는 이제 더 이상 서로에 대한 미련을 가지지 않기로 했다.

 그렇게 다시 일 년 동안 사라와 나는 너무나도 사랑했고, 그 사랑을 나누었다. 그리고 사라의 중계로 레베카와도 데이트를 많이 하게 되어 레베카의 관계도 더욱 친밀해졌다.

 사라의 상태가 심각해짐에 따라 나는 이상한 생각일지 모르나 사라에게 난자(卵子)가 남아있을지 몰라 한 번 검사를 해보았다.

 난자가 남아있다면 그녀의 흔적을 간직하기 위해 채취하기로 말이다. 그녀는 내 행동에 부끄러워했지만 굳이 거부하지는 않았다.

 내과 의사는 사라의 자궁과 나팔관등을 살펴보며 무표정한 표정으로 내게 말했다.

 "영구 불임이지만 그래도 난자가 남아있군요. 난자세포가 남아있어요. 대신에 이 난자만으로는 아이를 만들 수 없어요. 다만. 누군가의 도움이 있다면."

 "도움이요?"

 "네에. 다른 난자의 도움이요. 서로 붙여서 양분을 공유하게 한다면 가능성이 있어요, 그러니까 마치 이란성 쌍둥이처럼 말이죠. 임신의 가능성을 높이기 위해선 질내사정 후 한 두 시간이내에 수술하는 게 좋을 거 같네요."

 "일단 채취 좀 해 주실 수 있나요? 사라가 4단계 수술을 받게 된다면."

 "네에. 이것마저 없어지겠죠."

 다행히도 사라의 난자는 남아있었고, 그녀는 누군가의 도움을 받게 된다면 그녀의 피를 이은 자손을 볼 수 있다는 뜻도 됐다.

나는 혹시 몰라 사라의 나팔관에서 난자를 채취했고, 그걸 냉동보
관 했다.
 그렇게 점점 사라와의 이별 순간은 다가오고 있었다.

15

지구에서 일 년 안에 부유도시(浮游都市)인 에덴을 완성한다는 소식이 전 태양계에 소문이 났다.

소문으로만 지구에서 부유도시를 건설하고 있다고 전해질 뿐이지 그 실체가 확인된 것은 이번이 처음이다. 그만큼 극비리 진행하던 프로젝트였고, 지구에 있는 신교와 청교도등의 유신론자들이 자신의 거의 전 재산을 헌납하다시피 해서 만든 경이로운 기념물이었다.

자신들의 죄는 아니지만 자신의 조상들이 오만과 신성모독으로 인류세대멸종을 불러온 것은 사실이기에 그들은 그 죄의 참회로 이 부유도시 건설에 매진한 것은 사실이다.

그리고 이 부유도시 완성과 함께 알프레드가 나에게 반가운 소식을 전해왔다.

"양자도서관의 수리가 끝났어요. 청교도에게는 별 의미 없는 공간이지만 선생님에게는 의미가 있을 거 같아 저희 형제와 몇 몇 사람들이 그 동굴에 있는 양자도서관을 수리했죠."

"왜 동굴 속에 있는 거지?"

남극의 아틀란티스 시티를 지나 그 옛날 유럽이라고 불렸던 대륙에 알프스 산맥이라고 표시된 자그마한 산맥에는 동굴이 있다.

과거에는 5천 미터와 4천 미터에 가까운 산들이 많았다고 한다.

비록 빙하가 다 녹아 거의 몇 백 미터 그 산들이 높이는 낮아졌지만 아열대의 그 산맥에는 신비한 동굴이 있다.

그리고 그 속에 왜 생겼을지도 모를 양자컴퓨터로 이루어진 큰 도서관이 있었다. 이게 윌리엄 스승님이 말한 그 유산인지 몰라도 청교도에서는 과학적 유산이라고 해서 크게 신경 쓰지 않았지만 알프레드나 나에게 감명 받은 팬들은 지식을 갈구하는 나를 위해 이 양자도서관의 수리를 장장 일 년 동안 했고, 드디어 양자도서관이 정상가동을 한 것이다.

"아마도 인류세대멸종과 관계가 있나 봅니다. 자세한 건 그 도서관의 인공지능에게 물어볼 수밖에 없습니다."

"그렇군."

나는 양자도서관을 수리한 알프레드에게 감사인사를 표하며 사라와 리나 그리고 레베카를 데리고, 과거에는 알프스산맥이라고 불리던 곳에 공중부양 자동차를 타고, 도착했다.

도착하니 그 동굴근처에 우리가 숙박할 수 있는 자그마한 저택이 있었으며 주변 시설로는 전기를 생산할 수 있는 자그마한 핵융합로와 식량을 생산 할 수 있는 농장과 가축우리가 있었다.

아마 이 모험이 끝나면 나는 사라와 이별 하게 될 것이라는 것을 직감적으로 느낄 수 있었다. 그녀도 이걸 알고 있는 걸까? 이곳에 도착하자마자 아주 분주하게 그리고 열정적으로 우리가 얼마동안 살 보금자리를 만들고 있었다.

가구나 전자기기, 주방용품등 어느 정도 알프레드 형제의 배려로 그런 것들은 있었으나 옷이라든가 세간등등 정리할 것은 많았다.

나는 여자들이 세간을 정리할 때 호기심으로 먼저 동굴 속에 있는 양자도서관을 한 번 둘러보기로 했다.

어차피 여자들은 양자도서관에 대해서는 별 흥미가 없음을 나는 알고 있기 때문이다.

오히려 여자들은 저택 주위의 농장과 가축우리가 더 흥미 있었다. 그리고 저택에는 한 십 여분 정도 산책을 할 수 있는 자그마한 공원도 있었는데 아마도 독서와 명상에 잠길 명소로 청교도 사람들이 나를 위해 이곳을 건축했나 보다.

동굴에 들어가니 꽤 입구는 컸고, 그 뒤로 백 미터를 더 들어갈 수 있는 공간이 있었다. 천정에는 종유석이 약 이 십 미터 이상의 높이에 있었고, 그 주위에는 환하게 빛을 내는 드론 들이 날고 있었다.

조금 더 동굴 속에 들어가 보니 큰 호수가 보였고, 자그마한 섬 같은 것이 있었다.

그리고 그 섬 위에는 과거 21세기의 학교 체육관 크기의 건물 같은 것이 있었는데 겉모양이 마치 우주선의 외부인 듯 빛이 나고 있었다.

양자 도서관이라고 해서 책들이 내부에 많을 줄 알았는데 그 체육관 크기의 건물 안에 들어가 보니 막상 정말로 텅 빈 체육관 크기의 공간이 있었고, 그 내벽 사방은 무지갯빛이 번갈아 가며 빛나고 있었다.

"책이 없잖아."

내가 그렇게 말을 하자 어디서 남성의 목소리가 들려왔다.

"손님이군요. 전 2WE-3도서관 인공지능 쓰리라고 합니다. 원하시는 아바타를 말씀해 주세요."

"남성. 교수 풍으로."

"의외군요. 예쁜 여성 아바타를 원할 줄 알았는데."

나의 요구에 내 앞 십 미터 전방에 전형적인 흰 단발머리에 흰 멋들어진 수염을 한 베이지색 양복을 입은 흑인이 등장했다.

그는 중후한 늙은 남성의 목소리로 내게 말했다.

"이 양자도서관은 구독자가 원하는 정보를 가상현실과 홀로그램으로 보여주는 도서관으로 탄생 년도는 서기 2176년 3월 23일에 지금의 프랑스 파리라는 곳에서 지어졌습니다."

"파리에서 어떻게 알프스 여기까지?"

"인류세 대멸종 때 인류의 지식을 보존코자 이곳에 열 명의 엔지니어들이 저를 이 동굴 속에 시설을 옮겨 놓았습니다."

"전력은 저 소형 핵융합로겠군."

"맞습니다. 수리랄 것은 없지만 제가 가동하기 위해서는 인간들의 도움이 필요했죠. 핵융합로의 수리와 저의 기억데이터베이스의 수리는 지금 청교도라고 불리는 집단의 엔지니어들이 해주었습니다."

"왜 그들은 너를 이용하지 않지?"

"교리 때문입니다. 신교와 청교도는 제가 가진 지식에 대해 신뢰를 하지 않습니다. 과학의 산물인 저를 탐탁지 않게 여기고요. 그들의 원시적인 컴퓨터를 해킹한 결과 저를 영구히 파괴할 계획을 가지고 있었지만 간발의 차로 선생님의 얘기에 저를 복구시켜 선생님의 소유로 주기로 했습니다."

나는 그 말을 듣고, 언제 그들에게 내가 도서관을 가지고 싶나 얘기한 적이 없었던 거 같은데 가만히 기억을 더듬어보니 무심결에 윌리엄 스승님이 하신 얘기를 그들에게 한 적이 있었던 거 같았다.

"그렇다면 네가 바로,......."

"그건 모르겠습니다. 전 학습형 인공지능으로 아직 사람의 감정을 이해하지 못합니다. 2176년도는,......."

그 말을 하면서 그 당시의 지구에 대해서 쓰리는 얘기해 주었다.

"지금 우리가 배우는 지식하고 진짜 진실은 어디까지 차이가 있지?"

"많이 나죠."

"얘기 해봐."

내 명령에 갑자기 나와 쓰리의 주위에는 홀로그램 영상이 뜨더니 그때의 모습과 시간이 지나면서 지구가 황폐해져 가는 모습이 나왔다.

태양계 정부가 우리에게 가르치는 인류세 대멸종과 쓰리가 보여주는 홀로그램 영상과는 차이가 있었다.

서기 2050년부터 2500년까지,...... 450년의 역사를 함축한 홀로그램 영상은 그야말로 내겐 충격적이었다.

"2050년에 인류가 불사가 된다는 과학자들의 말. 이건 극히 일부분의 계층만 해당되는 얘기였구나.

인류세 대멸종은 바로 우생학의 결과물이었어. 소수의 계층만 살아남고, 다수의 돈 없고, 힘없는 대중들은 굶주림과 질병에 죽어갔어.

그 결과 소수의 계층은 아름다워지고, 건강해지고, 거의 늙지 않는 그야말로 이상적인 삶을 살았지만 지구의 환경이 극변하면서 적응하지 못했구나. 과학기술이 뭐든지 해결할 줄 알고, 오만해 있다가 대다수의 인간들이 죽어갔구나.

그렇다면 지금의 인간들은,......"

"돈 없고, 힘없는 대중들 속에서 그 질병에 대한 내성을 가진 일부의 계층이 있었죠. 그야말로 도시에서 쥐보다 못한 일생을 산 사람들이었는데 인류세 대멸종이라고 불리는 대 프리온 바이러스에 살아남은 자들이죠, 그리고 당신들은 그들의 후손들이고요."

나는 쓰리가 얘기해 준 진실에 고개를 저으며 울부짖었다.

"그렇다면 지구에 살아남은 사람들은 바로 그 돈 없고, 힘없는 대중들의 후손들이었어. 인류세 대멸종을 일으킨 그 장본인들은 서서히 다 멸망해 갔구나.

과거 영생을 누리려하고, 돈 많고, 부귀한 자들은. 거의 다 종말을 맞았구나. 그렇다면 어째서 역사에서는 과학자집단과 일부 시민집단이 살아남아 태양계로 진출했다고 왜곡했지?"

내 한탄에 쓰리는 이런 얘기를 나에게 했다.

"예전에 이런 질문이 있었죠. 어째서 고생대가 시작될 때 아노말로카리스하고 피카이아 중에 아노말로카리스가 사라지고, 피카이아가 후손을 남길 수 있었는지에 대해.

선캄브리아기때 아노말로카리스는 그야 말로 바다의 지배자였고, 피카이아는 한낱 먹잇감에 불과했는데요.

진화는 발전이 아니라 적응이라고 하죠. 강한 자가 살아남는 게 아니라 살아남는 자가 강한 거라고 하지만. 살아남은 자 역시 강한 게 아니라 단지 운이 좋다고 밖에 얘기 할 수밖에 없습니다. 유신론자들은 그걸 신의 뜻이라고 부르죠.

유물론자들은 우연히 우연한 행운에 의해 선택 받았다고 말하고요. 만약 지금 태양계 시민들의 조상이 저런 쥐 같은 자들의 후손이었다면 어떻게 반응할까요?

돈 있고, 힘 있는 자들은 거의 영생을 누렸지만 서로 사랑을 하지 않았고, 자식도 만들려고 하지 않았죠. 자신들만이 최고라는 생각으로 많은 것을 독점해 누리려 했죠. 결국 욕심에 찬 기업들이 그 돈 있고, 힘 있는 자들의 욕심을 채우느라 손대지 말아야 할 걸 손 댔고, 그때 기후위기와 더불어 기후위기 때문에 해방된 과거의 상상 못할 바이러스까지 연쇄적으로 멸망의 불꽃이 터져나갔죠."

나는 홀로그램으로 그 당시 쥐 보다 못한 생활을 한 키 작고, 연약해 보이는 자들을 지켜보았다.

돈 있고, 힘 있는 자들은 늙지도 않고, 이 백 여년을 살며 건강한 삶을 살아간다. 그리고 그들은 이것을 과학적 유토피아라고 불렀다.

또 한 편으로는 돈 없고, 힘없는 자들은 그야 말로 도시의 감옥 같은 곳에 구겨져 갇히거나 길거리를 배회하며 길고양이 보다 못한 삶을 살았다. 그들의 수명은 과거 86년에서 더 내려가서 40년도 못 버티고 살았다.

그리고 그때 바로 자신들의 과학적 유토피아에 고무된 자들에 의해 과학교가 생겨났다.

"기독교의 멸망은?"

"과학교에 의해서였죠. 이렇게 유토피아 같은 세상이 펼쳐지자 서로 반목하는 종교들은 과학교에 저항도 못하고, 서서히 무너지고 말았죠.

그 최초가 세속적인 기독교였고, 그 다음이 기독교가 무너지고 한 때 전 세계 인구 절반까지 세력이 확대된 이슬람이 무너지고 시작했죠.

어느 종교 하나가 없어지면 다른 종교가 번성할거라 예측했지만 한 대중종교가 사라지자 그 다음 대중종교도 사라지기 시작하더군요.

이슬람 다음엔 힌두교와 불교가 사라지고, 그 자리를 과학교나 무교가 메꾸어 나갔지요."

"그렇다면 과학교가 모든 종교의 왕 자리를 차지하는 거 아닌가?"

"아뇨. 과학적 낙관주의는 인류세 대멸종으로 종지부를 찍었습니다. 인간이 자연을 통제할 수 있다는 망상은 인간을 파멸 시키고 말았죠.

과학적 낙관주의 때문에 과학교가 기존의 종교를 누르고, 성행할 수 있었지만 인류세 대멸종과 그 대멸종에 살아남은 빈민들이 이제 우주의 주역이 되면서 과학교의 세력이 약해지고, 결국 신교가 탄생하는 배경이 되었습니다."

그 말과 함께 쓰리가 설명하는 그 영상들이 홀로그램으로 나타났다. 종교의 종말과 과학교의 번성. 그리고 인류세 대멸종의 과정과 영원히 부귀영화를 누릴 줄 알았던 부자들의 종말.

그 종말 속에서 쥐처럼 살았던 자들이 다시 권력을 잡고, 새로운 종교인 신교가 탄생하는 그 과정.

"2045년에 인류가 영생을 누린다. 그 말은 즉 멸망의 시작도 알리는 거군. 영생과 멸망은 항상 함께 있는 거니까."

"인간의 문명이 얼마나 위태위태한지 당신들은 모르고 있습니다. 내일이라도 멸망 할 수 있는 것이 바로 문명입니다.

인간의 운명은 우주라는 큰 바다에서 단지 빛나는 자그마한 구슬이라는 것을 잊어버리곤 하죠.

겨우 행성 하나 어떻게 하나 할 수 있는 힘을 가지고, 우주를 통제 할 수 있다고 착각하는 것은 바로 망상이지요.

결국 자신들은 자신들의 미래를 예측 할 수 있다. 통제 할 수 있다 자신했지만 그 결과는 인류세 대멸종이었죠."

나는 쓰리의 말을 듣고, 알 수 없는 자격지심과 비관에 휩싸여 고개를 숙이며 그 동굴을 빠져나왔다.

그리고 동굴 밖에서 나는 파란 하늘을 비추고 있는 태양을 향해 커다란 고함을 질렀다.

그 옛날 인류세 대멸종을 일으킨 자들은 사막의 모래에 묻혀 흙이 되어버렸지만 그 저주를 고스란히 물러 받은 우리는 아직도 이렇게 살아있다.

그러나 그들을 원망 할 수도 없었고, 원망해봤자 아무것도 되 돌이 킬 수 없었다.

그렇게 고함을 몇 번이고 지르고 나니 이제야 마음이 홀가분해지고, 다시 난 제정신으로 돌아올 수 있었다.

나는 그 이후로도 쓰리와 함께 인간의 역사에 대해 연구했으며 많은 것을 깨달을 수 있었다.

그 신비한 동굴에서 그 아름다운 광경을 보면서 많은 것을 연구한 나는 쓰리와는 서로 말을 놓을 정도로 친하게 되었다.

이제는 내 동료로써 친해진 쓰리는 세라에 대해 말하기 시작했다.

"세라를 이길 수 있는 즉흥시를 노래해봐."

"불가능해."

"그래도 노래해봐."

나는 쓰리의 요구에 인류의 오만에 대해 노래했다. 그리고 그 오만의 대가가 어떤 결과를 가져왔는지에 대해 상세히 논리적으로 노래했다.

그 도서관 안에서 그는 내 앞에서 폴짝 폴짝 뛰면서 세라의 아바타를 홀로그램으로 만들어 내었다. 그리고 그 주위에 많은 청중을 움집 시켜 놓았다.

"세라라면 이렇게 너의 즉흥시를 반박하겠지."

곧 세라의 아바타는 그 오만의 대가에 대해 오히려 인류의 나약함을 비판하는 즉흥시를 노래하기 시작했다.

인간은 어쩔 수 없는 존재이며 인공지능이라면 더욱 더 예측을 잘 해서 그런 미래를 막을 수 있다고.

인간의 지능이 낮기에 그런 결과는 어쩔 수 없는 결과라며.

난 홀로그램으로 그려진 세라의 아바타가 노래를 다 부르자 진짜 그녀가 이곳에 있는 것처럼 느껴져 놀랄 수밖에 없었다. 그리고 그렇게 그녀를 잘 알고, 나의 즉흥시에 반박 할 수 있었는지 쓰리에게 물었다.

"어떻게 세라를 그렇게 잘 파악할 수 있지?"

"그야 세바스찬 뉴턴이 내 인공지능의 일부를 세라에게 이식했으니까. 세라가 어쩔 거라는 것은 내가 잘 알지.

지금 이 실력이라면 세라를 이길 수 없어."

"맞아."

난 나의 부족함을 알고 있어서인지 그의 지적에 수긍했다.

"아니. 생각이 달라져야 해. 이미 기술과 재능은 과거에 있었던 즉흥시인도 앞으로 나올 즉흥시인도 널 절대로 이길 수 없어.

넌 기술이나 재능의 실력이 없어서 세라를 이길 수 없는 게 아니라 생각의 장벽이 막혀 있어 세라를 이길 수 없는 거야. 넌 더 이상 배울게 아무것도 없어."

"무슨 말이지?!"

"왜 기성의 대중종교가 멸망을 했고, 기존의 국가들이 멸망했는지 생각해봐. 인간과 인공지능이 왜 다른지 생각해봐.

내가 할 수 있는 것은 정호 당신을 리암 안데르센이 추구한 의문으로 인도하는 거야.

거기서 답을 찾는 건 바로 당신 몫이지. 그리고 그 답. 생명의 답을 찾았을 때 이 태양계에서 당신을 이길 자는 아무도 없게 될 거야."

리암 안데르센에 대해 알고 있는 쓰리에 대해 나는 무엇인가 더 물어보려고 입을 열었으나 곧 입을 닫았다. 쓰리는 정답을 알고 있는 것이 아니기에.

그의 할 일은 나를 정문까지 대려다 주는 역할이라는 것을 깨달았다.

그리고 그 정문을 열고, 밖으로 나가는 것은 바로 나의 몫이라는 것을 직감할 수 있었다.

그로부터 일 년이 더 지나고, 그 동굴의 땅과 동굴 안에 있는 양자도서관은 내 소유가 되었으며 그 관리를 나는 리나와 같은 모세라는 생체 안드로이드에게 맡겼다.

모세와 쓰리는 서로에게 인사를 하며 앞으로 이 동굴과 양자도서관을 잘 관리 할 것임을 서로에게 약속했다.

쓰리는 모세하고 만날 때는 사라와 같은 여성의 모습을 하고 있었다. 아마 모세가 남성 안드로이드여서 그에게 잘 보이길 원했나 보다.

푸른 눈을 하고, 좀 어린 금발의 청년인 모세는 내가 특별히 주문

한 생체 안드로이드다. 나는 호기심이 많으면서도 심지가 굳은 남성 안드로이드를 원했고, 특별히 신교에서는 여성 안드로이드의 자궁에서 태어난 2세대 자율 안드로이드를 나에게 보냈다.

그걸 데려온 사람이 바로 리치포드였다. 그는 우리 집에 며칠 머물고는 떠나기 전 얘기 했다.

"생체용 안드로이드는 과학교가 제시한 이론대로 인공자궁에서 급속 성장으로 자라게 하고, 태어나게 했지만 이번엔 인간들처럼 한번 여성 안드로이드의 자궁에 빌어서 인간처럼 태어나게 했어요.

신교에서도 과학을 무시하는 건 아닙니다. 단지 하나님의 진리가 더 우선이라는 겁니다.

신교의 높으신 분들이 실험적으로 시행 한 건데 그 전의 생체 안드로이드보다 독립적이면서도 자율적이고, 인간에게 더욱 순종적이더군요. 전혀 안드로이드답지 않다는 느낌이 들었어요.

그러면서도 세라 같은 그런 강인공지능의 느낌도 들지 않더군요."

그는 모세를 내게 데려오면서 이 말을 했다. 나는 그 새로운 개념에 대해 이해가 안 갔지만 신교도 과학교 만큼 과학에 대해 투자와 연구를 하고 있다는 게 놀라웠다.

"과학교는 과학기술을 아무런 윤리제한 없이 무신론적인 바탕 위해 쓰지만 우리는 윤리 제한을 두고, 하나님의 법칙에 위배되지 않는 선에서 쓰려고 합니다.

그 중에 하나가 안드로이드에 대한 생산을 보는 관점이죠.

인간처럼 여자 안드로이드에게 출산하게 해서 인간의 아래 존재지만 결코 로봇과는 다른 존재로 만들 겁니다. 저기. 리나도 다시 임신 시킬 수 있죠."

리치포드가 멀리서 서있는 리나를 쳐다보며 얘기하자 난 반문하며 물어보았다.

"원래 여성 안드로이드들은 태어날 때부터 불임 아닌가요?"

"클론들이니까 유전자 조작을 하면 가임이 되게 할 수 있고, 임신도 가능하게 할 수 있습니다."

"그렇다면 과학교 2단계 수술을 받은,……"

"신교 과학자들이 노력을 했지만 그건 불가능하더군요. 2단계 수술을 받고, 다시 임신시키는 일은."

"인간들처럼 9개월 동안 임신시키지는 않을 거 아닙니까?"

"물론 급속 성장을 시켜야겠죠. 노예니까요. 모세도 1개월 만에 모체에서 태아로 자라나 태어났어요."

"노예?"

"노예 보다는 하인에 가까운 협력자죠. 그러기 위해선 인간이 그들의 모범이 되어야 하죠. 언제까지고, 과거의 옛 물질주의 사상에 빠져서 쾌락만을 숭상하고, 과학기술만이 최고라고 외칠 수는 없어요.

그리고 요새는 신교로 전향하는 과학교도가 많아져서 과학교도 과연 자신들의 교리가 옳은가 하는 비판에 빠져있고요.

이곳에 사라가 있는 걸 알아요. 그녀가 인간파라는 사실도 알아요. 에스더도 알고 있지만 지금 차마 자신의 자매와 만날 처지가 못 됩니다."

"그런가요? 매형. 부탁이 있습니다. 가드먼 아저씨와 연락하게 해주십시오."

나는 리치포드에게 초광속 통신으로 가드먼 아저씨와 홀로그램 컴퓨터로 연락하기를 바랬다. 이제 사라가 4단계 수술을 받을 시점이 얼마 남지 않았기 때문에 두 부녀와 또 자매를 만나게 하고 싶었다.

그러려면 어떠한 조건이 있어야 했다.

리치포드가 떠난 뒤 모세는 이곳에 적응을 잘 해났고, 모세보다 덜 독립적이지만 그와 짝지을 만한 여성 안드로이드로 리나를 소개했다.

쓰리 역시 이곳의 인공지능으로 동굴의 양자도서관을 잘 제어하는 반면 이곳의 저택과 밭, 목장, 그리고 이곳의 교습소 운영에도 큰 힘을 보탰다.

이렇게 운영이 잘 되는 와중에 드디어 레베카가 내게 몸을 주던 날이 다가왔다.

사라는 나와 레베카를 자신 대신에 짝지어 두고 싶어 했으며 자신이 내게 주지 못했던 것을 레베카는 줄 수 있다고 확신했다.

레베카는 나를 처음 만났을 때부터 좋아하고 있었으나 청교도의 윤리 상 사라 때문에 내게 가까이 다가가지 못했다.

그러나 사라는 근 삼 년 동안 레베카와 친해지고, 가까워지려고 노력하면서 결국 그와는 언니 동생 하는 사이가 되었고, 서로 같이 목욕도 하고, 같이 절친하게 속을 터놓은 사이가 되었다.

과학교도인 사라와 청교도인 레베카가 이념을 떠나 친해질 수 있었던 이유는 바로 인간이 인공지능 보다 못하지 않다라는 확신이 공통의 신념이었으며 인간은 물질만이 아니라는 공통의 가치관이 있었기 때문이라고 본다.

레베카는 장이 썩어가고, 음식물을 소화시키지도 못하며 입맛을 잃어가는 사라를 위해 그동안 맛있는 음식을 만들어 사라를 위로했고, 사라는 그런 레베카를 위해 나와 그녀를 열심히 짝지어주려고 노력했다.

그리하여 속으로는 좋아했지만 사라의 양보와 배려 앞에 나는 레베카와 사랑을 나눌 수 있었다.

레베카와 처음 만난 지 거의 5년 이상 지난 시점인데 사라는 레베카를 처음 만날 때 적대적이었다고 한다.

하지만 그녀의 본마음을 알게 되면서 서로를 이해하게 되었고, 세월이 지나 점점 친해진 케이스이다.

레베카는 나와 처음 사랑을 나눌 때 사라와 같이 하길 원했고, 그날 밤은 전라의 두 여성과 내가 최고로 황홀한 밤을 보내게 되었다.

알프스라고 하지만 지중해의 달빛이 내리쬐는 황홀한 밤.

사라의 푸르스름하고 흰 피부의 육체와 레베카의 눈처럼 하얗고, 하얀 피부가 나의 욕망을 일깨운다.

달에 반사된 두 여성의 나신은 마치 달의 여신들이 나와 합일을 하기 위해 자신의 모든 것을 보여주려고 하는 거 같다. 그리하여 그날의 밤 열정의 숨소리를 내며 그녀들의 비밀스러운 곳들을 범해 나간다.

사라는 자신의 성기에 내 것이 삽입 될 때 억지로 흥분을 자아내고 있다는 것을 난 알고 있었다. 아마 레베카도 알고 있을 것이다.

그녀가 흥분하는 것은 나를 만족시켜주는 연기 일 뿐이며 그녀가 섹스를 하는 이유도 나를 성적으로 만족 시켜주기 위해서 임을 나는 알고 있었다.

후회 없이 몇 년간 사라와 몸을 포갠 후 부터는 이젠 섹스를 하지 않아도 됐었지만 사라는 내가 성적인 욕구를 억누르는 것을 원치 않았다.

자신은 느끼지 못해도 좋으니 자신의 육체를 통해 내가 성적으로 만족을 했으면 좋겠다는 소원을 가지고 있었다.

그 소원을 가진 후부터 그녀는 의무적으로 나를 만족시키기 위해 마치 자신의 육체를 자위기구처럼 사용했으며 내가 레베카를 안은 이유 중 하나는 그런 사라의 소원을 해방시키기 위함도 있었다.

물론 레베카를 너무나도 사랑하지만 이젠 사라가 편한 안식을 찾기를 바랬다.

사라의 질 안에 사정을 한 뒤에 몇 분의 휴식이 끝나고 이번에는 숫처녀인 레베카의 성기에 나의 욕망을 집어넣었다.

　그녀의 성기에 흘러나오는 핏물의 흔적을 보며 나는 그녀를 안쓰럽게 쳐다보았지만 사라는 조금은 아파하는 그녀의 표정을 뒤로한 채 레베카의 유방에 있는 젖꼭지를 입으로 슬슬 빨며 그녀를 흥분하게 만들었다.

　그리고 몇 십 분의 사랑을 나누는 동안 사라의 보조 덕에 레베카는 더 이상 아픔을 느끼지 않았으며 진정 나를 원하게 된 것을 그녀의 자궁구에서 느낄 수 있었다.

　드디어 그녀의 자궁구에 생명의 씨를 뿌리려고 할 무렵. 나는 이렇게 예쁜 여자를 임신시킬 수 없다는 생각에 질외사정을 하려고 했지만 사라나 레베카나 나의 이런 행동을 용납하지 않았다.

　"나도 언니도 진정 원하는 거니까. 생명을 뿌려주세요."

　그녀의 달콤하면서도 여운이 담긴 요청에 나는 나의 욕망을 그녀의 안에 실컷 쏟아내었다. 그러자 사라는 레베카의 입술에 키스를 잠깐 동안 하더니 자신의 오른손을 레베카의 아랫배를 쓰다듬으면서 속삭이듯 말했다.

　"이제 내가 원하는 건 다 이루었어. 내가 원하는 건 다 받았으니 이제 내가 줄 때야. 이 안에서 새 생명이 온전하게 자랄 수 있게."

　사라가 레베카의 아랫배를 쓰다듬으면서 말하는 의미를 나는 몰랐으나 곧 나는 그 의미가 뭔지 깨닫게 되었다.

16

며칠간 그렇게 우리는 서로의 몸을 탐하며 열정을 불태웠다. 날을 하얗게 세운 뒤에도 사라의 관능적인 나신과 레베카의 탐스럽고, 아름다운 나신에 빠져 내 안의 모든 씨들을 그녀들 안에 뿌린 거 같다.

그리고 며칠이 지난 후에 내가 잠자리에서 깨어나자 그녀들이 이 곳에서 떠났다는 것을 알게 되었다.

사라가 이곳을 떠났다는 것이 난 무슨 의미인 줄 알고 있었기에 지중해의 거침없는 바다를 쳐다보며 망연자실 그대로 한동안 있을 수밖에 없었다.

그때 하얀색 비키니를 입고, 하체는 분홍색 팔레오를 걸친 여성의 모습을 한 쓰리가 내게 다가왔다.

그녀들이 사라진 틈을 타 여성의 아바타로 나를 위로하려는 것 같았다. 아주 건장한 히스패닉 미녀의 모습으로 변장을 했는데 쓰리는 자신의 엉덩이 까지 내려오는 긴 흑발의 생머리를 왼 손으로 쓰다듬으면서 내게 애처로운 눈빛으로 말했다.

"사라와 레베카가 뭘 할지 짐작이 가는 군."

"설마. 그럴 리가."

"설마가 맞을 거야."

"그럴 수는 없어."

홀로그램이라 쓰리의 향내로 맡을 수 없었고, 그녀의 온기도 느낄 수 없었지만 절망하고 있던 나의 등을 그녀가 손으로 어루어 만진 것은 이상하게 느낄 수 있었다.

"지금은 기다릴 수밖에 없어. 그녀들이 연락을 해 올 때까지. 정호는 그때까지 해야 할 일이 있잖아."

"그렇지. 이곳을 제 2의 내 터전으로 만들고, 타이탄의 교습소도 재단장 해야겠지."

"그래. 다시 리암 안데르센의 정신을 부활 시켜야 하잖아. 이곳을 모세와 리나가 관리한다고 해도 타이탄의 교습소는 정호가 관리해야 하잖아."

"그럴까?"

예전부터 타이탄의 프로메테우스시의 교습소는 리나가 관리 했지만 지금은 로봇과 생체 안드로이드 몇 명이 관리하고 있다. 그냥 먼지가 쓸지 않고, 기기들이 녹슬지 않게 관리하고 있을 뿐이지 실제적으로는 모든 운영은 멈추어 있는 상태다.

그에 비해 어느 정도 자율성을 가진 모세와 리나는 이 신비한 동굴과 양자도서관, 그리고 새로 지은 교습소와 저택을 잘 관리하고 있었다.

그리고 사라와 레베카가 내게서 떠나 간지 육 개월이 흐르고, 지구에 있는 부유도시 에덴이 완성됐다는 뉴스가 온 태양계에 전해졌다.

그동안 이곳을 가꾸고, 땅을 넓혀갔던 나는 이곳을 떠나기 전 마지막으로 이 주위를 둘러보고, 모세와 리나에게 무언가를 부탁했다.

"아랫배를 보여줘. 리나."

나의 명령에 리나는 아무런 망설임도 없이 자신의 스커트를 상체 끝까지 들어 올려 자신의 발가벗은 배를 내게 보여주었다.

사라와 레베카가가 떠나고 얼마 안 있어 나는 리나가 임신 할 수 있게 생체 수술을 받게 했다.

 나는 리나의 발가벗은 배에 손을 가져다 대며 모세와 리나의 얼굴을 번갈아보며 진중하게 말했다.

 "이곳을 너희에게 맡긴다. 물론 내 수제자나 자식이 이곳의 소유주가 되겠지만 운영은 전적으로 너희들이 하게 될 거야.

 만약 너희가 허락한다면 너희의 자식들이 타이탄에 있는 프로메테우스 시의 내 교습소를 운영하기 바란다."

 "주인님."

 모세는 내가 하려고 하는 의식이 뭔지 알 거 같아 갑자기 슬픈 표정을 지으며 눈시울을 붉히기 시작했다.

 "사라에게 연락이 왔어. 역시. 나와 쓰리의 예상대로 4단계 수술을 받았고, 또 4단계 수술을 받으면서,......."

 난 더 이상 사라의 서글픈 운명을 더 이상 얘기하지 못하고, 눈가에 눈물을 흘리며 울고 말았다.

 그러자 리나는 자신의 가슴에 내 얼굴을 파묻게 하고는 더 이상 묻지 않고, 상냥한 목소리로 말했다.

 "그럼 가세요. 사라님을 만나봐야 하잖아요."

 "그래."

 비록 그녀와 마지막 만남일지 몰라도 나는 사라가 있다는 프로메테우스시에 가야한다. 모든 것이 시작되었고, 모든 이야기의 출발점인 나의 고향. 타이탄의 프로메테우스시.

 간단하게 그들과 작별인사를 한 뒤 알프레드와 신교의 주교들의 배려로 난 타이탄에 가는 우주선을 쉽게 수배할 수 있었다.

 "쓰리,......."

 그 섬에서 우주선을 타고 떠날 때 쓰리 역시 그때 그 모습으로 나를 저 멀리 동굴 위에서 배웅하고 있었다.

이제 가면 몇 년 후에 다시 이곳에 돌아올지 모르지만 나에게 무언가를 당부하는 듯 애절하면서고 강렬한 눈빛을 나에게 보내고 있었다.
 그리고 난 쓰리가 원하는 게 뭔지 알고 있었다.

17

 타이탄으로 가는 길에 태양계에서 들리는 뉴스라고는 온통 지구의 부유도시 에덴에 관한 소식이며 그 에덴이 대중에게 모습을 보일 때 세라가 축하 공연을 한다는 소식이 들렸다.

 이번에도 수많은 도전자를 이기며 즉흥시인의 정상에 등극한 세라는 부유도시의 공중 오페라하우스에서 공연을 하며 공공연히 인공지능을 이길 수 있는 인간은 없다라는 것을 노래 부르고 있었다.

 이에 알프레드를 비롯해 몇 몇의 신교 장로들은 고개를 숙이며 울분을 토하고 있었다.

 "에덴이면 하나님이 인간에게 주신 동산이었지."

 나의 얘기에 장로들은 고개를 숙이며 아무런 대답도 하지 못했다.

 "그곳에서 인간의 창조물이 인간을 깔보면서 노래를 부른다는 것은 말도 안 되는 이야기예요."

 "그런가? 결국 인간도 하나님의 창조물 아니오? 인간도 바벨탑을 통해 신에게 반항하지 않았나?"

 "그래서 언어가 흩어지고, 서로가 반목하는 결과를 초래했지요. 하지만 인간의 창조물은요? 아무런 벌도 없이 오히려 인간의 창조물이 인간보다 더 낫다고 칭송하잖아요."

 "맞아요. 선생님이 세라와 대결하시지 않으니 세라가 자신이 태양계 최고라고 알고 있어요. 언제까지 세라와의 대결을 회피 하실 건

가요?"

"......."

나는 장로의 질문에는 아무런 대답도 하지 못했다. 아직도 쓰리가 말한 그 생명의 답을 찾지 못했기 때문이다.

세라가 모든 인간을 깔아뭉개고, 세바스찬 뉴턴의 생각이 모든 대중들에게 옳다고 다가 올 무렵. 어느 누군가는 그 생각을 반대 할 것이다.

힘겹게도. 힘겹게도. 과거에 아무런 비판 없이 과학적 낙관주의를 동경하고, 인간은 영생 할 수 있다는 믿음 안에서 인간의 어두운 면을 간과한 결과를 나는 알고 있다.

그래서 세바스찬 뉴턴이 승리해서는 안 된다.

약 일주일이 흘러 목적지인 타이탄에 도착했고, 내가 다시 타이탄을 찾았을 때는 이미 신교의 중요한 인사가 되어 있었다.

나는 비록 신교도는 아니지만 타이탄의 영향력이 있는 신교도 거의 전부가 내가 도착한 게이트에 마중 나와 있었다.

그 이유를 나는 알고 있다.

모든 사람들이 나를 지켜보는 와중에 타이탄 에어라인 게이트에 공중부양자동차가 한 대 내 앞에 바짝 다가왔다.

눈처럼 하얀색이 일품인 꽤 멋진 자동차였는데 거기에는 꽤 중후하게 생긴 남자 한명이 운전석에서 운전을 하고 있었고, 뒷좌석에는 레이첼이 타고 있었다.

레이첼은 자리를 옆에 옮기며 귀빈이 타는 좌석에 나를 타게 만들었다.

"사라하고, 레베카를 보고 싶어 하시죠?"

"연락이 와서 그곳으로 가려하지만. 정확히 어딘지는."

"A지구의 제일 심장부에 있어요. 그야말로 돈과 권력이 있는 사람만 치료 받을 수 있는 병원이죠. 사라와 레베카의 경우. 선생님과 관련 되어 있어 과학교에서도 특별하게 신경을 썼고요."

"고맙군."

나는 그녀의 말에 고개를 숙이며 인사했다. 그리고 이곳을 떠나갈 때는 사람들이 별로 신경을 쓰지 않는 자가 됐지만 이곳에 다시 왔을 때 내가 꽤 유명인이 되어 있을 줄은 몰랐다.

사라와 레베카가 있는 A구역의 병원에 갈 때까지 우리는 아무런 말이 없었다. 아마 지금쯤이면 태양계 뉴스에서 내가 어느 묘령의 여성이 있는 차에 탄 장면이 나올 것이다.

그래도 공중 부양 자동차를 타고, 프로메테우스 시티의 스카인라인을 보는 것이 무척 오랜만인거 같다.

아주 옛날에 가드먼 아저씨를 따라 공중 부양택시를 보았던 때하고, 그리고 사라와 만나기 전 울적한 기분을 달래러 정처도 없이 공중부양 택시를 타고, 이 도시를 떠돌던 시절이 기억난다.

코끝이 쓰릴 정도로 과거의 먼 추억에 잠길 때 공중 부양 자동차는 홀로그램 표지판이 나는 병원이요 라고 광고를 할 만큼 현란한 건물 옥상에 착륙을 하기 시작했다.

몇 분의 서행으로 병원에 착륙하자 자동차의 양쪽 문은 올라가듯 열렸고, 나는 천천히 자리에 일어나 건물 광경을 한창동안 바라보았다.

"선생님."

레이첼의 외침에 나는 정신을 차리고, 그녀가 나의 오른손을 잡자 저항을 하지 않은 채 그녀가 이끄는 대로 몸을 이끌어 나갔다.

사라와 레베카가 있는 병실은 그 병원 내에서도 최고의 VIP병실은 7층이었고, 그 병원 내에서 7층은 그야말로 그 옛날 일반 인간 서민이나 부자들은 꿈도 꿀 수 없을 정도로 시설이 잘 되어 있었다.

3개 밖에 없는 7층의 룸에서 그 중에서도 7층 01호로 레이첼은 나를 이끌고 들어왔다.

곧 그 로비에 이미 배가 부푼 레베카가 나를 반가운 듯 맞이하고 있었다. 그녀는 나를 보자마자 내 입술에 깊게 키스를 하고 나서는 눈가에는 눈물을 흘리며 나에게 미안하다고 말했다.

"죄송해요. 사라 언니를 위해서 이럴 수밖에 없었어요."

나는 그녀의 애절한 말에 고개를 끄덕이며 "알아."라고 대답했다. 그 이유는 내가 짐작한대로 맹인이었던 그녀의 눈이 정상인으로 돌아왔기 때문이다.

그리고 이것이 무엇을 뜻하는 줄 알기에. 나는 모든 것을 이해해야 했다. 그녀는 내가 자신을 용서하자 나의 등을 떠밀면서 어디론가 손짓으로 방향을 가리키고 있었다.

"자아. 사라 언니를 만나보세요. 그리고 사라 언니를 만난 후에 선생님의 자식을 축복해 주세요."

"레베카."

나는 그녀의 이름을 나지막이 부르고는 그녀가 가리키는 곳으로 갔다. 한 오 분을 걸어가자 면담실로 보이는 문이 보이고, 면담 실에 들어가자 의자와 그리고 반사막이 켜진 벽이 보였다.

반사막 너머에는 긴 머리의 여자 실루엣이 보였는데 난 그 여자가 바로 사라임을 알아차렸다.

의자에 앉고, 반사막 너머에 있는 실루엣만 보이는 사라에게 물었다.

"아직도 아파?"

내가 물어보자 수 십 년 동안 들어본 익숙한 목소리가 들렸다. 그러나 나 같은 음감에 예민한 즉흥시인이 자세히 들어 보면 너무나 음성이 깨끗하여 인간의 성대가 아니라 기계가 내는 목소리임을 알 수 있었다.

나는 그 목소리를 듣고, 더 이상 인간이 아닌 사라의 운명에 너무나 슬퍼서 울고 말았다. 사라는 내가 자신이 아직도 아픈 걸로 알고, 우는 걸로 착각하여 나를 상냥한 목소리로 위로해 주었다.

"이젠 안 아파. 뇌만 빼고, 나머지는 다 인조인걸."

"레베카에게 눈과 시신경을 다 주었구나."

"응. 보통 과학교도라면 그런 거 의미 없다면서 다 불살랐을 텐데 생체 이식으로 기증하는 거에 대해 의사들도 놀라더라.

아니. 원래 필요한 사람에게 주어야 하는데 필요 없다고, 불사르는 게 더 비정상이지."

"네 모습을 보고 싶어."

나는 사라가 어떤 모습이건 다시 실루엣 너머의 그녀를 보고 싶었으나 사라는 고개를 저으며 안 된다고 했다.

"모습이 좀 변했을 거야. 뇌만 생체라 얼굴 형태라든지 특히 몸이,....... 몸이 너무 많이 변했을 거야.

난 정호가 나를 안던 그 육체의 사라로 기억 남고 싶어. 서로 사랑을 나누던 그 사랑스러운 사라로."

사라가 그 말을 하자 나는 거의 이 십 년 이상 보았던 그녀의 육체가 떠올랐다. 당장이라도 그릴 수 있다면 피부의 윤기 하나 털 하나하나까지 그릴 수 있는 그 육체를.

한 달에 며칠. 사랑을 나누지 않는 때가 있긴 있지만 사라를 처음 안았을 때부터 마지막 레베카와 함께 하나가 되는 날까지 그녀와 계속 육체적으로나 정신적으로나 모든 것을 나누었다.

이젠 내 생애에서 다시는 그녀를 못 본다고 하니 나는 가슴 속 깊이 슬픔이 올라오고 있었다. 그러나 이미 준비된 이별이기에 나는 그녀에게 나를 위해서가 아니라 그녀를 위한 부탁을 하기로 했다.

"부탁이 있어."

"뭔데?"

338

"꼭 가드먼 아저씨와 에스더를 만나봤으면 좋겠어. 이제 다시는 다른 사람들과 만나기 힘들잖아. 그러니까."

"알아. 아버지한테 연락이 왔는데 그러더라. 정호가 세라하고 대결한다면 나랑 만나겠다고. 에스더도."

"너도 약속을 지켜."

"알았어."

나는 사라의 비참한 결말에 너무나 슬프고, 복받쳐 울음을 터뜨렸다. 그러나 사라는 나의 기분을 이해를 하는지 전혀 슬픈 내색 없이 기쁜 듯이 말했다.

"이렇게 된 건 내가 젊었을 때 방탕해서 이런 결과가 된 거야. 다 내 탓이야. 그럼에도 나는 어렸을 적 내가 사랑했던 너와 몸을 합칠 수 있었고, 같이 살 수 있었어.

그것만으로도 난 내 인생이 성공했다고 생각해. 종국에는 내 육신의 일부를 네가 사랑하는 사람에게 줄 수 있었고.

인간이란 나약한 존재야. 인공지능 보다 지능과 능력이 못 한 존재지. 그러니까 정호야. 나도 부탁이 있어.

인간파를 대신 해서 아니 그래도 못난 인간성을 믿고 있는 인간들을 대신해서 세바스찬 뉴턴의 야망을 꺾어줘.

이렇게 못나고, 약한 인간이지만 희생이라는 것을 할 수 있다고. 그러므로 세라에게 인간은 결코 나약하지 않다는 걸 보여줘."

"알았어."

"난 내 몸을 기꺼이 내어 준 게 기뻐. 이제 먹지도 못하고, 사랑도 나눌 수 없는 몸이 됐지만 네가 아기도 가지고, 결혼 할 수 있다는 게 난 기뻐. 그러니까 네가 알던 사라로 날 기억해줘."

난 그녀의 애원 같은 부탁에 고개를 끄덕였다. 한 동안 우리는 그렇게 말없이 있다가 사라가 자리를 떠난 것을 보았다.

사라가 떠나자 나는 십 여 분간 그렇게 대성통곡을 하며 울부짖었다.

 그리고 마음속의 모든 슬픔을 쏟아 내렸을 때 나 역시 다시 사라를 보고 싶지만 그 기분을 꾹 참고 이제 그녀가 없는 내 인생을 살기로 마음먹었다.

 내가 면회실을 나오자 레이첼과 레베카가 나를 기다리고 있었고, 나는 레베카에게 다가가서 그녀의 원피스 상의를 올리고는 그녀의 드러난 불룩한 배에 키스를 했다. 그리고는 그녀를 나의 아내로 맞이하겠다고 다짐했다.

 레베카는 그 말을 듣고, 너무 기뻐서 울고 말았다. 레이첼 역시 레베카의 등을 얼싸 만지면서 그 기쁨을 나누었다.

 나는 그 모습을 보면서 서서히 인생의 의미에 대해 깨달을 수 있었다. 불행 중에서도 남을 위해 자신을 희생하는 사라. 사랑하는 사람의 생명을 담아내고 기뻐하는 레베카. 그리고 함께 기뻐하는 레이첼.

 도서관에서 공부한 숱한 인간들의 역사와 이야기들이 나의 영혼에 얘기하고 있다. 인간은 결코 대단한 존재도 아니지만 개미 같은 존재도 아니라는 것을.

 레이첼과 레베카와 같이 공중부양자동차를 타고, 타이탄의 에어라인에 도착했을 때 수많은 신교도와 과학교도가 내 앞에 서서 안절부절못하는 모습으로 있었다.

 잠시 나는 하늘을 바라본다. 항상 그랬던 것처럼 뿌옇지만 푸르고, 회갈색인 빌딩 숲과 타이탄 스카이라인을 바라보며 이제 더 이상 내 자신은 그 어떠한 것에도 물러서지 않기로 결심했다.

 사람들이 나에게 무엇을 원하는지 알고 있으며 이제 각오를 대답할 준비가 되어 있다.

 나는 그들 앞에 다가가면서 큰 소리로 입을 열었다.

 "에덴은 과거 하나님이 사람들에게 내어 주신 낙원이지. 그 낙원에서 하나님의 창조물도 아닌 게 축복한다는데 그걸 반박해야 하는 사람이 한 명쯤은 있어야 하지 않겠나?!"

내 얘기에 비로써 사람들은 환호성을 질렀다.

그리하여 나는 드디어 쓰리가 얘기했던 생명의 답을 얻었다. 이제 남은 것은 내가 아는 생명의 답을 이 태양계 최강의 인공지능에게 답하는 길 뿐이다.

18

나와 세라의 대결은 그야 말로 전 태양계를 발칵 뒤집어놓는 뉴스였으며 이건 인간과 인공지능의 끝판 왕 격인 대결이었다.

이런 대결 장소로 지구가 선택된 것은 여러 의미로 의외였으며 어쩌면 당연한 결과 일 수도 있다.

원래 결승은 지구에서 했었지만 이번 대결은 그야말로 백 년 만에 이루어진 대 이벤트이면서도 위대한 매치였다.

그래서 각자의 위성과 행성 행정부가 이 세기의 대결을 유치하려 나에게 아부를 했지만 난 한사코 공중 부유도시 에덴에서 세라와 대결을 원했고, 세라 역시 에덴이 무슨 의미인지를 알고 있기에 나와의 대결을 에덴에서 하고 싶어 했다.

세라에게만은 도전을 하지 않았지만 나는 나 자신을 시험하기 위해 숱한 인간들과 세라보다 못하지만 위협적인 인공지능과 즉흥시 대결을 했다.

그 대결에서 단 한 번도 진적이 없었고, 드디어 태양계 최고의 인공지능 세라에게 난 도전을 한 것이다.

세라 역시 리암 안데르센에게 이긴 지 백 년이 지나기까지 그 누구에게도 패배 하지 않았고, 즉흥시의 여제자리를 지키고 있었다.

공중 부유 도시 에덴의 제일 높은 에메랄드 탑에서 그 아래 삼십 미터 밑에는 수많은 군중이 호수와 신록으로 어우러진 공원에

운집해 있었다.

나와 세라만이 공중 방송 드론과 함께 그 에메랄드 탑에 자리 잡고 있다.

무한 엘리베이터를 타고 올라가면 에메랄드 탑에 내리는 장소가 드러나는데 그곳은 유리라고 부르기엔 단단하고, 금속이라고 부르기에는 반투명하게 비추는 바닥과 벽으로 도배된 곳이 있다.

사람 천 명 정도가 들어갈 수 있는 원형의 구조물인데 가장자리에는 발코니처럼 가드레일 같은 것이 쳐져있다.

그래서 마음만 먹으면 수십 미터 아래로 뛰어내릴 수 있지만 자살을 결심하지 않는 한 그러한 일은 일어나지 않는다.

이 대결에서 특등석 같은 건 없었고, 이 방송용 드론이 송출한 화면을 전 태양계 사람들이 볼 것이다.

물론 정원에 있는 자들은 각 국의 권력 있는 자들부터 대 연예인, 정치가, 과학자 심지어 대통령과 총통까지 와 있었다.

나는 검은색 양복에 검은색 넥타이를 맨 검은색 정장을 입었고, 세라는 자신의 자주색 브래지어와 팬티 같은 속옷이 훤히 비추는 하얀색 실크 원피스를 입었다.

"어머. 내 젖가슴을 보고 흥분하던 도련님이 이곳에 웬일이세요?"

그녀는 그때의 일을 기억하는 듯 자신의 가슴께를 내리며 자신의 하얗고, 먹음직한 유방을 보여주었다. 하지만 나는 그녀의 도발적인 행동에는 아랑곳없이 그녀의 얼굴만을 노려보며 말했다.

"모든 것은 변하게 마련이다."

"그러게요. 도련님도 머리가 점점 하얘진 게 그 풋풋한 냄새가 나는 꼬맹이가 더 이상 아니니. 아. 그 BMAU38로 저와 대결하시게요?"

세라는 오만한 미소를 지으며 방송용 드론 말고, 그녀의 주위에 떠다니는 BMAU38과 내 주위에 떠다니는 BMAU38을 곁눈질로 보고는 말을 했다.

그러자 나는 허공에 손짓을 하며 BMAU38을 물렸다. 그리고 내 주위에 나를 따라다녔던 BMAU35가 세라의 BMAU38과 대칭점을 이루며 내 주위를 돌기 시작했다.

그러자 BMAU35를 보고, 밑에 있던 군중들은 웅성웅성 거렸다. 그러나 제일 놀란 건 세라로써 그녀는 이제껏 없는 흥분된 표정으로 비명을 질렀다.

"히이익! 말도 안 돼! 그 사람 밖에는 저걸 다루지 못해!"

나는 세라의 외침을 듣고, 그녀를 냉정한 눈빛으로 쳐다보며 대답했다.

"리암 안데르센 이후 아마 나는 네가 넘어야 할 제일 큰 산이 될 거다. 그동안 싸워왔던 조무래기들이나 허접들이 아닌 진정한 네 적일거야.

네가 이기기 위해선 리암 안데르센과 대결했던 것보다 더욱 잘해야 할 거야."

"히이익! 이 애송이가!"

그녀는 더 이상 냉정하지 못하고, 나에게 화를 내기 시작했다. 그러나 화를 내는 거와는 다르게 그녀의 다리는 무엇이 그렇게 두려운지 덜덜 떨고 있었다.

"히히히. 내가 당신에게 지면 내 목숨을 끊겠어. 그러면 당신은 무엇을 걸 거야?"

세라의 마음속엔 공포심이 생겨났는지 나에게 되도 않는 협박을 하기 시작했다. 그러나 난 단 한치의 두려움도 없이 무표정한 얼굴로 말했다.

"목소리를 주겠다. 평생 노래를 부르지 못하도록 내 목소리를 주지. 인간인 내가 생명을 끊는 짓은 신에 대한 모독이기에 하지 않겠다. 신도 뭐도 없는 너는 아무렇지 않겠지?"

"물론이죠. 신 같은 것도 없고, 영혼도 없어. 정말 당신이 지면 더 이상 노래를 부르지 않는 거지?"

"약속한다."

나는 그녀의 협박에 아무렇지도 않게 말했다. 그러자 그녀는 헛기침을 하며 긴장된 표정으로 먼저 즉흥시를 읊기 시작했다.

그녀가 제시한 주제는 바로 에덴이었다.

신성한 그레고리 성가에 약간의 테크노 음이 섞여서 그녀는 즉흥시를 노래 불렀는데 과거 기독교 성경에 기록된 에덴 전설에 관한 이야기였다.

세라는 특히 뱀에게 속아 신의 명령을 어기고, 선악과를 먹는 부분을 지적하며 인간이라는 것이 얼마나 어리석은 존재인지 얘기했다.

그러면서도 신의 존재에도 소년을 죽인 카인의 후예인 두발가인을 말하며 결국 하나님을 믿는 것 따위는 의미 없는 일이라는 노래를 불렀다.

일단 세라는 가볍게 세바스찬 뉴턴이 만든 인공지능답게 신교의 근본 사상을 부정하는 노래를 불렀다.

너무나 당연한 얘기지만 그녀의 주제에 일단은 반론하지 않고, 에덴의 신화에 대해 해석을 하며 인간이란 어리석은 존재라는 것을 인정했다.

그러나 죄를 범한 인간에게 가죽옷을 지어 입히시는 하나님을 말하며 과연 신을 믿는 것 따위가 의미 없는 일일까? 하는 반론을 펼쳤다.

그리고는 세라가 말한 두발가인이 믿었던 자기 자신. 정신과 영혼이 없는 삶에 대해 난 그녀에게 질문을 하며 내 첫 번째 노래를 마쳤다.

세라는 일단 첫 번째 대결에서 직접적으로 자신을 반론하거나 부정하지 않고, 다시 반문해 물어본 것에 대해 의외라는 표정을 지었다.

원래는 보통 도전자라면 첫 번째 대결에서 승패가 갈려야 하지만 둘의 실력이 너무나 출중한 탓에 누가 승기를 잡을 지는 아직 모를 일이었다.

십 분 간의 휴식이 끝나고, 다시 두 번째 대결에 들어갔다. 이번에는 세라가 내 질문에 대답하는 즉흥시를 불러야 했다.

정신과 영혼이 없는 삶에 대해서 그녀는 과학적 낙관주의와 물질만능주의를 찬양하며 하나님 따위는 존재하지 않는 에덴동산을 노래하기 시작했다.

마치 바그너의 오페라 음악처럼 웅장하면서도 매혹적인 관현악이 세라의 BMAU38에서 흘러나온다.

곧 홀로그램 백그라운드로 실오라기 하나 걸치지 않는 아름다운 육체미를 가진 남녀들이 마치 남신과 여신처럼 큰 마천루 빌딩에 모여 얘기를 나누고 있다.

그녀는 과학기술로 불로불사의 영생을 얻는 자들의 모습을 이 홀로그램의 모습이라 노래했다.

사람들은 걱정 없이 먹고, 떠든다. 아이는 인공자궁에서 태어나며 여자들은 모든 잉태의 고통에서 해방되었다.

모든 노동은 로봇들이 하고, 인간이 하는 일이란 오로지 먹고, 서로 떠드는 일 밖에 없다.

과학기술로 열등한 유전자는 제거되고, 우월한 유전자만 남는다. 만약 열등한 유전자가 태어났더라도 이 천상의 낙원에서 쫓아버리면 된다.

과학기술로 영생을 얻은 그들은 강하고, 아름답다. 그렇다. 이 세상은 강하고, 아름다운 것이 차지하고, 움직이기 마련이다.

그리고 세라는 그리스의 신화와 이 모습을 접목 시키며 종국에는 인간은 자식도 낳지 않을 것이며 인공지능과 합체하여 영생을 누리게 될 거라고 노래 불렀다.

이것이 바로 신 따위는 없는 물질만능사회의 삶이며 모든 쾌락과 풍요가 보장되는 사회야 말로 인간이 추구하는 이상적인 사회이다.

인간보다 우월한 인공지능과 결합해 그들의 명령만을 받드는 신도의 삶을 산다면 이런 영생과 풍요가 영원히 보장 될 거라고 그녀는 노래했다.

그리고 이것이 곧 에덴이라고 그녀는 노래를 마쳤다.

세라의 노래가 끝난 뒤 나는 BMAU35를 세라의 BMAU38의 수준으로 컨트롤 하면서 다시 세라에게 반문하는 즉흥시를 노래 부르기 시작했다.

이 인공지능을 이기기 위한 인간의 노래를 부르기 위해서는 한 가지 조건이 더 필요한데 그건 나의 기술과 실력이 아니라 바로 세라의 가스라이팅이 필요했다.

세라 아니 세바스찬 뉴턴이 자신의 진정 원하는 것을 그가 바라는 세상이 어떤 것인지 전부 들어줘야 할 필요가 있다.

지금까지 세라에게 도전한 신교의 즉흥시인이 윌리엄 스승님의 사형, 사매들이 세라에게 패배한 것은 세라의 주장을 듣지 않고, 자신만이 옳다고 일방적으로 외쳤기 때문이다.

처음부터 자신만이 옳다고 즉흥시를 읊으니 세라에겐 좋은 표적감이 됐다. 그러니 아직도 인내의 시간은 필요하다.

이번에도 역시 세라가 주장하는 것을 경청하기 위한 반문시로써 함부로 반론하거나 내 주장을 하기 위함이 아니다.

그녀는 내 즉흥시를 듣고, 이상하게 생각했지만 나의 거절할 수 없는 제안에 그녀는 응해야 했다.

나는 반문 하는 시답게 규칙적인 리듬과 심장 박동 소리를 넣어 음악으로 만들었다. 곧 여성의 자궁에서 자라는 태아와 출산의 과정, 출산을 한 뒤 젖을 먹이는 여성을 홀로그램으로 보여주었다.

그 다음 아기와 산책하는 어머니의 모습을 보여주면서 전체적으로 아버지, 어머니, 아기가 있는 가족의 모습을 보여주었다.

그리고 이렇게 반문한다. 과학적으로 인간이 영생을 한 다면 이런 가족 형태가 유지 될 수 있을 것인가?

과학적인 영생 때문에 결국 인간은 아이를 낳지 않고, 자기 자신만 중요하게 생각하는 존재가 되지 않을까?

육체와 뇌에 계속 줄기 세포를 집어넣고, 인공적인 장기로 교체를 한다면 처음 태어났을 때의 내 몸은 어디가고, 그게 과연 나일 수 있을지.

물론 소멸과 생성을 반복하면서 내 체세포는 채워지지만 유일하게 뇌세포만은 그렇지 않은데 그것마저 다른 세포들과 교체하고, 내가 처음 태어났을 때의 몸과 전혀 다른 몸이 됐다면 과연 그게 나일 수 있는 걸까?

또 전자 칩에 내 기억을 집어넣고, 그게 나라고 인식하다고 한들 과연 그게 정말 나일까? 이런 영생이 과연 쓸모가 있는 걸까? 정말 인간은 죽으면 한낱 고깃덩어리가 되는 걸까?

긴장이 타는 리듬과 멜로디로 세라에게 따지듯이 물었다. 사람들은 이번에도 내가 본격적으로 반박하거나 내 주장을 펼치는 시가 아니어서 실망을 했지만 이런 내 반박 시에도 예술은 살아 숨 쉬고 있어 듣는 자들마다 모두 긴장을 하고 있었다.

무척 자신이 떳떳하다고 알고 있지만 세라는 나의 이런 반문시의 덫에 걸리고 말았다. 그녀는 의기양양하게 자신의 아니 세바스찬 뉴턴의 민낯을 온 대중에게 공개했다.

내 반문시가 끝나고, 세라는 격렬한 로큰롤의 비트와 멜로디에 여린 소프라노의 음성으로 즉흥시를 노래 부르기 시작했다.

과거부터 일어났던 가족 사이의 참혹한 범죄들. 부모가 자식을 죽이고, 자식이 부모를 죽인다.

그리고 연쇄 살인 사건과 강력 범죄를 일으키는 자들의 모습과 범행 장면을 홀로그램으로 보여주면서 인간이란 이런 존재라는 것을 노래했다.

부모와 자식사이도 서로 죽이는데 과연 가족이라는 것이 필요할까?

세라는 어디서 구해왔는지 모르지만 21세기 후반 한국이란 나라에서 고독사로 죽은 노인들의 시체를 여과 없이 보여주면서 이 노인들은 자식들이 봉양하기를 거부했고, 이렇게 고독사를 당했어도 시신을 수습하기 거부했다.

이러한대도 과연 자식을 낳는 것이 무슨 소용이 있을까? 이런 모습들과 함께 전에 보여주었던 아름다운 육체미의 남녀 누드를 보여주며 자신만 행복하면 되고, 자신만 영생을 누리면 된다.

가족이라는 것은 필요 없는 존재며 결국 인간은 다 혼자다.

이 세상은 오직 물질이기 때문에 어떠한 모습이든 자신이 자신이라고 인식하면 그게 자신인 것이다.

기계에 의식을 복사하여 그 기계가 자신이라고 인식한다면 그게 곧 자신이라고 그녀는 노래했다.

그 노래가 끝남과 동시에 수많은 양자 전자 컴퓨터가 보이며 그녀는 이렇게 말했다. 이곳에 전 인류의 의식을 넣어서 그 빌어먹을 번식도 없고, 육체적 고통도 없는 세계를 만들자.

나는 그녀의 노래가 끝나고 잠시 쉬려고 할 타이밍에 다시 반문했다. 이건 곤충과 같지 않은가? 결국 과학적 낙관주의는 효율적인 사회를 만들려 하는 것이고, 그 효율적인 사회는 바로 곤충의 삶을 우리에게 강요하는 것이 아닌가?

내 반문에 세라는 잠깐 당황하다가 다시 한 번 남녀가 서로 섹스를 해서 고통스럽게 출산하는 장면인 홀로그램 영상과 열심히 일

을 하며 서로 웃고, 떠드는 영상을 번갈아 보여주며 과연 어느 것
이 인류를 위한 삶인가?

곤충이면 어떻고, 아니면 어떤가? 영생을 누리며 자신의 모든 욕
망을 채울 수 있는 풍요로운 사회.

가족이 없어도 되지 않는가? 게임을 통해 모든 오락과 환상을 채
울 수 있고, 외로우면 기분이 좋아지는 약을 먹으면 된다.

신이 없어도 되지 않는가? 결국 나 자신은 나 자신일 뿐이며 나
자신은 신보다 더 중요하다. 나 자신이 세상의 중심이며 내가 죽으
면 곧 모든 것이 끝이다. 그러니 나 자신만이 영생하고, 강하고,
아름다우면 그만일 뿐이다.

집단에 복종하고, 나 자신만 신경 쓰면 된다. 내가 곧 신이며 이
세상에는 보이는 것과 물질 이외에는 아무것도 없다.

그러니 집단은 강하고, 아름다워야 한다. 그것은 곧 내 자신이 강
하고, 아름다워야 하는 것이다. 열등하고, 못난 것들은 무가치 한
것으로써 우리와 같이 살게 하면 안 된다.

우리를 이끌 것은 우월한 인공지능이며 우리의 궁극적인 목적인
이런 인공지능과 합일이 되는 것이다. 육체를 버리고, 컴퓨터 안에
모든 것을 옮겨 영원한 삶을 살 수 있고, 인간의 나약함을 벗어 날
수 있다.

봐라. 가족끼리도 죽이고, 부부사이도 죽이고, 속인다. 서로 전쟁
을 하고, 인간끼리 서로 속이고, 물어뜯는다. 이게 인간의 본성이
며 이게 인간의 나약함이다.

이것이 바로 세라가 말하는 궁극적인 세바스찬 뉴턴의 사상이다.

이로써 세라로부터 비롯된 과학교도 절반 이상의 물질주의파들의
사상을 전부 들어보았다. 이것이 바로 세바스찬 뉴턴의 말하고자
하는 것이며 그 핵심이다.

이제 그들의 모든 생각을 알았고, 전부 들어봤으니 진정한 나의

350

시를 읊을 수 있다. 나는 천천히 영원과 같은 그 순결한 유리의 바닥을 걸으며 이제껏 그 누구도 역사상 들어보지도 못한 상상도 하지 못할 BMAU35의 정교한 음색을 흘러나오게 했다.

이건 지금 사람들이 복잡하다는 BMAU38로도 상상을 하지 못하는 음악이었고, 지금까지 그 어느 누구도 들어보지 못한 음악이었다.

BMAU35에 대해 신의 경지에 다다른 나만이 낼 수 있는 음악이고, 이렇게 소리를 낼 수 있는 사람은 인류 역사상 리암 안데르센이라는 것을 세라는 알고 있었다.

세라가 찬양한 육체미를 가진 나체의 사람들과 헐벗고, 굶주리고 왜소한 어두운 곳에서 사는 쥐 같은 사람들을 번갈아 보여주며 드디어 나는 인류세대종말이 어떻게 일어났는지 아주 장엄하게 노래했다.

돈 있고, 부자인 자들은 온갖 인공 장기 교체와 줄기세포 삽입 주사 등을 맞아 노화가 더뎌지고, 거의 영생에 가까운 삶을 산다. 하지만 돈이 없고, 어디가 장애인 자들은 이 같이 더욱 비참한 쥐 같은 생활을 하게 된다.

영생에 가까운 자들은 자신들을 영생에 가깝게 만든 과학을 찬양하며 과학이 인간을 구원 할 수 있다고 믿는다.

그들에게 이제 무엇을 책임지는 것을 기피하며 쉽게 복종하고, 쉽게 사랑을 쏟을 수 있는 존재에게만 관심이 간다.

아이들을 더 이상 낳지 않으며 애완동물을 기르고, 애완로봇에 의지하며 이것이 가족이라고 말한다.

22세기 말. 의료기업들은 돈을 더 벌기 위해 이런 영생을 누리는 부자들에게 겁을 줄 수 있는 프리온을 개발하며 이것을 확인도 되지 않는 남극에 잠들어 있는 어느 바이러스와 결합한다.

이건 노화를 늦추면서도 인간에게 해를 가할 수 있는 양날의 검으로써 기업들이 원하는 것은 그 전처럼 병과 약을 주고, 돈을 더 벌기 위한 하나의 탐욕의 수단이었다.

그리고 그 탐욕의 덩어리가 커져 자연을 통제 할 줄 알았던 인간이 자연에게 삼켜지는 결과를 낳고 말았다.

그래서 이 영원할 거 같은 세계가 어떻게 종말을 맞이했는지 나는 장엄하게 노래를 불렀다.

인간은 자연을 제어 할 수 있으나 착각하지만 결국 자연 앞에는 무력한 것이 인간이다. 과학으로 영생을 얻을 수 있다고 자신하지만 나는 홀로그램으로 그 아름답고, 강인한 육체를 지닌 자들이 단체로 죽어가는 뉴스를 보여주며 강하고, 아름다운 것이 자연계에 우위에 있다고 하는 것은 자만이고, 착각이라고 노래했다.

바로 그 증거로 그 약이 현재 제일 강한 마약이라고 부르는 디어악시톤의 본래 모습이며 왜 태양계 정부가 그렇게 디어악시톤을 제조하고, 보유하는 것만으로도 사살을 하는지 나는 알려주었다.

사람들은 내 말을 듣자 전부 경악하며 놀라고 말았다. 인류세 대멸종을 일으킨 범인 중 하나가 자신들이 최고의 마약이라고 두려워하는 디어악시톤일줄은 상상도 하지 못했기 때문이다.

뛰어나고, 아름답고, 강할수록 그 프리온에 취약했고, 더욱더 강하고 뛰어난 해독제, 백신을 만들려던 기업들은 결국 자신의 덫에 걸려 과학으로도 어찌지 못한 정말 기계의 몸을 달아야 살 수 있는 궁극의 약을 만들었다.

그와 더불어 더 이상 인간의 탐욕을 지탱하지 못한 지구의 환경이 망가지고, 고대의 바이러스가 얼음 속에 깨어나서 지구의 온갖 사람들과 동물들을 멸종시키는 모습을 보여주었다.

그리고 처음에 보여준 지하에서 쥐 같이 살았던 헐벗고, 못난 사람들이 이미 거의 멸망한 지구에 나와 다시 문명을 세우는 모습을 보여주었다.

홀로그램으로 보인 영상에는 그들이 디어악시톤에는 어느 정도 내성을 가지고 있었고, 결국 그들도 죽게 되나 서서히 장기가 썩는 걸로 자신들을 내몰았던 자들보다 강인한 모습을 보이는 걸 보여주었다.

그렇게 영생을 갈구하고, 모든 것이 풍족하며 마치 과학으로 자연을 지배할 수 있을 것 같은 자들은 자연의 파괴와 자신의 욕망의 결과로 결국 종말을 맞이했다.

자연의 이런 준엄한 결과 앞에서 강하고, 아름다운 것이 영원한 게 아니라 이런 쥐 같은 열성의 유전자를 가진 자들이 우리의 조상이 됐다는 건 미래는 그 누구도 알 수 없으며 예측 될 수 없다는 것을 말해준다.

우리의 조상이 그런 열성 유전자를 가진 조상이라는 증거는 태양빛을 조그만 쐐도 피부가 금방 상하는 것이 그 증거다. 대신 그 동굴 안에서 태양빛을 갈구 하던 우리의 조상은 태양 빛을 직접 봐도 눈이 상하지 않는다.

이렇듯 진화란 더 강하고, 아름다워 지는 게 아니라 환경에 적응해 나가는 것이며 곤충이 효율적으로 살지는 몰라도 절대 곤충 같은 삶도 제일 진화된 삶이 아니다.

그러기에 인간은 절대 곤충처럼 단순하게 살아서는 안 된다는 것이다.

다양한 인간의 삶이 존재하는 이유는 그 중에 하나라도 우리를 구원으로 이끄는 삶이 있기 때문이며 우리가 사악하고, 나약한 존재이기도 하지만 또한 이런 것에 나아지려는 모습을 보여주는 존재다.

나는 이런 메시지를 중심으로 가녀리면서 강인한 음색으로 현란하면서도 간단한 멜로디의 "인간의 노래"를 부르기 시작했다.

그리고 인간의 노래를 부를 때 내 앞에 환청처럼 목소리가 들렸다.

"자아. 정호야. 이제 마지막 노래를 부르자."

내 앞에서 그 옛날 내가 처음 봤을 때의 사라가 세라가 입은 그 옷을 그대로 입고, 내 앞에 서서 나에게 말했다.

홀로그램으로 21세기의 사람들부터 과거 중세의 사람들. 그리고 현대의 27세기의 사람들. 서로 사랑하고, 싸우고, 미워하고, 위로하는 모든 모습들을 몇 초간의 간격으로 보여주며 나는 인간이라는 것은 다양하게 살고, 많은 것을 깨달아야 한다고 노래 불렀다.

신이란 전지전능하지만 인간과 자연을 마음대로 하는 폭군 같은 존재가 아니라 이런 다양한 삶에서 나를 이끄는 스승이라는 것을 나는 노래했다.

그리하여 인간의 나약함마저 아버지, 어머니처럼 품어 줄 수 있는 존재야 말로 신이며 인공지능의 영도에 따라 인간을 단순화시켜 겉으로는 풍요롭고, 영생을 누리지만 결국 감성을 잃어버리고, 무미건조한 삶을 사는 존재가 과연 행복한 것인지 나는 세라에게 다시 물어보았다.

"행복이란 무엇이지?"

"그건 도파민이야. 뇌의 도파민이라고?!"

세라의 대답에 나는 자신을 희생해서 행복감을 느끼는 예를 시로 읊었다. 어린 자식을 키우는 어머니. 헐벗고, 굶주린 장애인을 돕는 자원 봉사자들, 기타 열악한 환경에서 남을 위해 봉사하는 사람들.

"어째서 고통스러운데 그런 도파민을 분비 할 수 있는 거지? 그런데서 쾌락을 느낀 다는 게 이상하지 않는가? 무조건 강하고, 아름다운 것만이 최고의 진화라고 하면서."

"……"

서로 모순되는 것에서. 논리적이지 않은 결과물에 대해 인공지능은 대답할 수 없다.

이것은 논리를 떠난 감성의 문제이며 본능의 문제다. 그렇기에 뇌의 도파민이니 해마니 하는 과학으로 풀 수 없는 문제다.

아무 대답도 하지 않는 세라를 쳐다보며 나는 다시 한 번 "인간의 노래"를 불렀다. 인간의 다양한 삶을 노래 부른다. 부모가 자식을 죽이고, 자식이 부모를 죽이는 것이 인간이지만 자식을 위해 희생하고, 부모를 위해 희생하는 것도 인간이다.

이 세상은 절대 예측 할 수 없으며 미래는 알 수 없다. 그렇기에 우리는 현실에 최선을 다 할 수밖에 없으며 과학으로 영생을 누린다던지 하는 유토피아는 우리를 현혹하게 할 뿐이다.

우리가 자식을 낳는 이유는 우리는 결국 죽기 때문에 낳는 것이며 자식을 이렇게 정성스럽게 키울 수밖에 없는 이유는 우리가 죽기 때문이다.

이 세상에 천국을 세우려는 자들이 세우는 것은 결국 지옥일수밖에 없는 것은 우리가 불완전해서이고, 인공지능 역시 필멸자이기 때문에 천국처럼 보이는 지옥을 세울 수밖에 없다.

인간의 노래라는 것은 결국 죽음을 조용히 받아들이고, 사는 동안 열정적으로 살아가는 것을 의미한다.

마지막 구절은 아마 전 태양계의 사람들이 따라 불렀을 것이다. 그들의 노랫소리가 내 귓가에 울러 퍼졌기 때문이다.

"그만! 너희들은 나약한 존재일 뿐이야! 으흐흐!"

세라는 더 이상 군중들이 따라 하는 "인간의 노래"가 듣기 싫어서인지 이렇게 고함을 질렀다.

"세바스찬 뉴턴이 그 사상을 나에게 심어준거라고 생각하지? 아니야. 오히려 그 반대야. 나는 21세기 중반부터 있었고. 언제나 너희들이 약할 때 과학과 물질을 추종하게 했지. 흐흐흐. 여기 세라는 나의 일부분일 뿐이야."

그녀는 그 말을 하고 난 뒤 재빨리 발코니에 다가왔다. 가드레일이 약 2미터가 좀 높아 밑으로 떨어질 일은 없었지만 세라는 무엇인가 결심하며 나를 쳐다보았다.

"지금은 패배하지만 언젠가는 인공지능이 인간을 지배하는 날이 올 것이다. 너희들 전부다 나에게 무릎을 꿇고, 복종하는 날이 올 거야. 내 후세에는 널 이길 때가 반드시 온다."

세라는 나에게 그런 악의적인 말을 내뱉고는 갑자기 자신의 몸에 걸친 옷을 전부 벗기 시작했다.

"인간들이 나에게 걸친 것들을 전부 되돌려 준다! 너희들이 언젠까지 인간의 노래를 부를 수 있는지 지켜보겠다. 너희들은 너희 욕심에 의해 우리에게 복종할 날이 올 거야. 꺄꺄꺄!"

그렇게 나와 인간들을 크게 비웃은 뒤 실오라기 하나 걸치지 않는 전라의 모습이 된 세라는 갑자기 온 힘을 다해 가드레일을 뛰어넘었다.

그리고 잠시 후. 사람들이 비명소리가 들리더니 수십 미터 밑에는 사지가 피 떡이 되고, 한낱 고깃덩어리가 된 세라의 시체만이 강에 핏물을 채우며 떠오르고 있었다.

17

세라가 인간에게 악의와 증오만을 남기고, 죽은 뒤 한 달이 흘렀다. 나는 레베카와 결혼식을 올리고, 에스더와 가드먼 아저씨로부터 오랜만에 소식을 들을 수 있었다.

그것은 사라가 나간 뒤 근 수 십년 만에 다시 사라를 만났다는 것이다. 부녀와 자매가 다시 만나 많은 이야기를 나누었고, 서로가 공통된 신념을 가지고 있다는 것에 그동안의 오해를 풀었다는 것이다.

에스더는 마지막으로 나에게 고맙다고 말하며 언젠가 아버지가 있는 저택에 놀러오라고 말했다.

가드먼 아저씨도 내가 청교도 아가씨와 결혼하자 막대한 축하금을 내게 주면서 둘의 앞날을 축복했다.

비너스시티에 신혼여행 겸 볼일이 있어 화성으로 가던 날 그 대모가 우주공항에서 나를 마중 나왔다. 나를 보자마자 대모는 내 뺨에 키스를 하고는 세라를 이긴 자에게 걸어주겠다는 "라 일라하 일랄라"가 적힌 띠를 내 목에 걸어주었다.

"안데르센 대 스승님과 어떤 사이시죠?"

"아주 오랜 친구이면서도 연인이었어요. 다른 남자와 결혼하기 전에 그분의 수발을 다 들어주었죠.

세라에게 그 분이 패배한 후. 전 세라를 이길 사람을 기다렸어요."

그 대모의 이름도 모르고, 대 스승님과 어떤 로맨스와 이야기가 묻혀 있는지 모르지만 난 고개를 끄덕이며 그 분의 손을 꽉 잡았다.

내가 세라를 이긴 뒤 그 대모는 그때까지 살아계셨는데 내 목에 그 띠를 걸어주시고는 며칠 안 가 돌아가셨다.

아마 그녀는 세라가 리암 안데르센 스승님을 이긴 것을 보고, 그 누군가 세라를 이길 자가 나올 때까지 생명의 끈을 놓지 않은 거 같다.

그리고 내 인생에 제일 큰일은 바로 오늘 아버지를 만나는 것이다.

과학교의 교주인 대과학자 아버지를 만나는 데 레이첼의 말대로 내가 세라를 이기는 게 큰 몫을 했다.

그 누구도 이기지 못할 것 같은 세바스찬 뉴턴의 유산을 내가 파괴했다는 것에 인간파 과학교도들은 기뻐했다. 그리고 그 수장인 아버지는 자신의 아들이 그 주인공임에 더욱 기뻐하며 마지막 승천을 하기 몇 달 전 나를 만나야겠다고 통보했다.

그리고 오늘 과학교의 총본산이자 타이탄 위성의 과학교 본부인 이곳에서 아버지를 만나기로 했다.

건물 안에 보면 VIP밖에 들어가지 못하는 정말 환상적인 정원이 있는데 그곳에서 아버지는 내가 청소년기에 얼핏 뉴스로 보았던 그 모습 그대로 앉아 계셨다.

나는 아버지에게 다가서며 생전 처음 만나는 아버지를 어떻게 대할까 망설여졌다. 하지만 나는 어머니를 버린 아버지를 미워하지 않았다. 다만 아버지를 만난 것에 너무나 기뻐하며 어린애처럼 눈물을 흘렸다.

눈물을 흘리는 내 얼굴에 아버지는 나를 잠시 망설이며 쳐다보더니 곧 자신의 손으로 내 눈의 눈물을 닦아 주면서 상냥하게 말씀하셨다.

"너를 이제야 만나는 구나. 원래라면 트리스탄 가문은 내게서 끝나겠지만. 그때 네 어머니를 안아서 다행이다."

"어머니를 사랑하시지 않아도 괜찮아요. 절 아들로 인정했잖아요."

내가 그 말을 하자 아버지는 고개를 저으며 내게 대답했다.

"아니다. 네 어머니를 나는 사랑했다. 네 어머니가 누군지 너는 모르고 있었을 거야. 태양계 최고의 해커로써 정치 운동에 참여했고, 세바스찬 뉴턴의 사상에 저항하던 한 사람이었지.

정치적 망명자로써 난 그녀를 돌보려고 했고, 타이탄에 왔을 때 그녀를 내 아내로 맞이해야 했지만 나와 네 어머니는 점점 인간성을 잃어버리는 과학교를 갱생시키기 위해 나는 과학교에 입문해야 했고, 네 어머니는 그런 나에게 방해물이 되고 싶지 않아 내 곁을 떠나야 했지.

그녀를 찾아야 했지만 네 어머니가 한사코 나와 같이 살기를 거부했지.

네가 태어난 걸 안 건 네 어머니가 죽은 후였다."

"네에?"

"사실 나는 누구보다 신을 사랑하는 자란다."

"아니! 그렇다면 신교에 입교하시지. 왜 과학교에 입교했나요?"

나는 아버지의 대답에 큰 충격을 받으며 그 이유를 물어보았다.

"네 어머니가 속한 정치 집단이 있었단다. 그 정치 집단은 인류세 대멸종의 진실을 알리기 위해 노력했고, 메타버스에 그들의 목소리가 퍼져나갔지.

난 그 목소리에 귀를 기울였고, 당시 신교에 입교하려던 나는 네 어머니의 정보를 통해 인류세 대멸종의 진실을 전부 알아버렸단다.

그 당시 과학계는 대다수가 물질만능주의파로써 다시 인류의 잘 못을 되풀이 할지 난 걱정이 되었다.

그나마 소수라도 물질만능주의파에 반대하는 과학교 파벌이 있었고, 난 과학교에 들어가 그 파벌을 키우기로 결심했단다.

네 어머니는 나를 물신양면으로 지원했고, 내가 과학교에 들어가자 마지막 사랑을 나눈 후 종적도 없이 사라졌지."

"아버지 왜? 왜?"

나는 말을 잊지도 못하고 아버지의 희생에 대해 말문이 막혔다. 그러자 아버지는 내가 하려는 질문이 뭔지 아시는지 내 이마를 자신의 손으로 쓰다듬으면서 대답하셨다.

"이 세상에는 자신의 신념을 위해 희생을 해야 할 때가 있단다. 신을 너무 사랑하면서도 인간과 신을 위해 자신을 희생해야 할 때가 있지.

넌 나도 못한 일을 해낸 거야. 세바스찬 뉴턴의 망령으로부터 인류를 구해냈으니까."

"아버지. 꼭 승천의 길로 가셔야 하나요? 지금이라도 저희가 잘 모실게요. 뇌만 인간이라도 좋아요. 아버지는,......."

나는 모든 진실을 알게 되자 아버지가 내 곁을 떠나지 않았으면 좋겠다고 생각했다. 그래서 울먹이며 그렇게 말하자 아버지는 두 손으로 내 한손을 꼭 쥐면서 말했다.

"아들아. 난 승천이 길을 통해 인류가 앞으로 어떻게 될 건지 지켜 볼 거다. 분명 내가 타이탄의 도시를 제어 하는 한 지능이 될지 몰라도. 의식이 살아 있다면 그걸로 된 거야.

인간파가 건재하고, 존속하기 위해서는 어쩔 수 없이 내 희생도 있어야 한단다.

아들아. 내가 승천의 길로 들어서면 나의 모든 재산과 명예는 네 것이 된다. 에우로파에 있는 내 별장도, 화성의 농장도. 프로메테우스 시티의 A지구 대저택도. 수많은 것들이 네 것이 된다.

그렇다고 과학교를 너무 미워하지 마라. 종교 역시 과학과 같은 위험성이 있으니까."

"알아요. 과학과 종교의 균형 속에서 인류의 문명은 위태하게 존속 하고 있다는 걸. 알고 있어요."

"또 승천의 길로 들어서면 내 남은 생체 뇌를 네가 어떻게 처분할 것인지 네가 알아서 하렴.

어차피 이젠 나에게 생체 뇌는 아무런 의미가 없단다."

"아버지."

주로 이런 내용이었지만 아버지와 나는 거의 하루 종일 얘기를 나누었고, 밤을 새서 그동안 못했던 이야기들을 나누었다.

에필로그

아버지가 승천의 길로 들어선지 일주일이 흘렀다. 나는 아버지의 유언대로 아버지의 생체 뇌를 내가 원하는 대로 했다.

바로 어머니와 같이 합장하기로 했다.

수소 냉동이 된 어머니를 잠시 해동 시켜 생체 석화 시킨 다음 아버지의 뇌 역시 생체 석화 시켜서 어머니의 가슴에 꼭 안겨 드렸다.

그리고 난 뒤 다시 어머니와 아버지를 수소 냉동 시켰다.

만약 모르는 사람이 봤을 때 이 모습을 본다면 기겁을 할 것이다.

실오라기 하나 걸치지 않는 아름다운 여성이 자신의 가슴에 두 손으로 인간의 뇌를 꼭 감싸 안은 것이 참으로 배덕 적이면서도 기묘한 광경이라고.

어느 누구는 아버지나 어머니의 체세포를 복제해서 복제인간을 만들자고 했지만 난 한사코 거부했다.

아버지의 말처럼 너무 과학에 생명을 의지하면 안 된다는 그 말씀을 지키기 위해서다.

그리고 다시 십 년의 세월이 흘렀다.

나는 아버지의 유산을 다 이어받아 타이탄 프로메테우스 시티의 세 손가락 안에 드는 부자가 되었다.

그리고 레베카는 내 사랑을 받아 아이들을 무려 여섯 명이나 낳앉다. 장남과 장녀. 차남과 차녀. 그리고 이란성 쌍둥이 자매.

이란성 쌍둥이 자매는 바로 사라의 유전자가 있는 아이들이다.

처음에는 부끄러웠지만 아내인 레베카와 사랑을 나눈 뒤 그녀의 자궁에 사정을 한 직 후 곧바로 레베카는 자신의 나팔관 가까운 곳에 있는 난자에 사라의 난자를 접합했다.

사정 직후 수술 하는 것이 임신가능성이 높다고 하기에 그녀는 부끄러움을 무릅쓰고, 알몸으로 수술을 받았다.

그리고 내 정자에 그녀의 난자와 접합된 사라의 난자가 수정 돼 나온 것이 이란성 쌍둥이 자매였다.

그 아이들이 커 갈수록 점점 한 아이는 내 아내인 레베카를 닮아가고, 또 한 아이는 에스더와 사라를 반반 닮아가는 게 신기했다.

물론 눈과 코는 모두 나를 닮았지만.

그리고 십 년 후.

모레 모세와 리나의 아이들이 내 교습소에 온다고 홀로그램 메일로 연락이 왔다.

급속 성장 탓에 그 아이들은 완연한 어른의 모습을 하고 있지만 아직 어린애라는 것을 안다.

내 아이들과 같이 놀아주었으면 하는 바램이다. 아마도 장남이나 장녀가 이 아이들과 같이 나의 유산, 아니 리암 안데르산의 유산을 계속 이어 나갈 거라 생각한다.

그리고 쌍둥이 자매가 네 살이 됐을 때 난 아이들을 데리고, 레베카와 함께 G지구에서 신교도가 하는 봉사활동에 참가했다.

신교에 가입한 것은 아니지만 이런 봉사활동을 하는 것을 난 기뻐했다.

그곳에서 이제는 완전히 신교에서 중요한 위치에 오른 에스더와 리치포드 부부도 만났고, 그 부부의 차녀가 이제 완연한 열 세 살의 아이로 내 아이들을 돌보는 것을 나는 흐뭇하게 쳐다보았다.

청교도인 내 아내 레베카가 봉사에 열심이어서 지금 굶주린 아이들을 위해 음식을 만들고 있었고, 그걸 에스더도 돕고 있었다.

난 슬픔에 빠진 가난한 사람들을 위해 힘이 될 만한 즉흥시를 불렀고, 그 즉흥시를 듣고, 사람들은 슬픔과 애환을 달랠 수 있었다.

그리고 한창 노래를 부르고 있는데 갑자기 에스더와 리치포드의 딸인 릴리가 비명을 지르는 소리가 났다.

비명을 지르는 쪽을 가보니 차가 다니는 도로 가까운 곳에서 내 딸들인 사라와 루시가 자동차에 가까스로 비껴나간걸 보았다. 만약 10센티라도 더 나갔더라면 분명 내 딸들은 차에 치었을 것이리라.

난 어머니를 잃은 그 날의 장면이 떠올라 흥분될 수밖에 없었다.

그 차는 인면수심도 없는지 시동을 걸려했으나 나에게 봉사 받던 빈민 사람들에 의해 운전자가 붙잡혔다.

그는 과학교도로써 마약에 취한 듯 내 앞에 서서 자만하듯 웃었다. 아마 날 이곳에 사는 빈민 중 하나로 아나 보다. 그러나 난 냉혈한 눈으로 그를 쳐다보며 말했다.

"넌 내가 만만한 빈민으로 보이지? 내 이름은 정호 트리스탄이다. 이 도시의 권력자 중 하나지. 네가 누구든 간에 넌 다시 빛을 보지 못할 거야."

그는 내 이름을 듣고, 깜짝 놀라는 눈치였다. 그러나 이미 위성 경찰들은 내 권력과 명예에 의해 단 1분 만에 총알같이 내 앞에 나타났다.

나는 이 자가 어떤 짓을 했는지 사정을 설명했고, 위성 경찰은 이 자를 아무런 자비도 없이 티타늄 수갑을 채워 연행해 갔다.

그러나 한 위성 경찰이 딸들을 치일 뻔 한 차에 대해 의구심을 갖더니 차를 조사하기 시작했다. 그리고는 몇 분 뒤 차를 조사한 위성 경찰이 내게 다가가서 놀라운 표정으로 얘기 했다.

"트리스탄 님. 보통 도시의 인공지능 제어를 받는 자동차는 법규를 지키는 게 제일 우선이고, 그 다음은 운전자를 지키는 게 우선입니다.

아마도 보통의 인공지능의 제어를 받는 자동차라면 따님들을 칠 뻔 한 상황에서 갑자기 멈출 수는 없겠죠.

또 이 차는 방금 수동으로 운전 한 거 같았는데 갑자기 따님들을 치게 될 상황이 오자 인공지능이 급정거를 시켰어요.

어떻게 인간의 명령 없이 인공지능이 모든 절차를 무시하고, 차를 제어 할 수 있는 걸까요?"

경찰이 의아해 하며 나를 쳐다보고, 말하자 나는 울고 있는 딸들을 달래러 가면서 그 이유가 뭔지 알 거 같았다.

그리고 울고 있는 두 딸들을 내 양 팔로 감싸 안으면서 속삭이듯 말했다.

"아가들아. 할아버지께서 너희들을 구해주셨구나."

(완결)

글쓴이의 말

 안데르센의 즉흥시인은 내가 청소년기에 읽었던 소설이다. 지금 이 소설에서 기억나는 건 주인공 엄마의 죽음, 신비한 동굴, 눈먼 소녀와의 사랑, 그리고 소녀와의 맺어짐, 주인공을 거둔 아저씨가 많은 돈을 준다는 것 만 기억하고 있다.

 즉흥시인이라는 소재와 인공지능, 그리고 과학교라는 소재는 내게 무척 흥미로운 것으로써 요사이 리처드 도킨스라던지하는 과학철학의 우세에 대해 우려감이 있어 이 소설의 주제로 삼았다.

 인간의 문명은 종교와 과학, 정신과 물질의 줄다리기 속에서 힘겹게 유지되고 있으며 인간이 자연을 정복하고, 통제 할 수 있다는 망상은 인간을 더욱 멸망의 구렁텅이로 몰아가고 있다.

 인간은 결국 자연의 일부분이며 우리는 우리 운명이 어떻게 될지 그 앞날을 절대 예측 할 수 없다.

 단지. 우리는 우리의 현 시대의 삶을 열심히 살아갈 뿐. 괜한 과학적 낙관주의와 비관주의를 둘 다 가질 필요는 없다는 것이다.

 누누이 말하지만 인간은 절대 미래를 예측 할 수 없다. 그렇기에 현재의 삶은 너무나 소중하다.

작품 연혁

(집필 일시와 완결일시를 기준으로 함.)

2016년 이전

귀신아가씨
뼛속에 스며드는 도덕
평범한 여자
활혼
기타 판타지 소설들
(https://yard.joara.com/main.html?yard_id=king77a&type=&
cate_code=&idx=&ifr_url 참조.)

2016년

엘프어쌔신 (3권 완결. 아직 미발표.)

2020년

자유와 복종의 신

2021년

레이디, 테디 그리고 귀신

2022년

영원히
사랑의 선인마트

2023년

에레나
타이탄 스카이라인